C0-ANB-442

Peter O. Chotjewitz

Hommage à Frantek

Nachrichten für seine Freunde

Rowohlt

1. Auflage September 1965

Printed in Germany

Hommage à Frantek

Vorwort

erst heute wieder erhielt ich einen Brief
traf ich einen Bekannten der mit mir sprach
las ich in der Zeitung eine Glosse
sah ich einen Film
kam mir ein Gedanke
hatte ich auf der Straße ein Erlebnis
träumte ich
– und immer ging es um die Frage:

was ist mit Frantek? wird Frantek erscheinen?

und dann mußte ich mich selber fragen:
werde ich, wird? und das hieß:
kann darf muß??
und kann das hieß:
ist überhaupt etwas vorhanden?
und darf das war eine formale Frage.
und muß das betraf eine Anzahl Ereignisse die auch
zum KAPITEL FRANTEK gehören.

so wie es ist, muß ich mindestens vier Personen erwähnen,
die ihn gekannt haben:
drei Personen wegen derer und wegen deren Verhältnis zu
Frantek ich dieses Vorwort schreibe – und mich.
was mich anbelangt, so habe ich zwar Frantek gut gekannt,
aber keinen dieser drei:
Sebastian Rottenkopf, Freiher von Nagel und Samuel
Thunfisch, von dem ich wenigstens schon gehört hatte,
allerdings unter anderem Namen – er wurde Schmul genannt.

von den Ereignissen erwähne ich folgende:

im Garten Eden

im Garten Eden das ist eine Gartenwirtschaft
in deren Mitte eine große Kastanie steht
im Garten Eden saß ich abends oft
mit einem Kohlenträger
der früher im Gleiwitzer Revier
vor Ort gestanden hatte

ich sah auf die breite Allee vor dem Eden, die von herrlichen alten Kandelabern beleuchtet wird und zum Schloß führt und Frantek saß neben mir und blickte aus seinem kohlenstaubgeschwärzten Gesicht, das nur um die Augen zwei helle Kreise zeigte, auf das grüne Bier auf dem grünen Tisch, und immer wenn eine Pause zu Ende gegangen war, erzählte Frantek die Geschichte von Antek und Frantek in Gleiwitz und fragte mich: hastu gewesen?

der Frantek, dessen wegen ich schreibe, ist zwar nie in Gleiwitz gewesen – nehm ich an – doch hieß er ebenfalls Frantek und pflegte zu fragen: warssu schon dort? und wenn ich den Kopf schüttelte, sagte er: Detroit Chicago!

wenn ich nu heime ging, kam ich an einem Haus vorbei, in dem wohnten alle Möbelträger der Spedition Jägerling und im Parterre, gleich neben dem Hausflur, lag eine Kochstube mit einem Fenster, aus dem an warmen Tagen nur mit Unterhemd bekleidet ein Herr namens Frantek heraussah – und hielt Ausschau nach Schnaps.

wenn die Möbelträger freitags Geld hatten, so sagten sie: auf gehts Frantek!, setzten ihm Kaffeewärmer und Apfel aufs Haupt, legten ihm Bademantel und Bettuch um die Schultern, schnürten ihm die durchgesoffenen Zuckernieren mit dem Möbelgurt, gaben ihm Teppichklopfer und Schürhaken in die Hand, baten ihn in eine ihrer Möbelkisten zu treten und fuhren zu dieser und jener und mancher anderen Destille. wenn sie hereinkamen, sagten sie: tach Pit, klappten den Kistendeckel auf und baten ihn hervorzukommen und an die Theke zu treten. dann bekam er Schnaps soviel wie er mochte, bis sie eines Tages die Kiste aufmachten, den Zeremonienmeister baten, mit einem Stock an die Erde zu rühren, doch er kam nicht heraus, denn er war tot. der hieß also ebenfalls Frantek und starb gewissermaßen ebenso am Suff wie der, über den ich schreibe.

und dann gab es in P eine Frau namens h. die hatte zwei Töchter und einen Sohn. die erste Tochter hatte einen Sohn und eine Tochter. die zweite Tochter hatte einen Sohn und drei Töchter. der Sohn hatte einen Sohn und zwei Töchter. lange Jahre nachdem ihr Mann gestorben war, einige Jahre weniger, nachdem auch ihr Sohn gestorben war, hatte sich Frau p in eine winzige, kleine, schwarzgekleidete, fröhliche Frau verwandelt, die ihre zahlreiche Verwandtschaft zu verwechseln begann. so hielt sie den Sohn des Sohnes ihres Sohnes für den Sohn ihres Sohnes und den Sohn ihres Sohnes für ihren Sohn. iss datt dein Mann? fragte sie in freundlichstem kölnisch ihre, wie gesagt verwitwete, Schwiegertochter unter Hinweis auf den Sohn ihres Sohnes. oder: iss datt dein Kind? und erwies dem Sohn des Sohnes ihres Sohnes große Freundlichkeit. im Laufe der Jahre überwand sie diese Schwierigkeit ohne eigenes Zutun, so daß sie später eigentlich nur noch fehlerfrei singen konnte: ach ich hab sie ja nur auf die Schulter geküßt, während sie ihre Konversation auf die unermüdliche Repetition der Reste einiger Gespräche, die sie vor fünfzig oder sechzig Jahren anläßlich einer beliebigen Kaffeetafel gehabt hatte, reduzierte.

was haben nun diese drei Ereignisse mit Frantek zu tun? sie sind ein wenig von dem, was ich unter Frantek verstehe, seit ich ihn kennengelernt habe. denn er lehrte mich, ohne es zu wollen, daß jedermann Frantek ist, auch Frau p aus h, die wiederum so war, wie alle Menschen, deshalb also muß ein Buch über Frantek heraus.

und ob es das darf? die Ehrlichkeit verlangt von mir, zuzugeben, daß nicht ein Satz dieses Buches über Frantek von mir stammt. die auf den folgenden Seiten abgedruckten sieben Kapitel über ihn stammen von den schon erwähnten Rottenkopf, Thunfisch und Nagel, obwohl der Nachweis kaum zu erbringen ist, daß sie von diesen und von niemandem anders geschrieben wurden. doch gibt es ebensowenig Indizien dafür, daß jemand anderes sie geschrieben hat, obwohl ich allen denen nachgegangen bin, die damals in dem Kreis um Frantek gewesen sind.

ich selber kannte nur einige: Franz Kleebart, Friedel Langrock, Heinz Obenkoben und Roswitha Krummteich. aus einem Gedicht, das Thunfisch 1959 veröffentlichte, stammen die Namen Seegang, Stern, Rottenkopf und Nagel. aus einem Brief den Nagel 1961 schrieb, stammen die Namen Rath, Bettina, Cesar, Thunfisch und von dem Empfänger dieses Briefes, der nicht genannt sein will, erfuhr ich auch, daß Nagel an einem Buch über Frantek sitze. von diesem, ohnehin vollkommen unbekannten und unbedeutenden Brieffreund erhielt ich Nagels Adresse, der mir beschrieb, wie ich Rottenkopf erreichen könne, jedoch bestritt, jemals ein Wort über Frantek geschrieben zu haben, obwohl er mit Sicherheit als Verfasser des ersten zweiten dritten fünften und sechsten Kapitels angesehen werden muß (warum gleich unten). die ersten sechs Kapitel erhielt ich nach vielen vergeblichen Bemühungen von Rottenkopf, der irgendwie in den Besitz der von Nagel stammenden Kapitel geraten war und als Reflexion über die ersten drei Kapitel das hier als viertes Kapitel abgedruckte Textstück selber verfaßt hatte. allerdings ohne eine Ahnung zu haben, von wem diese Texte stammen könnten. er kenne Nagel kaum, schrieb er mir.

das siebente Kapitel ist von Thunfisch. es steht in jeder Hinsicht in engem Zusammenhang mit dem bereits erwähnten Gedicht. aus dem Text ergibt sich, daß Thunfisch weder die Arbeiten Nagels noch die Rottenkopfs gekannt hat. zugleich können wir die Entstehung seines Textes auf Ende 1961 datieren, während Rottenkopfs und Nagels Text wohl später entstanden ist.

eigentlich schwierig und bestreitbar ist also nur die Zuschreibung der fünf Kapitel Rottenkopfs. nicht nur, daß er bestreitet Urheber zu sein. es verwundert auch, daß er fünf Kapitel geschrieben haben soll, während Thunfisch und Nagel, sofern auch sie Verfasser von Texten über Frantek sind, jeder nur ein Kapitel geschrieben zu haben scheinen. es verwundert ferner die Uneinheitlichkeit und der geringe Zusammenhang zwischen den fünf Kapiteln Thunfischs, so daß man sich unwillkürlich fragt, wie aus diesen fünf Fragmenten ein Buch entstehen sollte. wir müssen aber folgendes berücksichtigen:

Rottenkopf und Thunfisch wollten allem Anschein nach niemals ernsthaft ein Buch über Frantek schreiben. selbst wenn sie mit dem Gedanken gespielt haben sollten, so war das, was hier als «das vierte Kapitel über Frantek» vorliegt, doch nicht mehr, als Reflexion über drei Kapitel, die von Nagel stammen mochten. ebenso ergibt sich unmittelbar aus Thunfischs Text, daß auch er nur einige Eindrücke und gedankliche Möglichkeiten, ein Buch über Frantek zu schreiben, wiedergeben wollte.

was nun Unstimmigkeiten und Unbeholfenheit des Thunfisch'schen Textes in allen seinen fünf Kapiteln anbelangt. Nagel äußert sich in seinen Reflexionen der ersten drei Kapitel Rottenkopfs abfällig über deren Verfasser und nennt ihn nur Jemand, ohne zu wissen, daß Thunfisch ihm bei Frantek oft begegnet sein mußte. bei ihm klingt schon an, daß wir uns unter Nagel einen Studenten, Justizreferendar, Lehramtskandidaten, Bergassessor etc. vorzustellen haben, der weder literarisch vorgebildet, noch künstlerisch außergewöhnlich begabt ist. was die literarische Fragwürdigkeit Rottenkopfs erklärt, wenn auch nicht rechtfertigt. man stellt sich schon vor, was für ein Mensch er sein mag.

diese drei haben also, ohne daß einer von der Arbeit des anderen gewußt hätte, dieses Buch geschrieben. und nun die Frage: darf es heraus? – wobei ich ergänzen muß, daß die urheberrechtliche Seite der Frage nicht mit im Spiele ist. sondern, zum Beispiel:

warum setze ich mich nicht selbst hin
und schreibe ein Buch über Frantek?
warum bitte ich nicht jemanden
der berufen wäre
ein Buch über Frantek zu schreiben
wenn ich schon versichere
es müsse ein Buch über Frantek heraus?

die Antwort ist einfach und billig zu haben. ich könnte nicht mehr oder besser über Frantek schreiben, als diese drei, voneinander unabhängig, und weit von dem Ehrgeiz entfernt, eine Dokumentation über ihn zu geben, geschrieben haben. gewiß, ich könnte behaupten, es sei nicht gut, Geschichten zu erzählen, als deren Hauptperson sich immer wieder ein Mann namens Frantek entpuppt. aber was weiß ich denn über ihn. was er erlebt hat, gedacht, sich gewünscht, geträumt, wozu er den Anstoß gegeben hat? ich müßte Geschichten erfinden, die ebenso unwahrscheinlich sind. ich müßte sie einem Menschen um die Schultern hängen. ich müßte sie wie einen Vorhang vor eine Bühne ziehen, auf der nur ein Mann allein auf einem Lehnstuhl mit Rosenmuster sitzen würde. ich müßte sie wie Schnee über eine Landschaft verstreuen, um einen bestimmten Mann damit zu bedecken. aber immer würde er den Mantel vom Gesicht ziehen, den Vorhang in der Mitte einen Spalt breit öffnen, das Tuch anheben und darunter hervorschauen, würde den Kopf bewegen und sagen: ich heiße Frantek, und wie heißest du?

also nichts gebessert, nur ein Buch mehr über Frantek, obwohl doch dieses hier, das nicht gewollte, alles über Frantek sagt, was auch ich sagen könnte, und einiges mehr. einen Anderen aber, der über Frantek schreiben wollte, habe ich nicht gefunden. es scheint niemand berufen worden zu sein.

was ist da? was ist da, das heraus kann?:
Hommages. Erinnerungen an einen alten Mann, der während eines Festes im Wohnkeller eines Miethauses auf einem Ohrenarmlehnensessel mit einem Rosenmuster mitten im Raum saß. einige Träume. die Geburt eines verkrüppelten Kindes – das sind schon die ersten drei Kapitel, deren Grundgedanke es sein mochte, die erinnerte Person innerhalb der Welt aus der Welt zu führen, und wenn es vergeblich war – weil es vergeblich sein mußte – sie als Christopherus ähnliche Gestalt zu mythologisieren.

dieser Versuch ist dem Freiherrn von Nagel bekannt geworden, ohne daß wir wüßten, auf welche Weise. in seinem Text, der an vierter Stelle steht, versucht er eine reale Beschreibung Franteks gegen die unwirkliche mythologisierende Beschreibung durch Thunfisch in den ersten drei Kapiteln. dieser Versuch mußte scheitern, denn keiner der drei kann, ebensowenig wie ich, nachweisen, daß es Frantek überhaupt gegeben hat. dennoch muß der Versuch Nagels, obwohl er unbekannt blieb, reinigend gewirkt haben. in den beiden folgenden Kapiteln, hier dem fünften und sechsten, verwendet er deutlichere, plastischere und realere Vorwürfe, wenn auch sein Stil, vor allem im sechsten Kapitel nicht geeignet ist, die Personen, insbesondere Frantek und die ihn umgebende Umwelt zu literarisieren. gerade der Versuch Rottenkopfs, eine poetische Prosa zu schreiben, wie er im sechsten Kapitel ganz deutlich wird, ist gescheitert.

das siebte Kapitel, von Nagel verfaßt, ich sagte es schon, könnte am Anfang stehen. es steht für sich und außerhalb des

Bogens, den die ersten sechs Kapitel doch immerhin bilden. nur sie, die ersten drei Kapitel von Rottenkopf, das vierte Kapitel von Thunfisch und das fünfte und sechste Kapitel von Nagel bilden eine Einheit und sei sie auch locker und willkürlich. der Verfasser des siebenten Kapitels dagegen hat sich ganz offensichtlich einige Zeit lang mit dem Gedanken getragen, ein Buch über Frantek zu schreiben und in seinem Text versucht, einige Gedanken zum Thema zu fixieren, wobei er, um dem ganzen einen Halt zu geben, banale Ereignisse und Eindrücke einer Reise als Rahmen verwendet hat. es spricht viel dafür, daß diese Reise im Frühjahr 1962 stattfand, als Rottenkopf von München, wo er gelebt hatte und auch Frantek begegnet war, nach Berlin übersiedelte, wo er, nach zuverlässigen Berichten, als Beamter in den Justizdienst eintrat. nicht nur als Motivation der sechs vorangegangenen Kapitel Rottenkopfs und Nagels, auch als die Wiederherstellung zeitgenössischer Aspekte müssen wir den im siebten Kapitel niedergelegten Text Thunfischs sehen. als solcher hat er in diesem Buch auch seine Berechtigung.

Erstes Kapitel

1 komm ich führe dich in die Welt
2 so fängt komm ich führe dich alles an
1 so fängt alles immer und täglich alles
2 und immer täglich ich führe dich komm so fängt
1 wenn täglich geboren gestorben gehört gesehen erfaßt
2 gerochen geschmeckt begriffen erkannt
1 vergessen verloren verlassen
2 und so viele andere Möglichkeiten des Anfanges
die alle sind
1 komm
ich führe dich in die Welt
ich führe dich in die Welt die in der Welt ist
die nicht in der Welt ist die in
die ist die ist ist
nicht ist nicht nicht ist ist
2 komm
laß dich täuschen laß dich täuschen
du wirst nicht getäuscht werden
1 doch nicht alles auf einmal
2 sondern eins in allem
1 und alles in einem denn in einem ist alles
und eins ist in allem
2 zum Beispiel so sage ich
komm
mit mir diese Treppe hinunter
und wenn du auch wenig erwartest
es gibt mehr als du siehst
1 du siehst
schwarze Landschaften aus Kohlenbergen und
Kohlenstaubtälern über denen
Fahrräder von der Decke hängen auf denen
wieder alte Männer sitzen und
an der Lenkstange eine Milchkanne

auf dem Gepäckträger einen Rucksack haben
wenn du dich erinnerst und leise
2 wie dann Vatter Storck sagst
nun hängt sein Fahrrad von der Decke
damit die Reifen nicht porös werden
1 wer fährt noch mit dem Fahrrad auf den Markt
um für seine Frau einzuholen
2 wer spielt noch täglich
Inventionen für zwei Hände und einen Arsch
1 doch genug
2 du erwartest
1 genug
2 Sofas und Gardinenstangen
1 Hausfrauenplastiken
aus übereinandergestellten Pappkartons
deren Aufschriften Sprachen erinnern
die versteckt sind in Sprachen von Sprachen
2 genug zu erwarten
1 zu erwarten zu erinnern
2 Erwartung die alles erfüllen kann
1 was du bereit bist zu erfüllen
2 du beginnst schon zu hören
komm hebe die Arme halte sie nach vorn
strecke die Hände komm halte die Arme waagerecht
bewege sie bewege sie nach den Seiten bis sie ein Winkel
von 180 Grad sind komm
bewege sie nach vorn nach den Seiten nach vorn komm
geh so durch den dunklen Gang komm
bewege die Arme schließe die Augen
fühl wie deine Augen größer werden geh sicherer komm
sieh wie deine Hände sehen
sieh wie der Gang heller wird
wir sind gleich da
was hörst du
1 was ich höre
Musik

17

swing low
ist Musik
sweet chariot
2 Wind in deinen Waden
1 in meinen Waden Wind
2 Bewegung in deinen Fingern.
1 in meinen Fingern Bewegung
2 Grazie in deinen Schritten
1 coming for to carry me home
viele kleine Mädchen die in Felder hüpfen
zwischen Kreidestrichen auf der Straße
2 wenn du mich hörst wenn du mich hörst
1 fli fla fli fla flidubab
2 öffne die Augen was siehst du

1 Frantek
der in seinem Lehnstuhl sitzt
hält den Kopf zwischen Ohren
die mit Plüsch bespannt sind
wie der ganze Sessel
dunkle Blumen Rosen immer dunkler jeden Tag
und Rosenblätter miteinander verflochten
wachsen hinter seinem Rücken unter seinen Ellenbogen
auf Rosenlehnen hervor
sein Gesicht ist eine Rose die keine Rose ist
2 denn nicht jede Rose ist eine Rose
zum Beispiel:
zu viele Sonntagsjacken und Alltagshosen
auf zu vielen Sesseln gesessen
zwischen New York und Sarmland
oder die Erinnerung an Königsberger Klops
für den Knecht vom Feld ins leere Haus zurück
zuviel geschimpft
zum Beispiel:
mit der Axt totschlagen
n Abend abwarten

aufn Schubkarren nd ab nd vergraben
1 zwischen Sarmland und New York

2 was das heißen soll?
es soll ein für allemal heißen daß
Frantek vom Feld kam
weil er Hunger hatte die Küche betrat
in der niemand sich aufhielt sich
zwei Königsberger Klops nahm was
keiner ihm gestattet hatte oder
übelnehmen durfte
ein kleines Schläfchen im Garten machte und
von der Hausfrau beschimpft wurde obwohl
ihr Mann sein Bruder war
1 so daß er seine Alltagshosen an die Wand hängte
um das Bein freizubekommen für die Sonntagshosen den
angestammten Platz im
Sonntagnachmittagohrenarmlehnensessel mit Rosenmuster
auf dem niederen Podest vor dem Fenster zur Straße im
Stich ließ und sich auf den Weg machte
der ihn bis nach Amerika führte

2 was das heute abend noch für eine Bedeutung hat?
ich frage Frantek
da antwortet er
1 was er jeden Tag jedem antwortet der ihn fragt
zum Beispiel:
wie geht es dir Frantek
2 da antwortet er:
1 New York Chicago
warst du schon dort?
warst du
2 wo
1 warst du schon?
2 wo
1 New York Chicago Detroit Philadelphia Milwaukee

19

Chicago Detroit Philadelphia Milwaukee New York
2 Chicago Detroit Philadelphia Milwaukee Chicago
1 Detroit Philadelphia Milwaukee Chicago New York
2 New York Philadelphia Mil
1 Chicago New York Phila

Pause

1 dies ist ein Hommage à Frantek
2 ich bin Frantek
1 du erinnerst dich nicht mehr
der Erinnerungen deiner Erlebnisse
du kennst nur noch die Worte
mit denen du sie oft erzählt hast
nun sind deine Erinnerungen Worte von Worten
wenn ich sie höre
erinnere ich mich für dich
und sage:
2 Spiegel ohne Silber
über den mich vergessene Erinnerungen tragen
die mir keine Pause gönnen
nur so werden Ereignisse Poesie
nur Worte die nichts mehr bedeuten
und an nichts mehr erinnern
sind der Stoff aus dem sie gemacht wird
1 und nun
hör das fldabidudu bab du
2 fldabidub du bab didu bab
1 denn dies ist ein Fest für Frantek
dem die Jungens den ganzen Kopf
stoppelig geschoren haben

überall wo ein Fest ist
sitzt er in der Mitte
auf Rosen
mit hohen Schuhen an den Füßen

in einer grauen Weste
und hat im Gesicht über dem kragenlosen Hemd
noch die Fäden der Netze
der großen Spinne und
in den Augen einen Blick seiner Schwester Franziska
– kennst du eine Frau die Franz heißt?
und um ihn herum sind alle
die immer da sind
bei jedem Fest
auf dem Franz in der Mitte sitzt

2 der Rath ist da
1 der guck mal da Rath
Stein auf Hand gefallen dicke Knoche
der im Sommer im Park wohnt
2 nun ist Winter
1 da schläft er am Ufer in einem kleinen Holzhaus
das im Sommer den alten uniformlosen Kapitänen gehört
in dem im Sommer matrosenlose Kapitäne sitzen
und sich einen rechten Matrosen wünschen
nicht nur jemanden der als Gehilfe genug gearbeitet hat
wenn er einmal in der Stunde die Trossen
um den Ankerpflock geworfen und den Steg
an Land geschoben hat
2 Pfaueninsel
der Dampfer fährt in einer Stunde zurück
einen richtigen Matrosen
aber was ist mit Rath?

1 wenn ihn die Stadt vergessen hat
wenn die Stadt den Rath vergessen hat
2 wenn ihn die Polizisten vergessen haben
1 wenn ihn die
argwöhnischen Augen der Kaufleute vergessen haben
2 paß auf der klaut
1 geht er zum Ufer

mit seiner Aktentasche
an die eine Wolldecke geschnallt ist
und sucht zwischen Stullenresten in seiner Manteltasche
den Schlüssel der paßt
2 und singt ein Lied
das er bei Frantek gehört hat:
1 sind wir am Rhein
trinken wir Wein
sind wir im Himmel
trinken wir Kümmel
kein Sodawasser trinken wir
wir trinken nur noch Lagerbier
2 obwohl in seiner Tasche immer nur roter Wermut ist
1 oder: der Tod ist wie ein Traum
in besoffenem Zustand
merkt mans kaum

aber nun sitzt er bei Frantek
der inmitten eines Festes sitzt
und den Ankömmling fragt:

wer bist du wo kommst du her wo willst du hin
warst du schon in Amerika
nein?
wenn ich noch mal so jung wäre wie du
New York Chicago Milwaukee

und so geht es weiter nun sind wir schon vier
doch wer sorgt für den Käse?
wer sorgt für den Schnaps?
es folgt eine lange Geschichte:

2 als Ulikönig sein Land verließ
1 als König Uli
wie ein südamerikanischer Präsident
der seine ehemaligen Untertanen

mit der Staatskasse verläßt
2 mit vollen Taschen
den weißgekleideten Supermarkt hinter sich ließ
1 schlugen ihm weiße Verkäufer eilig
Aufhänger für die verwirrten Blicke
der weißen Verkäuferinnen in die Schulterblätter
2 sammelte der weiße Supermann
auf der von Spiegeln umgebenen weißen Supermarktbrücke
seine zwölf Augen in den sechs Spiegeln
in den vier Ecken des Supermarktes
und sandte dem stürzenden König
dem landflüchtigen Präsidenten
dem Ernährer eines ungewaschenen Volkes am
Throne des mildtätigen Frantek
einen donnernd fluchenden Spiegel hinterher
so daß der bärtige Fürst
von der Vielzahl der Blicke getrieben
nur noch schneller hinaus mußte sich
dieser zitternden Übung nicht entziehen konnte
auch diesen Weg auf dem Weg zu sich selbst
auf dem Weg zu sich selbst von außen
von sich nach außen und von außen tiefer zu sich
durch ein weißes Spalier
mit roten Lippen und toupiertem Haar
gehen mußte
diesen Weg der so:

1 langsam
geh weiter
bleib stehen
geh weiter
aber langsam
die Finger
achte auf deine Finger
damit nicht deine Finger
zu Spinnebeinen werden

geh langsam
immer langsam
nicht umdrehen
nicht schauen ob er
hinter dir herkommt
er tut es
der Supermarkt
tut es
er kommt
such dir lieber mit den Augen irgendeinen Punkt
lies dreimal die Reklame an einer verputzten Hauswand:

Geringer Metzgermeister
Geringer Metzgermeister
geringer Metzgermeister

balanciere über den Strahl deiner Blicke
in denen ein geringer Metzgermeister zittert
2 mit dem kleinen Hackebeilchen
1 wenn dann grün kommt
und du auf der einen Straßenseite stehst
und er auf der anderen
wenn dann die weißen Blicke langsam
wie von Gummibändern gezogen
wieder in ihre Augen zurückfallen
dann bist du aus der Welt
und die Jungens haben ihren Schnaps

balan
balancea
2 man nennt das einen Balanceakt

Pause

1 nun sehe ich Bettina
Bettina Landshut 1809 nach dem Leben in Kupfer gestochen

mit schwarzem Haar bis auf die Schultern
über einem breiten Gesicht
mit flachen Wangen
das große Augen dunkel machen
erst in Kupfer Bettina
nun nicht mehr
statt dessen lebendig
von kleinen weißen Tabletten
die die Arme zu Flügeln machen
und die Füße zu gehorsamen Rudern
die ein Mädchen in jede beliebige Bahn führen
und ihm das kleine Glanzauge
in der Klarsichthülle öffnen
um alles Wunderbare wunderbar zu sehen
2 ein Stück Holz zum Beispiel
oder ein Puppenbein
einen Schatten
einen Fleck auf der Wand wie die Spinne
dreimal auf Franteks Hals
1 zu sehen zu hören
2 die Flöte im Ohr die sonst niemand hört (1)
und das Katzenjammerlied im linken Rücken
zu sehen zu hören zu fühlen
1 die Wärme eines Steines die Kälte des Eisens
auf einen hohlen Stamm klopfen
und die Länge des Geräusches abwarten
singen

(1) Neulich geschah uns
– nachdem wir getreulich aller Sentimentalität des warm und halblaut gesprochenen Textes von *midnight in Europe* gefolgt waren und auch alle Traurigkeit der musikalischen Saxophone und Cornetts dieser Sendung mit *April in Paris, Once I had a secret Love* und *A foggy Day in London Town* in Fuß und Knie beim Tanz auf einer Stelle verspürt hatten – nachdem im christ-

25
aber nicht doremifaso sondern
2 fldabidu bab du
fldabidub du bab didu bab
1 und dazu tanzt ein anderes Mädchen
das ich im Sommer unter der Promenade des Anglais traf
wo wir unsere Schlafsäcke hatten
und etwas weiter westlich

lichen Chor *Glory* gesungen worden war; nun ist es Viertel vor eins!

– nachdem einsame Schritte sich über die leere Bühne unseres dunklen Hinterhofes zu einer kleinen, grauen Tür im Hintergrund hin, und nach dem aufbrausenden Geräusch einer Wasserspülung wieder zurückbewegt hatten, ohne daß auch nur eine der vielen Logen von fünfunddreißig Parteien in alles in allem hundertfünfunddreißig Küchen-Schlaf-Wohn-Eß-Kinder-Bügel-Zimmer-Fenstern von einem nächtlichen, unermüdlichen Zuschauer des täglich zwanzigstündigen, unwiederholbaren Theaters, das auf unserem Hinterhof über die Bühne geht, besetzt gewesen wäre

– nachdem die müde Hand sich des noch müderen Strumpfes und anderer Kleidungsstücke entledigt hatte, am Ofen die verbrannte Anthrazitschicht, also Asche, abgestochen worden war und noch etwas von der seltsamen Mischung im Hof aus Kohl und Rouladen, verbrannten Frühgeburten und allgemeinem Großstadtmief für ein paar Minuten durch unser Tag und Nacht gleich wenig Licht und Luft hereinlassendes Fenster Einlaß gefunden hatte

– nachdem

– danach

– als das und vieles andere geschehen war, gedacht, gesagt, am Abend bald nach Mitternacht, geschah uns, daß wir nach sich liebender Eheleute Art Abschied nahmen, den Tag zu vergessen begannen (soweit man einen Tag vergessen kann), uns auf den nächsten Tag vertrösteten (soweit Leute wie wir Trostes

unter einem Haus am Meer auf Betonsäulen
wo die hölzernen Seitenwände der Badekabinen
aufgestapelt lagen und sieh mal da:
2 da liegt ja Kanaan
1 da kommt ja der zerlumpte alte Mann
mit den zerbrochenen Fußnägeln und den
blutverklebten Zehen der uns weckte

bedürfen) und uns trennten, voneinander gingen, am Scheide Kreuz und Wechselwege standen und uns in Bewegung setzten, auseinandergingen, um uns nach einer gewissen Zeit im Bette liegend wieder anzutreffen. In leiser, müder, schwerer, unbeweglicher Zunge immer langsamer, in immer unverständlicher werdenden Sätzen, Formeln, Worten, geflüsterten Ausrufen kurz vor dem Einschlafen miteinander redend. DAS ALSO GESCHAH UNS!

Nun ist es so: es schien kein Mond, der die unüberdachte Concert Hall da draußen vor unseren Fenstern, die mit Platten ausgelegte, von fünfstöckigen Rängen umgebene Freilichtbühne, auf der drei große, unbewachsene Rabatten ausgespart bleiben – den Hof also – in das Licht eines Lüsters getaucht hätte, dessen einhundertfünfunddreißig dreihundertfünfzig Kerzen starke Glühbirnen einer Metropolitana hätten Glanz verleihen mögen. Zwar befindet sich unter dem Torbogen, der unser Jedermanntheater zum Vorderhaus hin abschließt eine kräftige Lampe, die nach Eintritt der Dunkelheit mit den Stockschlägen eines großbritisch empirischen Butlers auf der Schwelle eines saisonalen Festes, Ankünfte der Besucher des Hauses ankündigt. Aber Dunkelheit heißt heutzutage siebzehn Uhr und hier auf der Talsohle, im Llano Estacado, im Tal der Mülltonnen umgeben von den steil aufragenden, senkrecht abfallenden Wänden vierer sich im Winkel von neunzig Grad schneidender Bergmassive heißt es wintertags nur: vierundzwanzig Stunden täglich. Und da mag vor Mitternacht niemand zählen, wie oft

27
ehe er begann seine Netze an Land zu ziehen
2 nun ist Winter
1 im Winter schläft sie bei einem der nur Männer liebt
liegt auf ihrer Matratze
und versucht durch den dunklen Raum alles zu sehen
2 und noch eine Dritte
eine Frau die Franz heißt

die Lampe angeht und Vermutungen darüber anstellen, wer den giftigrot leuchtenden Knopf gleich neben dem Scheunentor zum Vorderhaus gedrückt haben mag: die Junggesellen aus der Kneipe nebenan, die sich selbst und der von den Hüften her weit ausladend angelegten, in Heimarbeit kürschnernden Witwe, das zum Freitag hin nicht mehr auszuhaltende Jucken in den Hosen abnehmen wollen? Das verlobte dreißiger Paar, eine Verbindung von Verkauf im Kleinhandel und Kontokorrentkonten korrent kontierendem, spärlich hauptbewachsenem Kleingärtner, das mangels geeigneter Unterkunft die verständnisvoll im Hause wohnende Tante besucht, die bald darauf mit ihrem Mann ins Kino geht? Ein Stiefvater, der die minderjährigen Töchter seiner von ihm geschiedenen Frau schänden kommt, statt auf sie aufzupassen, wie ihm befohlen, während die Alte ihre Hauswartstelle versieht?

Doch fassen wir zusammen: die Lampe schien auch jetzt am späten Abend kurz nach eins von Zeit zu Zeit noch bis in unser Bett, doch selten, immer seltener, und es war kein Mond im Raum. In diese Lage hinein begann nach ein paar schwarzen Augenblicken aus geschlossenen Augen die Flöte zu spielen wie jeden Abend. Nun will ich mal sagen: das Einschlafen ist ein schwer erklärbarer Vorgang. Deshalb könnten wir noch nicht einmal sagen, ob die Flöte nur zu hören ist, wenn wir nicht einschlafen können, ob wir beide sie hören, wenn nur einer nicht einschlafen kann, ob nur der sie hört, der nicht einschlafen kann, oder ob einer, der schon eingeschlafen ist, sie hört, wenn

und in Lokalen Zeitungen verkauft
die sowieso überall zum Mitnehmen herumliegen
1 manchmal sucht sie die letzten Pfennige einer
barmherzigen Frau in den barmherzigen Schubladen
der barmherzigen Frau die sich
ihrer erbarmt hat weil
2 arm barm herz

der andere nicht einschlafen kann und sie nicht hört, beziehungsweise doch hört, ob es also überhaupt möglich ist, daß nur eines von uns beiden sie hört und das andere nicht und wie sie sich zum Schlaf eines von uns beiden oder beiden verhält und ob es irgendwelche, irgendwie gearteten Wechselbeziehungen gibt. Wir wollen, einer für den anderen und jeder für sich selbst nicht sagen, daß es überhaupt etwas mit der Frage des Einschlafens zu tun hat. SO IST ES! Nicht allein, weil niemand sagen kann, ob und wann er schläft, ob er schläft, wenn er meint zu schlafen, ob er nicht schläft, wenn er meint zu wachen, wann der Grad von Schlaf erreicht ist, der ausreicht, um als Schlaf angesehen zu werden und so fort. Aber: wer weiß denn, ob die Flöte wirklich zu hören ist?! Doch wollen wir auch dieser Frage nicht weiter nachgehen, denn wer von uns beiden wollte die Frage nach den Grenzen zwischen Wirklichkeit und Wirklichkeit beantworten?

Zum Beispiel heute vormittag, als wir den Raum gerade in der Zeit zwischen elf Uhr dreizehn und elf Uhr siebenzehn betraten, da das einzige Mal am Tage einige Sonnenstrahlen über die Gipfel der unserer Seite gegenüberliegenden Bergkette gelangten und die tanzenden Staubkörner im Raum in langen Bahnen sichtbar machten, und am Fenster stand ein uns unbekannter Mann, den wir noch nie je und irgendwo überhaupt selbst in Gedanken nicht, gesehen hatten

(WAS MAG DER HIER WOLLEN WAS IST DAS FÜR

29
herz mich arm aber erbarm dich mein
1 sie nur Mädchen unter achtzehn mag –
nun ist die Gesellschaft schon bald beisammen.

Pause

2 dies ist ein Hommage à Frantek
Uli Rath Franziska Bettina

EINER DER SOLL MACHEN DASS ER HINKOMMT WO DER PFEFFER)

und löste sich langsam in der bewegten hellen Luft auf, von unten nach oben, und wäre sofort gänzlich unglaubwürdig geblieben, wenn nicht dort, wo er gestanden hatte, die Staubkörner sich nicht zum Tanz versammelt hätten und so innerhalb seiner ehemaligen Körperumrisse der Raum noch leerer gewesen wäre, als anderswo, aber nur bis elf Uhr siebenzehn. Von da an schien die Sonne nicht mehr in unsere Ecke, der Raum fiel zurück, wir mußten Kerzen entzünden, die aber auch nicht genügend Helle verbreiteten, um Staubkörner zum Tanzen zu bringen. Zum Beispiel dieser Fall: wer mag darüber verbindliche Auskunft geben, wenn wir fragen, was der blau-uniformierte, beamtliche Mensch, der über den Hof auf unsere Tür zukommt, von uns will:

(NEIN WIR HABEN NOCH NIEMALS UNVERZOLLTE ZIGARETTEN BEI EINEM ANGEHÖRIGEN DER FRANZÖSISCHEN SCHUTZMACHT ERWORBEN)

(NEIN WIR HABEN NOCH NIEMALS GÄNSELEBERPASTETE OHNE BEZAHLUNG MITGENOMMEN WIR ESSEN KEINE GÄNSELEBERPASTETE)

(WIR SIND GANZ BRAV GEWESEN)

die Unbekannte vom Quai des Anglais
und die anderen
von ihnen soll nicht länger erzählt werden
vergeß es wenn du mich siehst
vergiß vergeß
hör auf mich sieh mich an
ich bin Frantek

er sagt sich, schon in unserer engen Küchentür stehend, die direkt auf den Hof führt, auf Küchenabfälle, verschmutzte Windeln, leere Doornkaatflaschen blickend, die immer am Eingang zu unserer Küche herumliegen: mein Gott, bei denen sieht's aber aus!, und fragt freundlich, ich suche einen Mann, der vorhin durch diese Tür gegangen ist ohne anzuklopfen, haben Sie ihn zufällig gesehen?, und geht, wenn wir höflich verneinen.

Damit müssen wir doch jeder immer rechnen! Deshalb: wer will sagen, daß die Flöte wirklich spielt? Und wenn sie wirklich nicht spielt: wer sagt, daß außer uns niemand sie hören kann?

Also ist es wohl sinnlos, den Wegen zweier nachzugehen, die immer so wie wir zusammen sind und bald das Gleiche reden und denken und fühlen und tun werden, ich meine die Wege auf denen sie gehen, wenn sie sich das Gleiche vorstellen, das Gleiche träumen, das Gleiche wissen: irgendeiner spielt nachts immer Flöte, wenn wir im Bett liegen, den Kopf auf der Seite, so daß ein Ohr an der Matratze liegt, das andere aber frei im Raum schwebt. Denn wenn wir auf dem Hinterkopf oder auf dem Gesicht liegen, so daß beide Ohren frei sind, ist nichts zu hören.

Kommt die Flöte also aus der Matratze? Ist es das Seegras in Erinnerung, welches wir hören? Doch wer, warum, kann außer uns hören? Der dessen linkes Ohr auch an einer Seegrasma-

31
könnte es sein
habe alles in Finger Fuß und Haarspitzen
habe alles in Zahn Ohrläppchen und in
Wimpern sanft nach oben

ein Hommage à Frantek ist eine Kerze für mich
ein Fest für ihn ist mir Schirm und Zylinder

tratze ruht? Der, dessen Ahnen bei den flötespielenden Fischen schlafen? Der, dessen Schatz von flötespielenden Seegrashalmen bewacht wird, weil er ins Wasser ging? Wer will wissen, wer, warum, die Flöte außer uns noch hört?

Ich meine, vielleicht sind wir wirklich die Einzigen, die wirklich eine Flöte spielen hören, die wirklich spielt. Vielleicht sind wir die Einzigen, die eine Flöte spielen hören, die spielt. Vielleicht sind wir nicht die Einzigen, die eine Flöte spielen hören, die wirklich spielt. Vielleicht sind wir die Einzigen, die eine Flöte spielen hören, die nicht spielt. Vielleicht meinen wir die Einzigen zu sein, die meinen eine Flöte spielen zu hören, die spielt. Ich meine: vielleicht meinen wir nur, sie zu hören, aber andere hören sie wirklich, oder meinen es auch nur. Ihre langgezogenen Töne, die stets die gleich Höhe halten, kommen in Wellen daher, nie sehr laut, aber in regelmäßigen Abständen, kaum hörbar leise, dazwischen hohe Triller, die abgelöst werden von Tönen, die in Wellen daher kommen, in gleicher Lautstärke regelmäßig auf- und absteigend, vom höchsten hörbaren Ton zum tiefsten, und dazwischen immer eine kleine Pause, damit die Hunde auch was haben.

So geht das Stunden. Und nie beugt sich einer aus Fenster und schreit: Ruhe!, oder: Was soll der Krach!, das würden sie nie wegen unserer Flöte tun. Unserer Flöte wegen schreit keiner. Auch des acht Stunden täglich und im Sommer bei offenem Fenster Geige Übenden wegen nicht. Nicht einmal wegen des

ich sitze unter Kerze Schirm und Zylinder
mit dem Rücken zur Wand
1 man kann nie wissen
was einem in dieser Gesellschaft begegnet
2 was man nicht weiß kann einem begegnen
1 kann einem in dieser Gesellschaft
wo einem alles was man nicht weiß begegnen kann

armen alten Blinden, der Nachmittags im Bierhaus Nummer acht zu treffen ist, entsteht ein Streit. Ihm werfen sie höchstens einen aus dem Verkehr gezogenen Groschen auf die Bühne. Ärger gibt es nur über den Radiokrieg. Für diesen braucht man ein Radio, das man so laut spielen läßt wie möglich, und ein Fenster zum Hof, das man öffnet. Dann dauert es nicht lange, bis sich der Erste gestört fühlt, sein Radio so laut stellt, wie irgend möglich und das Fenster öffnet. Dann dauert es nicht lange, bis sich der Zweite gestört fühlt, sein Radio so laut stellt wie irgend möglich und sein Fenster öffnet. Dann der Dritte und der Vierte, der Fünfte, der Sechste, alle nicht ohne sich ein eigenes Programm auszusuchen, das die anderen nicht haben – so etwas kann man mit dem Fernseher gar nicht machen – während ich, der sowieso stets bei geöffnetem Fenster sitzt, nun erst in der richtigen Stimmung, weiter kräftig auf meiner Schreibmaschine hacke, die, einem Maschinengewehr nicht unähnlich, allein in der Lage ist, den Zuschauerraum zu füllen und auch der etudierende Geiger im zweiten Stock seinem Pensum nicht untreu wird, bis sich der Erste aus dem Küchenfenster beugt und schreit: Was soll der Krach!!?, und der Zweite: Die Streife, weiße Mäuse, der Hauswirt, Amtsgericht, die Wohnung räumen, Ruhe!!, und der Dritte: Polizei, Feuerwehr, Oberförsterei, Feldjäger, Kammerdiener, Sicherheitsrat!

Bis es ruhig wird und wenn dann der Abend kommt und wir warten auf Mitternacht in Europa in der geteilten Stadt Berlin, und im Knie zuckt uns kurz eine einsame Trompete, und die

33
begegnen
begegnen kann
der Messerwerfer
vielleicht tritt der Messerwerfer auf
und schneidet allen die da sind
ein langes Gesicht
vielleicht fällt das schwarze Lächeln

Brothersisters singen ihren abendlichen Choral – dann betten wir das Ohr und die Wange in Seegrashaschee und hören unsere allabendliche Flöte schnelle, unmelodische Sentenzen spielen: wellengleich langgezogene Töne verschiedener Lautstärke, gleicher Tonhöhe, gleicher Lautstärke, verschiedener Tonhöhe und dazwischen ein paar schnelle, kurze Triller

(DER GROSSE UNHEIMLICHE FLÖTENSPIELER HAT WIEDER ZUGESCHLAGEN!!)

Aber dann hat das Spiel doch irgendwie, irgendwann und ohne daß wir eigentlich sagen könnten unter welchen Umständen aufgehört, wie jeden Abend, aber neulich, wir sagten es wohl schon, neulich geschah es, daß wir nach dem mittäglichen Aufwachen, verkatert und vergrämt, mit übelriechender Zunge nach unserer täglichen Morgenzeitung verlangten, und weiter im warmen Mief liegend, zwischen mancherlei Schlagzeilen auch die fanden, daß am Morgen des selbigen Tages in Berlin, Charlottenburg, also dort, wo wir wohnen, eine Person verhaftet worden sei, auf die die Polizei schon lange dieses oder jenes Auge geworfen gehabt habe, die bei jahrelangen Diebstählen in Musikalienhandlungen große Berge von Noten entwendet habe, fast ausschließlich Flötenliteratur, von Pergolesi bis Boulez, obwohl die Person nie die geringste musikalische Ausbildung erfahren habe, geschweige denn der Flöte mächtig sei, und nun (und deshalb) habe sich der Richter, dem sie gleich vorgeführt worden sei, entschieden, den Mann erst einmal in die

vom Mund des Feuerschluckers auf die Erde zwischen
Zigarettenstummel
erfriert dort und wird
ashes to ashes and
dust to dust
während alle Nymphen mit den Zähnen klappern
und Herren die es beobachten
in Erinnerung an Suppenreste in den
nikotinbraunen Bartspitzen ihrer Großväter
traurig in die weiße Wand blicken
unter einem Berg schmutziger Strümpfe
voller Andacht
beerdigt:
ich könnte Stunden erzählen
was auf einem Fest dieser Art
geschieht

2 ein Hommage à Frantek ist eine Kerze für mich
ein Fest für ihn ist mir Schirm und Zylinder
den Zylinder habe ich auf dem Kopf
den Schirm über dem Zylinder
die Kerze über dem Schirm auf einer Ecke des Schrankes
1 so schütze ich uns vor den Ausdünstungen
der zweiunddreißig Parteien

Wittenauer Heilstätten einzuweisen, wo er auf seinen Zustand untersucht werden solle – während wir doch recht froh sind, daß es, der Meldung zufolge, dieser Mensch nicht gewesen sein kann, der in der vergangenen Nacht wiederum lange, ausführlich und sehr schön, die Flöte gespielt hat, denn es heißt, er sei der Flöte nicht fähig gewesen (abgesehen davon, daß wir nicht wissen, ob es überhaupt ein Mann gewesen ist, der die Flöte gespielt hat, wenn schon ein Mensch)

DAS MÜSSEN WIR DENN SCHON SAGEN!

in vier Stockwerken des Hauses
2 vor alten Frauen die aus Fenster fallen
wenn meine Freunde ihr Wasser in den Gulli
mitten im Hof
1 vor treuen Witwen
auf langen Laufbahnen längst verblichener
Haushaltsvorstände und Bahnkörper
Polizeivollzieher und Finanzhalter
Justizwalter und Gerichtsmeier
Buchräte und Kulturverweser die
kleinen Kindern mit großen Zahlen Angst machen
2 vor Postbeamten in knallgelben Hosen
und was mir sonst noch alles einfällt

1 das Licht der Kerze ist eine leuchtende Kugel
über dem seidenen Himmel meines Schirmes für Frantek
eine Kugel in der sich die Welt der vier Stockwerke
spiegelt wie in dem Aleph das Borges beschreibt
2 ein tönender stinkender fühlbarer Spiegel
des Hauses meiner Erinnerung
(ich stamme schließlich auch irgendwoher)
in dem alles so ist
wie es immer war
doch wie ist es?

1 es ist kein Platz
zwischen den steinernen Brüsten unbekleideter Damen
die auf Balkongeländern stehen
und mit ihren Köpfen
den Balkon darüber tragen für
eine zärtlich schnuppernde Nase

von den Hüften kräftiger Herren
die knieend einander zugeneigt
das Portal über der Haustür tragen
ist die Erwiderung einer Berührung

nicht zu erwarten
2 es gibt nur einen allabendlich geschlossenen Vorhang
hinter dem Eltern Kolleg halten
1 sie nennen das die Schule des Lebens
und handeln nach dem Motto
gebranntes Kind wird durch gescheuten Schaden klug
und versuchen die Resultate ihrer
alltäglichen Erlebnisse in Karteikästen einzuordnen
2 es gibt nur das große Familienbad
an Samstagen deren Badezimmerfenster
beschlagen sind
und die altväterliche Suche
nach artfremden Spermien
im Schoß der minderjährigen Töchter
momentan
am fünfzigsten Schamhaar
von rechts
1 ich könnte Stunden erzählen
was in Häusern geschieht
an deren Tür
Betteln und Hausieren verboten
steht
doch soll mir
der liebe Gott
willkommen sein
Sie wissen schon
wen ich meine

Pause

2 Sie fragen nun
wozu wir Ihnen raten?
1 hello boy monsieur
antworten wir
wer Augen hat kann jeden Morgen
wenn er sein Zimmer betritt

am Fenster den Mann stehen sehen
der sich von den Füßen her in Luft auflöst
sobald er ihn anspricht weil
er ihn nicht kennt und weil
er sich wundert
wie er hereingekommen ist

2 wenn Sonne scheint
schweben kleine Staubteilchen in der Luft
doch hinterläßt der Mann
dort wo er gestanden hat
einen staubfreien Raum
so daß sein Umriß noch lange in den staubigen leuchtenden
Bahnen im Zimmer stehen bleibt
bis die Sonne hinter den Dächern verschwindet

1 also könnten Sie wissen
daß Sie nicht geträumt haben
daß das
was Sie geträumt haben Wahrheit ist
aber wenn Sie nicht nur mit den Augen sehen
sehen Sie gar nichts
besser noch Sie schließen die Augen
spreizen die Hände und legen sie flach auf den Tisch
nehmen einen Gegenstand
und suchen mit Ihren Fingern seine Oberfläche ab
stellen sich kalt
und spüren die Wärme in seinem Inneren
beobachten bei den Scherenschleifern
daß in den Steinen Feuer wohnt
daß Sand einmal Stein war
und Staub Mensch
wie es eine alte Dame in Stockholm getan hat
noch besser
Sie vertrauen sich dem Sand an
üben sich im Seiltanz oder schlafen täglich 24 Stunden

setzen sich in einen Schaukelstuhl
und stehen nicht wieder auf
(ähnliches soll ein Mann am Bodensee versucht haben)
und sagen wenn Ihre Frau kommt:
2 hier ist eine Tasche voll
geh und kauf Dir was
zum Beispiel einen Bettler
aber einen der weiter ist als ich
1 ziehen sich durch das Labyrinth Ihres Schaukelstuhles
in die Peripherie einer Ellipse zurück
es ist möglich
doch muß es eine Ellipse sein
2 wir haben was gegen Kreise
1 Sie fragen?
2 mir gegenüber am Rand eines Bettes sitzt der Haschischfreund und spielt mit einem Messer, das ein Mann, der täglich im allgemeinen deutschen Lehrbuch der allgemeinen deutschen Navigationskunde las oder Guitarre spielte, sich kaufte und am Griff mit schwarzem Leder bezog, wobei er bemerkte, daß es ihm Spaß machte, Dinge mit Leder zu beziehen, so daß er auch noch eine alte Wehrmachtsfeldflasche mit Leder bezog, dann ein Feuerzeug, später eine blecherne Tabaksbüchse, ohne sich in der Freude, die er bei diesen Arbeiten empfand, dadurch beeinträchtigen zu lassen, daß dem Drang, Dinge mit Leder zu beziehen, Grenzen gesetzt zu sein scheinen – er setzte sich einfach darüber hinweg, fuhr nach Griechenland und baute sich ein Boot ins Rote Meer
er hinterließ mir sein Messer
das der Haschischfreund hochwirft
und versucht
am Griff wieder aufzufangen
1 nun hat er es schon fünfzig oder hundert Mal versucht
so daß seine rechte Hand
die neben seinem Bein herunterhängt
schon blutig ist
2 jedes Mal

wenn es seiner Hand nicht gelingt
das Messer am Griff zu fangen
entsteht dort
wo die Klinge die Hand berührt
ein feiner roter Faden
der sich langsam nach den Seiten hin
ausbreitet
oder ein roter Punkt entsteht
aus dem nach einigen Sekunden
ein kleiner roter Strahl kommt

1 er hat kein Publikum
2 wenn einer ihm zusehen würde
müßte er sein Spiel beenden
1 aber niemand beachtet ihn
auf seinem Weg
in die rosarote Ellipse

2 es gibt viele Wege
1 sein Weg ist der durch den Hauch von Blut
durch den fast unmerklichen Geruch
des roten Traumes der seine Hände bedeckt
2 jeder Wurf mit dem Messer ist ein Wunsch
den er in die Luft vor seinen Lippen haucht

1 Wunsch alleine zu sein
oder zu schlafen ohne zu schlafen

2 das Eisen zerschneidet den Wunsch
teilt ihn
verdoppelt ihn
1 jeder Wunsch ist ein Luftballon
2 jeder dünne rote Faden
ein Faden von ihm zu einem Wunsch
1 viele Wünsche werden ihn hochheben
deshalb wirft er das Messer

und wenn es fällt
2 ist ein neuer Wunsch eine neue Hoffnung
und ein Faden von ihm zu der Hoffnung

Pause

1 einige sitzen wartend an den Wänden
horchen in sich hinein
und trinken wenn es leiser wird
2 an einer Wand liegt Fräulein Jamais (2)
und tobt geduldig oder macht eine Pause
die niemand bemerkt
1 wem es zu lang wird
der springt auf
und tanzt mit erhobenen Armen
zwischen denen sein Kopf hin und her fällt
2 er tanzt und verliert seinen Körper
tanzt und durchdringt sich
bis er den Raum erreicht
wo er leicht ist
dann fällt er

1 und weiter: an der Wand
Jamais
wartet auf den Nächsten der wartet auf
Jamais
durch sie mutabor

(2) *Jamais* heißt niemals. So nannte sie sich selbst, doch meinte sie *Germaine*. Wir erwiderten ihr *Jamais*, in dem wir sie *Toujours* nannten und Leute mit weniger Empfinden sprachen von ihr als der *Matratze*. Was wissen Sie von Jamais?

Eines Tages mochte Jamais an dem Punkt gestanden haben, wo sie nach herkömmlicher Sprachregelung tatsächlich von sich

wird er in den Berg gelangen
Jamais
wartend an der Wand
und er die Hand am Glase
träumen
vom hohlen Berg von der Springflut
von der gläsernen Kuppel

hätte sagen können: ich bin angekommen. Sie war angekommen von da und da, um das und das zu tun. Sie hatte in einer Kleinstadt Abitur gemacht und kam ins erste Semester. Ihre Eltern führten eine zufriedene bürgerliche Ehe, ihr Vater war Zahnarzt.

Sie stammte aus einer mittleren Großstadt, war gelernte und geübte Schaufensterdekorateurin und kam, um eine größere Stellung in einem Warenhaus mit vielen Schaufenstern anzunehmen. Ihr Zuhause war eine rechte Handwerkerfamilie mit goldenem Boden, ihre Eltern stritten sich viel, doch waren sie vereint, bis daß der Tod sie scheide.

Ihr Vater war Taxichauffeur und einem Mordanschlag zum Opfer gefallen. Die Mutter hatte eine Arbeit aufnehmen müssen und Jamais hatte, kaum vierzehnjährig, Verkehr mit jungen Männern begonnen. Sie war angekommen, weil sie ein neues Leben beginnen wollte. Wir wissen es nicht! Und wir machen nur einen Unterschied zwischen dem, was wir zugeben, nicht zu wissen und dem, was wir nicht zugeben.

Jamais stand auf dem Bahnsteig, einen Koffer in der einen Hand, eine Tasche in der anderen. Durch eine hohe Glaswand abgetrennt waren andere Bahnsteige, die sie folglich nicht sehen konnte und auf denen nacheinander zwei Züge ein- und ausfuhren. Sie war noch verwirrt durch ihre plötzliche Ankunft. Es hatte geheißen, die Stadt habe einen Radius von 25 oder 30 Ki-

doch
Jamais
er ist zu häßlich
wenn das Licht im blauen Berge ihn sieht
wird er in blauen Staub zerfallen
wenn die Dämmerung kommt
seine Freunde am Fenster sitzend sehen ihn

lometern, doch war man bis vor wenigen Augenblicken noch durch eine Waldlandschaft gefahren, mit sandigem Boden, der in regelmäßigen Abständen von Schneisen und Gräben durchzogen wurde der Brandgefahr wegen, und mit Nadelbäumen links und rechts, deren Art ihr unbekannt war. Erst vor zehn Minuten war man der ersten Großstadthäuser ansichtig geworden. Sie standen besonders dicht und schienen den Bewohnern in den hinteren Höfen alles Licht zu nehmen. Drei wenig voneinander entfernt liegende Bahnhöfe hatte der Zug durchfahren, die Bahnhöfe lagen eingebettet in den Häusern, und einer von ihnen befand sich über einer Straße. Dann hielt der Zug plötzlich und es hieß alles aussteigen.

Jamais begann sich einen auf dem Bahnsteig hängenden Stadtplan anzusehen und sah, daß der Wald, den sie zuletzt durchfahren hatte, weit in die Stadt hineinragte, daß der gesamte Bahnkörper in einen Grüngürtel eingebettet zu sein schien, und daß der Bahnhof, auf dem sie nun stand, sich weit vorgeschoben im westlichen Teil der Stadt befand. Sie erholte sich von der Plötzlichkeit ihrer Ankunft und ging in den Bahnhof hinab. Sie führte ein Telefongespräch und erfuhr, daß man das Zimmer, das sie schriftlich gemietet hatte, anderweitig vermietet habe. Sie trank erst mal einen Kaffee. Dann rief sie die Schule, die Universität, die Firma, das neue Leben, oder weshalb sie gekommen war, an und erfuhr, daß es auch damit nichts sei: numerus clausus, Firma pleite, schon genug gute Menschen und so weiter, was auch immer.

43
die Hand am Glas wie er mit der Dämmerung kommt
blau
wie die Dämmerung am Morgen

Pause

2 wenn es dämmert

Jamais trat auf den Platz hinaus. Sie sah aus, als sei sie gerade angekommen. Sie ging in den Schnellimbiß gegenüber, aß Erbsensuppe mit Speckeinlage, versuchte ein Zimmer zu finden, indem sie einige umliegende Agenturen anrief oder aufsuchte, ging zwischendurch ins Kino, rief beim Arbeitsamt und bei sonstigen Vermittlungsstellen wegen einer kurzfristigen Arbeit an, aß noch einmal Erbsensuppe, diesmal mit Spitzbeineinlage, ging ins Wochenschaukino, rief dort wieder an, wo man ihr gesagt hatte, rufen Sie dann und dann noch mal an und bemerkte, wie es langsam Abend wurde. Sie zählte ihr Geld, vergewisserte sich, daß es wirklich nicht mehr für die Miete eines möblierten Zimmers und ein paar Tage leben reichen würde, wenn sie sich nun doch eine Pension suchte und nahm deshalb und schließlich in einem Lokal ohne Schlüssel Platz, das Ankommenden, die nie ankommen und Abfahrenden, die nie abfahren, als Wartesaal diente.

Von Übernachtung im Sinne von Schlafen zu sprechen, wäre falsch gewesen. Sobald sie mit dem Kopf auf der Tischplatte am Einschlafen war, kam der Kellner, bat sie aufzuwachen und zu gehen, oder noch ein Bier zu trinken. Später als sie es satt hatte, ging sie in den nahegelegenen Park und suchte sich eine Bank, wurde jedoch immer wieder von Herren mit einschlägigen Absichten geweckt, bis sie es gegen Morgen vor Kälte nicht mehr aushielt, obwohl es kaum Herbst war und die Tage sich noch schön hielten.

sehnt sich das erste Ohr nach dem Klang
zersplitternden Glases
das an der Wand herabrieselt
und auf dem Boden klirrt
I Frantek
ohne Erinnerung
spricht noch immer

Morgenkaffee, Waschen in der Bahnhofstoilette und dann Ereignisse, die schon einmal da waren. Telefonate, U-Bahnfahrten zur Besichtigung von Zimmern und zur Vorstellung in Aushilfsstellen; Erbsensuppe, diesmal mit Würstcheneinlage, zwischendurch ein Kino oder eine Boulevardzeitung, immer an der einen Hand einen Koffer, an der anderen eine Tasche, immer wieder am Bahnhof, also immer wieder: Jamais sah aus, als sei sie gerade angekommen. Schon hatte sich der erste Tag wiederholt, nun begann sich die erste Nacht zu wiederholen, dann der erste Morgen. Dem schloß sich die Wiederholung der Wiederholung des ersten Tages an und so weiter. Am Abend des dritten Tages stand Jamais, einen Koffer in der einen Hand, eine Tasche in der anderen vor dem Bahnhof und sah aus, als sei sie gerade angekommen. Ein Herr trat auf sie zu und fragte, ob sie gerade angekommen sei, was sie bejahte. Er erkundigte sich nach ihrem Mißgeschick, verstaute ihr Gepäck in einem Schließfach, lud sie ein zu einem Kaffee, später zu einem Essen und zuletzt zur Übernachtung in seiner Wohnung. Sie holten ihr Gepäck und fuhren zu ihm. Sie konnte einige Tage lang bleiben, vom dritten Tage an hatte er keine Bedenken dagegen, daß sie sich auch tagsüber in seiner Wohnung aufhielt, es gab weniger Anlaß zu Pessimismus als am Tage ihrer Ankunft, dann stand sie wieder am Bahnhof und sah aus, als sei sie gerade angekommen. Seine Frau war zurückgekehrt, er liebte es nicht, länger als eine Woche mit einer Frau zusammenzusein; wir wissen es nicht.

45
Worte ohne Namen
Staubkörner wie Worte
Worte wie Städte
Bilder wie Worte
Worte die durch ihn hindurchfallen
2 erzählt von Südamerika
1 oh stategovernemente wo die schwarzen Neger sind

Jamais steht am Bahnhof und wartet. Den Tag verbracht mit diesem und jenem: im Kaffeehaus nun schon einige Freunde; weißt Du nicht ein Zimmer für mich, weißt Du nicht eine Arbeit für mich; dazwischen Kino, Kaffee, Erbsensuppe, diesmal mit Rauchfleisch, und nun einen Koffer an der einen Hand, eine Tasche an der anderen Hand, als sei sie gerade angekommen, bis jemand sie fragt und sie bejaht, mal für eine Nacht, mal für mehrere Nächte, bis sie wieder zum Bahnhof zurückkehrt, aber nicht um abzureisen, sondern um anzukommen.

Nun ist Jamais schon wer weiß wie lange in der Stadt, kennt viele Leute, hat viele Freunde und wird oft eingeladen. Besonders gerne geht sie auf Feste wie dieses hier, der Wohnungsinhaber hat selten etwas dagegen, wenn sie gleich da bleibt. Es bleiben immer zwei oder drei Leute da. Am Morgen bestehen gute Aussichten, ein Frühstück zu bekommen. Manchmal dauert das Fest einen weiteren Tag, manchmal ist der Wohnungsinhaber nett und behält sie einige Tage bei sich, oder sie kann mit einem anderen gehen und bei ihm bleiben. Im Café, in Lokalen, wo man sich immer trifft, kann sie fragen: weißt Du, ob heute ein Fest ist?, oder: kann ich bei Dir schlafen? Aber dann gibt es wieder Tage, an denen man in der ganzen Stadt keinen Bekannten trifft oder kein Glück hat. Dann greift Jamais zu Tasche und Koffer, macht sich auf zum Bahnhof, steht bald davor, wie jemand, der gerade angekommen ist und wartet.

eine Hiitze
und diese Moskitos
oh diese Moskitos
geh ich nie wieder hin
2 und fragt:
1 warst du schon dort?
New York Chicago

Wir kennen Jamais schon lange. Man trifft sie in Cafés und Lokalen, im Schnellimbiß oder im Aktualitätenkino. Immer wieder aber sieht man sie auf dem Platz vor dem Bahnhof stehen, an der einen Hand einen Koffer, an der anderen eine Reisetasche, so, als sei sie gerade angekommen. Oder man kommt durch eine der Straßen in der Nähe des Bahnhofes. Dann kann es geschehen, daß man Jamais begegnet, in Begleitung eines Herren, der ihren Koffer trägt. Sie sprechen darüber, welchen Schwierigkeiten ankommende Reisende ausgesetzt sind, wenn sie niemanden kennen und nicht wissen, wo sie übernachten sollen. Man schleicht sich vorbei und gibt sich nicht zu erkennen. Noch besser, man tritt in eine Toreinfahrt, hinter einen Busch oder wechselt die Straßenseite.

Leute wie Jamais sind bekannt. In Frankfurt am Main gab es jahrelang eine alte Frau, die an der Hauptwache wohnte. Sie hatte einen Pappkoffer und einen Seifenkarton mit ihren Habseligkeiten. Im Winter trug sie mehrere Mäntel übereinander und einen wollenen Shawl um den Kopf, hielt sich gegen den nächtlichen Wind in eine Ecke der Kolonnaden gedrängt und schien entsetzlich zu frieren. Sie ging in den Hüften ganz krumm. Im Sommer trug sie eine Kittelschürze, saß auf einer Bank gleich neben den Pissoirs und strickte Wollenes. Oft saßen alte Männer oder alte Frauen, die ähnlich ärmlich gekleidet waren bei ihr und statteten ihr einen Besuch ab. Wohlgekleidete Tanten, die sich nach ihrem Schicksal und Wohlbefinden erkundigen wollten, faßte sie als Beleidigung auf, was sie auch

47
have you plenty money?
hello boy monsieur
you speak english?
one two three four five
tenten twenty thirty
and a hundred and a thousand and a million!
I fucken the boy
I fucken the girl
and yes allright my boy
2 hey you greenhorn
you no work!
you go to office and you quitt!
you go to all other country!

1 warst du schon in Paris?
oh Paris
wo die Mädchen mit den roten Lippen sind
und der Eiffelturm
2 parlez vous français?
ich spreche französisch
hello boy monsieur
ich spreche alle Sprachen der Welt
window chair door
wollen Sie sich bitte hinsetzen
hier ist zu essen und zu trinken
this is to eat and to drink
1 so sit you down

waren, und beschimpfte sie. Sommernachts lag sie meist auf einer der Bänke im Innenhof des Cafés. Koffer und Karton hielt sie fest in der Hand. Sie mochte sechzig Jahre alt sein.

Jamais dagegen war jung! Sie reiste niemals ab, war ständig auf Reisen und sah immer aus, als sei sie gerade angekommen.

and sleep you well
and yes allright my boy monsieur
2 weißt du
wer die schwerste Frau der Welt ist?
1 eine gewisse Frau Hilschenbach
aus Mörs am Niederrhein:
sieben Zentner zwanzig
mit einer Tochter von
drei Zentner achtzig
kennst du eine Frau die Franz heißt?

Pause

2 wenn es morgen wird
geht einer mit bloßen Füßen über Scherben
ohne Schuhe und Strümpfe
und wird nicht geschnitten

wo der Boden nicht mit Glas bedeckt ist
hinterlassen seine Füße
einen dunklen Abdruck
seine warmen feuchten Füße hinterlassen
einen dunklen Abdruck auf dem kühlen Boden
einen Fleck der langsam heller wird

er geht durch Glas wie durch Gräser
deren Klang ist Wind
der dünngeschliffene Messer gegeneinander weht

er geht
den Blick in Gedanken ans Bärenauge gehängt
die alten Germanen lagen auf dem Bärenauge
und hielten die Hand am Horn
er geht zur Tür
dort fällt er zur Erde zurück
er bricht senkrecht in allen Richtungen zusammen

der alte Zaubertrick
aus dem Stand heraus zusammenzubrechen
und im Schlaf zu begreifen
was alle diese Dinge bedeuten

nun liegt er an der Tür direkt neben mir
ein verträumt schielendes Auge
dem schwarzen Zylinder zugewandt
als wolle er im Traum
in einem schwarzen Sarg
Orchideen und Oleander
alle Blumen teurer Blumenläden
bei deren Anblick
er sich je eine Freundin wünschte
um sie zu beschenken
mit einem kleinen Zwinkern
seines verträumt schielenden Auges
während er sich der häßlichen Mutter
eines bezaubernden Mädchens erinnert
oder besser
des stark herabhängenden Augenlides
der sonst recht ansehnlichen Mutter
die er in Gedanken Schielauge nannte
als wolle er im Traum in einem schwarzen Sarg
Orchideen und Oleander
ohne Bezahlung für eine unbekannte Frau mitnehmen
mit einem verträumt schielenden Zwinkern
Orchideen und Oleander in einem schwarzen Sarg
als wolle er im Traum direkt neben mir
sein schielendes Auge
nicht von meinem schwarzen Zylinder nehmen
mit einem Zwinkern verträumt schielend rothaarig
Oleander und Orchideen im Traum
als wolle er ohne Bezahlung
einer ansehnlichen Frau mit herabhängendem Augenlid
in den Armen einen schwarzen Zylinder

der auf den Namen Schielauge hört
der eine bezaubernde Freundin in einem schwarzen Sarg
mit Orchi
Oli
Chideen
in einem schwarzen Sarg auf dessen Rand
ein Friedhofsgärtner sitzt und niest

dreimal
dreimal sollst du niesen:
das erste Mal bringts Freud
das zweite Mal bringts Leid
das dritte Mal viel Neuigkeit
mit einem schwarzen Zwinkern
unterm schwarzen Triefauge hervor
das dritte Mal bringts Neuigkeit
das zweite Mal bringts Freud und Leid
wer einmal niest
dem glaubt man nicht

wer seinen betrunkenen Vater nicht nach Hause tragen mag
der setze ihn auf einen Briefkasten
und klebe ihm
eine Doppelbriefmarke auf die Stirn
wenn es aber ein grüner Briefkasten ist
sollte er daneben stehen bleiben
und sich mit dem Milchmann
oder mit dem Bäcker
je nachdem wer früher vorbeikommt
die schwere Arbeit teilen

wenn aber eine Frau vorbeikommt
die in der Zeit des größer werdenden Mondes
Männerkleidung trägt
mit Ärmeln und Hosenbeinen
die viel zu kurz sind

die in der Zeit des kleiner werdenden Mondes
ein Mann ist
der Frauenkleider trägt
dann solltest du deinen Vater darum bitten
daß er singt
und wenn er singt
dann solltest du
den Mann im abnehmenden Mond
oder die Frau im zunehmenden Mond fragen:
shall we dance?
und wenn er singt:
Lott is tot
Lott is tot
Liese sitz im Keller
sag:
swing it pardner!
und wenn er schreit:
vive la chance
oder
lang lebe der Tod!
bleibt stehen wo ihr steht
bleibt sitzen wo ihr sitzt
beendet nicht die Bewegung die ihr gerade macht
nicht das Wort
das ihr gerade sprecht
setzt das Glas nicht ab von den Lippen
nehmt das Glas in der Hand nicht zum Mund

wenn Frantek von Frau Goldschmidt erzählt:
Frau Goldschmidt aus Mörs am Niederrhein
die sagte zu mir:
Herr Bausch
ich rate Ihnen gut:
leihen Sie niemand was
borgen Sie niemand was
schaffen Sie sich keine Freundin an

dann wird es Ihnen gut gehen Ihr Leben lang
Sie werden noch mal an mich denken

wenn Frantek von Frau Goldschmidt erzählt
hören sie nicht hin

wenn er sagt:
ich kannte einst einen Trompeter
der hieß Heil
hör nicht den Trompeter
wenn du nicht gerade einen Trompeter gehört hast
als dieser Augenblick anfing
bohr dich nur tiefer
grab dich nur ein
sitz ruhig
beweg dich nicht
halte den Atem an
denk an das was war
als der Augenblick begann
nimm deine Blicke nicht aus dem Punkt
in dem sie waren als der Augenblick begann

alles andere
vergeß es
aber vorsichtig immer tiefer
vorsichtig
damit du es nicht verlierst
geh immer tiefer
geh nicht sondern denk
denk daß du immer tiefer gehst
warte ruhig ab

dann wirst du bemerken
das Haus über dir
zweiunddreißig Parteien
alle frisch gewaschen

in Betten säuberlich nebeneinandergelegt
das Haus mit zweiunddreißig Parteien
fliegt einfach fort
es wird langsam angehoben
dort wo es stand
bröckelt etwas Mörtel
eine kleine Staubwolke liegt über der Erde während
das Haus langsam und ohne Geräusch
ohne jemanden aufzuwecken und ohne Aufsehen
sich immer höher hebt
schon über den Bäumen am Straßenrand schwebt
über den anderen Häusern
schon höher ist als Fabrikschornsteine einige
Stadtbezirke weiter
bis ein herabfallender Ziegelstein
doch auf das Haus aufmerksam macht
das kaum noch zu sehen ist
und während auch der Staub über der Erde
langsam verfliegt
sitze ich mit Bettina im Kirschbaum neben dem Haus
neben dem Platz wo einmal ein Haus stand
sitze ich mit Bettina im Kirschbaum

Bettina
Landshut ad viv 1809
nun nicht mehr in Kupfer
sondern mit mir auf dem Kirschbaum

wir warten auf die Sirenen eines Polizeiautos
während Frantek
noch immer auf Rosen
sagt
Paul
Paul teilte diesen edlen Brief
Adelheid und Martha mit
der alte Mann sagte

Gott segne sie
und fiel zur Erde zurück

1 bis es Tag wird
und das Licht unsere Kerzen löscht
und die Kaffeekesselpfeifen Klosettspülbecken
Mopedanlasser Abfalleimer
Teppichklopfer et cetera
uns das knackende Geräusch eines Grammophons ersparen
das abgestellt wird
2 sometimes I feel
1 I feel sometimes
2 wir würden gern selbst das Grammophon abstellen
und die Kerzen löschen
1 aber wir sind leider schon eingeschlafen

Zweites Kapitel

Variationen über eine Tagebuchnotiz des Florentiners Luca Landucci (1436–1516)

1. Variation

1 eine Frau betritt den Palazzo Spada
der nicht weit vom Palazzo Farnese liegt
und kommt in den Seitenhof
mit der Säulengalerie Borrominis

2 ihre Gedanken werden getragen vom
Geruch der Kakteenblüten vom
Duft der Oleander
auf ihren Gedanken liegen Kakteen und Oleander
vom Duft getragen schließt sie die Tür
zu dem kleinen Hof
und sieht durch die berühmten Kolonnaden

1 das ist ein langer Gang
unter einem Seitenflügel des Palastes
ein Gang mit Doppelsäulen an beiden Seiten
und einer halbkreisförmigen Decke
ein Gang an dessen Ende
im hellen Licht eines anderen Innenhofes
auf einem Sockel
eine Figur

2 vielleicht ein Satyr auf einem Sockel?

1 ja ein mannshoher Satyr oder
zwei Meter hoch oder mehr
am Ende des langen dunklen Ganges
der wie ein schwarzes Bild ist

in dessen Mitte jemand einen hellen Fleck gemalt hat

2 geht sie?

1 ja sie geht
ihr Schatten fällt auf den Boden vor dem Eingang
der von einem Rahmen aus Licht umgeben ist
gleich wird sie den Gang betreten
der hier etwa sechs Meter hoch ist

2 aber noch geht sie im Licht
deshalb brennen ihre Augen
und der Schmerz erweckt in ihr den Wunsch
nach der Dunkelheit dieser Galerie
in die sie eintauchen wird
wie in eine Erinnerung

1 das ist der Grund:
eine Erinnerung wie ein Traum
Traum wie eine Weissagung
Weissagung wie ein Wesen mit Flügeln
Wesen mit Flügeln wie das Wort eines Wortes
Wort des Wortes wie ein Anfang
Anfang wie das Wort

2 doch nun beginnt sich der Duft der Blüten aufzulösen
und ein neuer Geruch umgibt sie
die Dämmerung fällt von den Säulen
die Säulen fallen von den Säulen
weißgekleidete Männer und Frauen
wehen Wolken von Sagrotan herein

1 überall sind schon Erinnerungen
an den ersten Zahnarzt
an den ersten Milchzahn
an Bindfaden am ersten Milchzahn

57
Erinnerungen an alles was immer ruchbar ist
im Vorbei an Krankenzimmern Rotkreuzstationen
Arztwohnungen Ambulanzwagen
Medizinstudenten in Straßenbahnen nach
dem morgendlichen Präparierkurs zwischen
Hausfrauen zum Markt und
Gastarbeitern zur Krankenkasse
wo Krankengeld ausgezahlt wird

2 für die Frau ist dort
wo Kakteen und Oleander duften
eine medizinische Wolke
wo Säulen Säulen sind
spiegelt sie sich in schleiflackierten Wänden
über denen
in Brusthöhe etwa
das Feld der weißen Leimfarbe beginnt

1 während sie an diesen Wänden entlang gefahren wird
gebiert sie Zwillinge ohne Schmerz zu spüren
ein weißgekleideter Mann
den sie für den Arzt hält
greift mit entblößten Armen
über denen er die Ärmel seines Kittels hochgerollt hat
in ihren Leib

ein dunkelhäutiger weißgekleideter Mann
mit lockigem Haar
den sie für den Arzt hält

ein Mann dessen Arme rot sind
dessen schwarze Arme sich mit Rot bedecken

ein Arzt greift in ihren Leib
der weit geöffnet zu sein scheint

neben ihr laufen schwarzweißquergestreifte Wärter
neben dem Mann den sie für den Arzt hält
laufen Männer in schwarzweißquergestreiften Kitteln
Männer die sie für Wärter hält
die ihr Bett durch den Gang schieben

während sie Zwillinge zur Welt bringt

während der Neger in ihren Leib greift
der weit geöffnet zu sein scheint

verwandeln sich die gestreiften Wärter
in weißgekleidete Krankenpfleger
die das Bett auf dem sie liegt
so schnell schieben daß
der weißgekleidete Neger nicht mehr mitkommt
daß der weißgekleidete Neger immer wieder
hinter der Bahre herlaufen muß:

halt

ruft er:
            anhalten
                        die Frau muß entbinden

doch die Krankenpfleger verwandeln sich weiter
verstecken sich hinter einer neuen Maske
sind nun grüngekleidete Wachtmeister
die unter dem Bett der Frau Jagdgewehre hervorholen
und zu singen beginnen:
                                    warum tragen alle Jäger
                                    immer wieder Hosenträger

und der Arzt weiß sich keinen anderen Rat
als schnell Kittel und Hemd abzulegen und
nur mit der Turnhose bekleidet neben dem Bett herzulaufen

aber die Oberförster heben ihre Gewehre
und der arme Arzt muß
ob er will oder nicht
in die Knie:
auf
die
fertig

die Oberförster feuern ihre Gewehre ab
und der Arzt muß

ob er will oder nicht

muß er sprinten
den Gang entlang hetzen
den Gang hinunter der immer länger wird

aus allen Krankenzimmern feuern ihn
begeisterte Wöchnerinnen an:
schneller schneller
Jesse Jesse

nur die Frau schreit:
halt
meine Zwillinge
wer hilft meinen Zwillingen

aber es ist schon zu spät:

die Orgel beginnt zu spielen
der Arzt steht auf einem Podest und
hat einen Kranz um den Hals
hinter ihm stehen im Halbkreis
viele weißgekleidete Krankenschwestern
die Oberförster verwandeln sich in die heiligen drei Könige
eine würdige Schwester schiebt einen Tisch herein

auf dem die beiden Kinder liegen:

es sind beides Jungens

sagt sie:

sehen sie her

dabei greift sie
mit einer weißen zarten Hand
zwischen die Oberschenkel der Knaben
so daß in ihrer Hand etwas liegt
das die Frau nicht erkennen kann
doch die Schwester sagt:

sehen sie
es sind beides Jungens
wie gut sie entwickelt sind

die Frau sieht die Knaben:

der eine ist so groß
als wäre er schon sechs oder sieben Jahre alt
er hat noch die faltige blaue
gesprenkelte Haut eines Neugeborenen
doch er ist stark und grob
und hat eine tiefe scheppernde Stimme

alle Schwestern schlagen die Hände
über dem Kopf zusammen:

was für ein schönes gesundes
Kind

sie treten heran und betasten es
und stoßen sich gegenseitig mit den Ellenbogen an

und der Knabe dankt es ihnen
indem er in eine der Hautfalten
an seinen Hüften greift

und den Schwestern Frösche in den Ausschnitt wirft

was für ein kluges Kind!
daneben
in einer rechteckigen Klarsichthülle
verpackt wie Orchideen oder teure Blumen
an den Blumenständen großer Hotels
liegt das andere Kind

so klein wie meine Hand
und durchsichtig wie ein fleischfarbener Damenstrumpf
durchsichtig so daß seine Mutter
jede Ader sehen kann
das Herz das Gehirn die Organe

alles bewegt sich und funktioniert
in dem winzigen durchsichtigen Kind
das aussieht wie eine Uhr die der Reklame wegen
aus Glas ist
es hat Fleisch und Knochen
die mit Haut überspannt sind
aber alles ist durchsichtig
wie die Zellophanschachtel
in der das Kind liegt

nun wird es seiner Mutter in den Arm gelegt aber
das andere Kind das inzwischen gewachsen ist und
immer häßlicher geworden ist
kommt
und nimmt die Klarsichthülle mit dem schönen Kind
um damit zu spielen

die Mutter will es ihm nicht geben
doch das Kind wird immer größer
ohne seine blau gesprenkelte faltige Haut zu verlieren

es wird immer häßlicher deshalb
kann sich die Frau nicht wehren

der Junge ist zu häßlich
um angegriffen zu werden
und das andere Kind ist zu schön
um verteidigt zu werden

also schaut sie zur Seite
und will nicht sehen
was mit ihrem Kind geschehen wird

2 also schaut sie zur Seite und sieht

1 daß sie in jenem Gang
unter dem Seitenflügel des Palazzo Spada in Rom
den sie schon lange vergessen hatte
den sie ohne Erinnerung meinte
vor Jahren oder in einem früheren Leben
gesehen zu haben ohne zu ahnen

2 daß sie in jenem Gang
unter dem Seitenflügel des Palazzo Spada in Rom
in den sie vor einigen Sekunden
und weil sie es vergessen hatte
niemals eingetreten war ohne zu ahnen

1 daß sie in jenem Gang
unter dem Seitenflügel des Palazzo Spada in Rom
diese Weissagung erleben würde

2 während sie in jenem Gang
unter dem Seitenflügel des Palazzo Spada in Rom

1 während der drei Schritte

vom ersten Säulenpaar an beiden Seiten des Ganges
bis zum zweiten Säulenpaar während ihr im Traum
die Weissagende erschien

2 nicht weiter gegangen war
als vom ersten Säulenpaar bis zum zweiten

und aus der Dämmerung des Ganges der sie umgibt
hängt sie ihre Blicke an den weißen Satyr
auf dem weißen Sockel in dem weißen Loch
in der Dämmerung des Ganges den sie geht
und dessen Ende sie nach zwanzig Metern
oder mehr erwartet

den sie geht ohne zu wissen
daß wir unsere Träume
erst im Augenblick unseres Erwachens träumen

1 nun sitzt sie in einem Café auf der Straße
am Rande eines großen Platzes
und spiegelt sich im Chrom der Kaffeemaschine
die gleich am Eingang zum Café
am vordersten Rand der schwarzen Theke steht
auf der in Schalen zwischen Eisstücken
die Aperitivos liegen:

2 kleine Krebse Muscheln Austern kleine Fische

1 sie spiegelt sich im Chrom der Kaffeemaschine
in der sich auch der Palazzo Spada spiegelt
der nicht weit vom Palazzo Farnese liegt
und sie erinnert sich daran
daß ein Portier ihr geraten hat
die Säulengalerie Borrominis zu besichtigen:

2 wenn sie in den Palast gehen sollten so besichtigen sie

1 und sie denkt dies sei eine gute Gelegenheit zu gehen
und sie geht auf die Kaffeemaschine zu
geht hin zum Bilde des Palastes
um in ihn einzutreten

2 das heißt also:

1 durch die chromglänzende Wand
einer Kaffeemaschine
tritt eine Frau in die Säulengalerie
unter einem Seitenflügel des Palazzo Spada
eine Frau die niemand beachtet
die niemand sieht im Lichte des Schattens
im Schatten des Lichtes mit der Weissagung im Herzen
daß der Löwe sowohl
Symbol Christi
wie Symbol des Teufels sei

und nun verliert sich ihre Erinnerung
an alles was sie erlebt hat
an alles was sie nicht erlebt hat
und es beginnt von neuem

2 während sie durch die Galerie zu gehen scheint
hängt sie ihre Blicke an den weißen Satyr
einen weißen Satyr in einem weißen Loch
in der Dämmerung des Ganges
und sie wünscht sich seinen Körper

nicht weil die körperliche Begegnung
mit männlichen Wesen ihr Beruf ist
es ist ihr Beruf

die Farbe weiß ist schuld daran
das Licht im Hof das alle Gegenstände weiß macht

ist weiß:

die Liebe ist weiß

der Hof im Licht ist weiß wie die Farbe des Hofes:

die Liebe ist weiß

der Sockel in der Mitte des Hofes ist
weiß wie die Farbe des Lichtes:

die Liebe ist weiß

der Satyr auf dem Sockel in der Mitte des Hofes
im Licht ist weiß wie die Liebe:

die Liebe ist weiß

deshalb ist der Satyr zu lieben denn er ist weiß:

weiß ist die Farbe der Vollkommenheit

deshalb ist ein Satyr vollkommen zu lieben:

die Liebe ist weiß

deshalb ist die Liebe zum weißen Satyr
die Erfüllung der Prophezeiung ihres Traumes
deshalb wird sie den Satyr lieben:

er ist vollkommen

deshalb wird sie nun die behaarte Hand
auf ihrer Hüfte dulden und den harten Druck
des Daumens vor ihrem Hüftknochen
mit allem Reiz den dieser Griff auf sie ausübt

deshalb wird sie die feuchten Lippen
auf ihrer Schulter in der Biegung
zum Hals hin gestatten
und das Gefühl
das der saugende Druck der Lippen
über ihre Haut verteilt:

das Gefühl sich neu zu öffnen
das Gefühl sich zu öffnen

deshalb wird sie es sich gestatten
ihre Körperlichkeit zu vergessen
sie wird sich statt dessen fühlen
wie der Inhalt eines unendlichen Luftballons
sie wird sich statt dessen auf einen
oder zwei Punkte ihres Körpers reduzieren
sie wird sich statt dessen auf zwei oder einen
nicht vorhandenen Punkt
ihres aufgelösten Körpers reduzieren
um sich von dort her als Entfernung zu fühlen
aus der sie auf sich selbst zukommt
oder in der sie sich
als Inbegriff der Ereignisse eines Bildes von El Bosco
wie am Horizont
bewegt

deshalb wird sie
auf einer weißen Ebene
die von Horizont zu Horizont flach ist
wenn sie ein Jahr über diese Ebene gewandert sein wird
ohne einen Schritt weitergekommen zu sein
sich wegen einer winzigen weißen Blume bücken
obwohl sie wissen wird
daß die Blume
wenn sie betrachtet wird
in weißen Sand zerfällt

deshalb wird sie
nicht zögern und nicht stehenbleiben
auf dem Weg über die immer unbekannte Weite
weiter nur weiter

bis Staub auf einer Konsole
Risse in einer Decke
Farbe an einer Wand
Name eines katholischen Pfarrers
Adresse eines oberitalienischen Bordells
wieder Bedeutung haben

die sie
ohne sie zu erkennen
gedankenlos betrachtet
ohne Empfindung
nur eingesponnen in Bilder
die für einen Augenblick Wahrheit sind
und in ihrer Beziehung zur Wirklichkeit
die Bedeutungslosigkeit der Wirklichkeit beweisen

nur eingesponnen in Bilder
die sie also
nicht eigentlich betrachtet
eigentlich noch nicht einmal
nicht eigentlich
eigentlich nicht
nicht noch
noch nicht

die sie
noch nicht
betrachtet

1 nicht betrachten kann

denn wenn sie sehen würde könnte sie sehen:
was niemand erwartet
was jeder sieht
der zur Seite schaut
wie sie
die nun doch zur Seite schaut
schon als andere
die sich fortpflanzen wird wie der Schall eines Rufes
also immer Wellen
immer Pfeiler Bogen Pfeiler
und zugleich Kraft die alles einebnet

was doch jeder sieht
der zur Seite schaut und erkennen könnte

2 daß sie in einem Gang
unter einem Seitenflügel eines römischen Palastes
nicht weiter gegangen ist als so

so wie ich

von dort nach hier
vom dritten Säulenpaar an jeder Seite des Ganges
bis zum vierten zwischen Bogen
zwischen großer ewig teilbarer
gekrümmter Fläche

nicht gekrümmt wie Rücken Arbeitender
Knieender Betender Weinender Liebender

sondern sich teilende Fläche die
wenn sie ein Rücken wäre
jede Pore jedes Haar
vorweisen würde und ich müßte jedes betrachten
weil es den Anspruch erhebt

1 so ist sie also nur zwei
oder drei Schritte in Richtung des Hofes gegangen
den sie am Ende der Galerie sieht
ist also dem weißen Satyr
auf dem weißen Sockel nicht begegnet
so daß kein Erlebnis bleibt

2 sondern nur Weissagung
unbekannte Empfängnis
und Qual

1 nun liegt sie auf dem Bett des
kleinen Hotelzimmers das sie für die
Dauer ihres kurzen Aufenthaltes
mit ihrem Louis bewohnt

2 sie bewohnt es mit einem Louis
und muß sich gefallen lassen
daß er ihren Leib betastet und fragt:
ist es wahr daß du dick bist?

1 und daß er sie schlägt
weil sie sich weigert
das Kind abtreiben zu lassen
so nimmt sie heiße Bäder

2 und schluckt Chinin
doch das Kind bleibt bei ihr
und der Mann will nicht glauben
an eine unglaubwürdige Verheißung

1 mag sie gemalt noch so schön sein
und quält sie
bis ihr die Qual wie der Lauf
durch einen langen Gang erscheint

2 dessen Licht ihn
als in der Höhe befindlich verheißt
dessen Licht ihr also
Hoffnung auf ein Fenster

1 und zugleich Hoffnung auf einen Sturz verheißt
der wenn sie will in einen
nicht enden wollenden Fall
umgedacht werden kann

2 wenn sie nicht aus Furcht
vor der Erde ihren Kopf zur Seite wendet
aus Furcht die Erde könne ihren Fall beenden
den Kopf zur Seite wendet

1 während die Erde ihren Fall tatsächlich
beendet hätte
also Rückkehr in einen Palast
der römischen Renaissance

2 Rückkehr in den Palast
des Kardinals Spada wo ihre Qual
beendet werden wird und begonnen
wo ihr Leib sich öffnet

1 während eines Essens das ein Herr
in seinem Hause für einige Freunde gibt

während ein Kellner Brüsseler Poularde
vom Spieß auflegt

und ein anderer Pommes Pailles bringt

und ein dritter auf einem kleinen Wagen
eine große Schüssel Salat Villefranche hereinschiebt

und der Herr sagt:
den Wein habe ich aus Lyon bekommen

während dieses Essens öffnet sich ihr Leib
und sie gebiert eine kleine Katze
so daß sie nun versuchen muß
mit der einen Hand zu essen
und mit der anderen
die Katze unter ihrem Rock zu halten
und mit der dritten
in der sie ein kleines Taschentuch hält
das Fruchtwasser
das ihr unaufhörlich die Beine herunterläuft
abzutupfen

aber es ist nichts zu tupfen da
denn es war eine Trockengeburt
was sie nicht wissen konnte
die Trockenheit sammelt sich schnell unter ihrem Stuhl
und breitet sich aus
die Kellner laufen auf Absätzen
hinter ihrem Stuhl vorbei
und wer seine Serviette aufheben muß sagt:
pfui

was ist mit meiner Serviette

doch hört sie und sieht sie
das alles gar nicht
denn sie versucht nur noch
das Blut zu stillen

ich muß das Blut stillen denkt sie
an was habe ich nur gedacht
Wasser sieht keiner aber Blut

dann denkt sie:
wenn nur die Katze ruhig sitzen würde

doch die Katze sitzt nicht ruhig
sie wächst schnell
und krallt sich in die Spitzen ihrer Höschen
und in das Gewebe ihres Unterrocks
und fährt dort unten herum
wie eine Fledermaus in der Backstube
nur nicht so sicher

bis die Frau sie nicht mehr halten kann (3)
weil die Katze beginnt ihr die Schenkel zu zerkratzen

bis die Frau sieht
daß alle schon lange nur noch auf sie sehen und
eine Erklärung für den eigenartigen Geruch erwarten

da läßt sie die Katze heraus
und der Herr winkt:
Kellner ein Tablett

und ein anderer bringt eine Karaffe Wasser
ein dritter bringt Medikamente und Werkzeuge

durch die Tür kommt der weißgekleidete Neger
den sie gleich erkennt

(3) Kein Zweifel und was es wirklich heißt, zweifellos zu sagen, wo ohne Zweifel, natürlich, selbstverständlich, eigentlich, wirklich, gewiß nur gesagt wird, wenn Zweifel an Gewißheit, Wirklichkeit, Selbstverständlichkeit, Natürlichkeit und dem, was eigentlich ist, bestehen, die man zu faul ist auszuräumen, oder die sich nicht ausräumen lassen wollen, weil sie zu Recht bestehen, so wird also ohne Zweifel, natürlich, selbstverständlich,

nun liegt die Katze auf dem silbernen Tablett
und zittert und friert
die Frau sieht die Katze:

die Katze hat keine Haare
sie ist rot
wie ein neugeborenes Stück Haut ohne Haare

eigentlich, wirklich, gewiß gesagt, um die Unsicherheit der eigenen Stellung zu verbergen, was nur ein Beispiel für andere doch ähnliche Fälle ist

hat es am schwersten von allen Frauen im Hause Frau Hübscher. es war zunächst nicht zu erkennen.
am Tage wenn ihr Mann an dessen Amtszimmertür wie jeder weiß ein Schildchen hängt mit der Aufschrift Hübscher Gerichtsassessor außer Hause ist, sieht man Frau Hübscher ihren Hund aus der im dritten Stock belegenen Hübscherschen Wohnung herabtragen. sähe man nicht den Hübscherschen Hund von Zeit zu Zeit, man wüßte doch, daß es ihn gibt. das Haus ist voll von seinem Körpergeruch und nachts dringt sein dunkles Bellen durch Decken und Fußböden und macht die Unmutsäußerungen des zweifellos zu Recht mit seinem Leben unzufriedenen Hundes deutlich wahrnehmbar. schon an der Wahl des Wortes Körpergeruch sieht man, daß es nicht Speise noch verwertete Speisereste des Hundes sind, die den Weg über den Podest vor den Türen des dritten Stockwerkes zu einer Zumutung für die Nasen machen. der Hund hat ohne Zweifel einen eigenen Körpergeruch, den ich gewiß kenne, seit mir Frau Hübscher eines Morgens, bald nachdem wir eingezogen waren, den Hund hinter sich herschleppend, etwa in Höhe des zweiten Stockwerkes die Hand drückte, wie um mich zur Geburt meines zweiten Sohnes zu beglückwünschen, was vielleicht wirklich ihre Absicht war

die Herren sagen:

ah das also war es
aber wo hat es denn seine Haare
das ist immer so

sagt der Herr:
die Haare müssen abrasiert werden

derzeit fuhr ich natürlich noch Fahrrad. demonstrierte auf meine Weise gegen die seit Jahren immer wieder in unzumutbare Höhen getriebenen Fahrpreise der öffentlichen Verkehrsmittel und hatte zugleich Hoffnung, den erheblichen Mollenfriedhof unter dem zweiten Westenknopf von oben nach und nach stilllegen zu können. erreichte bald den sich im dichten Verkehr natürlich ohnehin nur mühsam und unter Ausnutzung von allerlei Rücksichtslosigkeiten, die Autobusfahrern im Hinblick auf ihre kostbare Menschenfracht sowieso jedenfalls nicht in der Weise gedankt werden können, daß man es auf einen Baller ankommen läßt

vorkämpfenden Autobus

der für mich in Frage gekommen wäre

außerdem traut sich kein Schaffner gegen seinen Fahrer auszusagen, weshalb man über die Diktatur der Autobusfahrer eigentlich auch noch mal schreiben müßte, die Schaffner sind in vielen Fällen selbstverständlich viel freundlicher zu den Fahrgästen, weil sie nicht jenen eigentümlichen Verwandlungen unterliegen, denen Menschen unterworfen sind, die ein Fahrzeug steuern und sie zum Beispiel völlig unduldsam gegenüber jeglichen Unterbrechungen und Verzögerungen der Fahrt machen, weshalb man wirklich einmal darüber schreiben sollte, ob nicht das ständige und durch nichts gerechtfertigte Anhaltenmüssen der Busfahrer an sogenannten Haltestellen, das natürlich vollkommen zuchtlose Einsteigen und Aussteigen von Menschen da wird ihr übel:

warum

sagt sie:

wird mir übel

und sie sieht zu ihrem Louis und sieht:
daß er die Katze zur Welt gebracht hat nicht sie

hinsichtlich des Autobusses zu schwerwiegenden seelischen und später wohl auch körperlichen Schäden hinsichtlich derselben führt, das natürlich durch das vollkommen zuchtlose eigentlich noch völlig verschlimmert wird

überholte ihn links, wie es die Ordnung für am Straßenverkehr teilnehmende Verkehrsteilnehmer vorschreibt, schuf mir ausreichenden Abstand, schlug dann rechts ein, rechts, wo das Herz schlägt in Friede und Freiheit, das Selbstbestimmungskohlrouladenfiletsteak von Lorke iss knorke, fuhr aber nur kurz vor dem für mich wie gesagt in Frage kommenden Bus, denn wenn dann ein freies Stück Strecke kam, holte er mich natürlich wieder ein, was mir ganz recht geschah, wenn ich hier meinte, mich der Beteiligung an öffentlichen Verkehrsteilmitteln entziehen zu können, man müßte eine gewisse Zwangsteilnahme an der Benutzung öffentlicher Verkehrsteilnehmer obligatorisch machen, auch für Autofahrer, die brauchten dann weniger Steuern zu zahlen, der Arzt sagt so und wie schon wirklich immer gewiß fahren Sie nicht so viel Auto es fordert den Herzinfarkt und man könnte die Fahrpreise beliebig hoch festsetzen wie das bei der Post selbstverständlich schon lange so ist

fiel aber nicht viel und schon lange nicht weit zurück, denn wenn ich ihn einige Zeit hatte zieh'n lassen müssen, kam natürlich immer gleich wieder eine Haltestelle und während er stand zischte ich selbstverständlich links vorbei wo aber nun wirklich das Herz sitzt

sein Gesicht sieht aus wie die Haut eines vergilbten Papageis

in Perlen auf seiner Stirn steht Wasser

sein Mund ist rund geöffnet

seine Lippen sind leicht nach außen gewölbt wie eine Trompete

und dachte die ganze Zeit: was stinkt denn hier bloß so barbarisch

versuchte es auf den Stadtteil zu schieben, was man nicht tun soll, denn wer ist schließlich Schuld daran, wenn in einem Wohngebiet zum Beispiel eine Zigarettenfabrik gebaut werden muß, die nun Tag für Nacht ihren Dampf abläßt und außerdem riecht eine Zigarettenfabrik anders

bis ich Gewißheit über meine Hände als Quelle des wirklich barbarischen Gestankes hatte, Erinnerung an zehn bis zwölf Minuten zurückliegendes Händegedrücke, was mir von vornherein gleich unangenehm gewesen war, ohne schon zu wissen wie dieser Hund einen Körpergeruch hat und sah nun eine ausgewachsene Dogge, die beim Treppensteigen etwa soviel Schwierigkeiten hatte wie ein Kalb, dem Frau Hübscher einen abrangierten Shawl um den Bauch geschlungen hatte, an dem sie das Tier hinten trug, während es vorne hoffentlich in der Lage sein wird, alleine zu gehen, der Hund an dem Shawl der Dogge

(?)

doch sind alle Erwägungen darüber weshalb man wüßte, daß es ihn gibt, wenn man ihn nicht sähe, nur ergänzendes Beiwerk, denn man sieht ihn ja

77

sein unhörbarer Schrei
schmerzt allen Hunden des Stadtteils in den Ohren

und läßt sie erkennen
daß es seine Erscheinung ist
die sie erlebt hat
und daß er nun wirklich

wenn man die Treppe heraufkommt und Frau Hübscher kommt mit ihm die Treppe herauf, man überholt sie, sie drückt den Hund an die Wand und spricht freundlich zu ihm dumme Worte, die ihre Verlegenheit verbergen sollen, oder herab, sie nennt ihn ihr Baby oder behauptet, er habe dort drüben wer weiß wo eine kleine Freundin, wenn man die Treppe herabgeht und Frau Hübscher geht mit ihm die Treppe herab und behauptet, man habe die Sachen nicht gestohlen, die man gerade bei sich trägt, er sei ein guter Hund, der immer stets glaube, man habe bei Herrchen und Frauchen gestohlen, was ich als Hundchen denk und tu, trau ich auch keinem andern zu, oder kommt mit ihm die Treppe herauf, während ich entgegenkomme

aber das Schlimmste ist noch nicht einmal, daß man auch ein Pferd nicht auf dem Dachboden unterställt, sondern das Hüftleiden des Hundes, die Art wie er folglich natürlich über die Straße geht, eine Hundelollo oder Sophia, daß man meinen muß, er werde sich kürzlich einen Knoten ins Hintergefüß schlingern, diese Art von Verlangsamungen und jähen Accelerationen, die alles wieder nachzuholen scheinen, was die Phase der Verlangsamung verschenkt hat, mag für die uneigenwillige Bewegung aufs Rad Geflochtener kennzeichnend gewesen sein, wie dieser Hund, soll man's gehen nennen, wenn er über das große Trümmerfeld kommt, das unserem Balkon fast genau gegenüberliegt, oder sich über die Bismarckstraße in Richtung Oper entfernt, das sehe ich von meinem Fenster auf Anstand sitzend, da ist mir auch dieser Hund Waidwerk doch ohne Flinder Vater des Kindes sein wird das sie erwartet

daß er die Finger eines Flötenspielers
auf den dünnen dunklen Streifen legen wird
der sich in der Mitte ihres Bauches
vom Ansatzpunkt der beiden untersten Rippenbogen
über die Wölbung nach unten zieht

te und Armbrust denn er hat laut Tierschutzverordnung imme
Schonzeit und Euthanasie ist zwar für Menschen systembeding
entschuldbar aber nicht für des Menschen besseren Freund al
der Mensch ist, so heißt es, in unserem Volk sind die Hund
stets hoch gehalten worden, genau wie der schöne grüne deut
sche Wald so hoch da droben am Himmelszelt und jene Tier
auf deren Rückgrat angeblich das Glück ruht, nichts gege
Pferdefleisch, doch sollte man sich weigern, jemandes Freun
zu werden, der einen Hund für den je besten hält

indes Frau Hübscher versichert uns, ihr Tier sei noch jung un
werde folglich noch viele Jahre sommertags ihren Balkon be
völkern, den es ausreichend ausfüllt, um sich nicht wenden z
können, das muß man schon sagen, und wintertags die Hüb
schersche Diele, wo die betrunken heimkehrenden Hübscher
schen Aftermieter wahlweise über den jagdtrophäenfellähn
lich über den ganzen Raum ausgebreiteten Doggenhund stol
pern und von ihm mittels schwarz ausgefranst ekelerregen
der Hundeschnauze gebissen werden, was jeweils zu leichter
Mietnachlässen führt, man sieht schon, ich finde das Tiercher
nicht halb so süß, wie sein Frauchen es findet, das seinerseit
freilich schon allein seines Hundegeruches wegen überaus häß
lich ist und auch oft genug an warmen Tagen mit dem seit
wärts gelagerten, die Beine weit von sich streckenden Hun
auf dem gegenüberliegenden Trümmerfeldwiesenrasen in en
ger Umarmung befindlich gesehen worden ist, wobei sie in da
vierbeinige Gewirr der ausgestreckten Hundeläufe hineinge

’9
daß er sagen wird:

nun muß das Kind bald kommen
höchstens ein oder zwei Jahre noch
du wirst sehen
und würde dabei nicht er sein

rochen war und sich auch ihr Rock freilich ohne Verletzung
ler guten Sitten derart hochgeschoben hatte, daß sie nur des-
alb von allen Verdachtsmomenten freigeblieben war, weil das
eld von allen Seiten gut eingesehen werden kann, wie man so
agt

o daß die offenbar abgesehen von der häuslichen Gemein-
chaft mit dem seit Jahr und Jahr auf seine Beförderung zum
Rat wartenden Hübscher immer noch bestehende Verbindung
zwischen dem seit Jahr und Jahr immer noch bestehenden Hüb-
cher und seinem Frauchen, das freilich überaus häßlich ist und
auch oft genug an warmen Tagen eigentlich doch mehr als ver-
wunderlich ist

aber das alles ist ohne Zweifel nicht ausreichend Beweis für
lie Behauptung, ohne Zweifel und was es wirklich heißt zwei-
ellos zu sagen

hat es am schwersten von allen Frauen im Hause Frau Hübscher

was zunächst nicht zu erkennen war

sie trug den halb selbst gehenden Hund morgens ich würde
sagen so gegen halb acht hinab, wo er mit den Vorderfüßen
offenbar normal gehend sofort mit den Hinterbeinen ein aber
nun wirklich beängstigendes Geschlenkere begann und redete
dem Hund, der stehenblieb, sobald er bemerkt hatte, so könnte

sondern der weißgekleidete Arzt
der an ihrem Bett steht und sagt:
haben sie noch
ein oder zwei Jahre Geduld

derselbe der die Finger eines Flötenspielers
auf den dünnen dunklen Streifen
in der Mitte des Bauches legt den Streifen nach unten
über die ganze Wölbung hinweg den dünnen zittrigen Strich
wie ein Grat aus Fleisch das abgeätzt wurde
und nun verheilt ist

es sein, in welche aber nun wirklich lebensgefährliche Situation
seine Hinterläufe seine Hinterläufe gebracht hatten und wenn
er stand stand er, dann hätten ihn keine drei Doggen mehr von
der Stelle gebracht, gut zu, so wie ich meinem Sohn zurede,
wenn er vor aber nun wirklich auch jedem Auto stehenbleibt
und Otto sagt, dann wieder so gegen Mittag und noch einmal
früh am Abend

nun habe ich sie einige Male schon in der Zeit um Mitternacht
auf der Treppe gesehen

doch traf ich sie letzte Nacht, als ich fast volltrunken gegen vier
Uhr früh heimkehrte, einem Sisyphus gleich und trug einen gewaltigen Doggenhund zur Hälfte mit Liebe und verlegenen
Worten, die wie ich weiß für die Öffentlichkeit bestimmt sind,
denn in ihrer Wohnung hört man sie oft ihrem Tier Vorwürfe
darüber machen, daß viele Hunde in seinem Alter schon laufen
können und erfuhr auf Befragen, daß dieser des Menschen bester Freund zwar tags es sechs Stunden lang aushalte und folglich nur dreimal Gassi, doch nachts alle vier Stunden, zwischen
Mitternacht und Morgen mithin noch einmal, kein Zweifel hat
es am schwersten von allen Frauen im Hause Frau Hübscher.
es war zunächst nicht zu erkennen.

eigentlich heller als die Haut ihres Bauches
aber an den Rändern dunkler und deshalb also

dunkel wirkender Strich in der Hälfte des Bauches
von den Rippen nach unten:

Urnaht an der ihr Leib aufbrechen wird
wenn es soweit ist
wie eine Kastanie
eine Kastanie die aufbricht
ein Kind das vom Baum fällt

das würde ihr der Mann an ihrem Bett versichern

aber es ist noch nicht soweit
sie hat noch Zeit sich umzudrehen
und vom Esel herabzusteigen

2 deshalb steigt sie herab
und wenn sie abgestiegen ist sieht sie
daß nicht Wald ist durch den sie reitet
nicht Wald nicht Bäume
nicht Licht in der Ferne das in den Wald scheint

(so hatten wir es in der Schule gelernt)

sondern Säulen
ein Gang mit Säulen
und das weiß eines Hofes im Licht
am Ende des Ganges

1 so daß sie sich also wie im Traum
aus jenem Gang unter dem Palazzo Spada in Rom
entfernt hatte und einem Traum Josephs beiwohnte

2 während sie in Wirklichkeit vom fünften zum sechsten Säulenpaar ging

1 wie im Traum eines anderen
ihr gänzlich Unbekannten
der nicht in dieser Stadt der Ewigen
noch in diesem Land
noch in diesem Jahr
die Stille einer Nacht ausnutzte
vielleicht die Stille zwischen Null Uhr Mitternacht
und einer Minute nach Mitternacht
in der weder ein Auto die Straße entlangfährt
noch irgendeiner der drei Betrunkenen
mit denen er die Lagerstatt teilt
im Schlaf flucht und so die Stille stört

2 so daß er ohne zu überlegen und ohne es zu wissen
davon träumen kann
nicht der kleingewerbetreibende Trinker Franz Bausch
genannt Frantek zu sein
sondern eine Art vorchristlicher Christopherus
wenige Stunden oder Minuten
ante christum natum
der ihm freilich ganz unbekannt wäre
da er die Schriften nicht kennt
doch ein Mann wie dieser
wenn er von ihm gewußt hätte

also wünschte er ihn sich
und bot ihn ihr an

1 und trug sie auf seinem Rücken
in einen Gang unter dem Palazzo Spada in Rom
verbannte sie dazu
durch einen Gang zu gehen
mit Doppelsäulen an beiden Seiten

die sich schnell verkürzen
und Wänden die sich verengen
einer Decke die niedriger wird
und einem Boden der ansteigt

so daß die Frau den Eindruck haben mußte
einen langen Gang zu durchschreiten
dessen Ende sie nie erreichen würde

2 nicht weil sie nur den Traum eines Mannes
namens Frantek ausführt
sondern weil sie selbst das ergänzt
was einem Manne namens Frantek
zu unbekannter Zeit einfällt
wenn er von ihr träumt ohne es zu wissen
und ohne etwas in Szene zu setzen

1 weil sie es ergänzt:

durch das Bild von einer Weissagung
durch das Bild einer unbekannten Empfängnis
durch das Bild von Josephs Traum
durch das Bild einer Geburt

deshalb muß sie den Gang wieder verlassen
und in sich selbst zurückkehren
um am Anfang
ihren Zustand als das zu erkennen was er ist:

2 nicht mitzuteilen nur zu vergleichen
nur zu vergleichen damit
daß jemand das Gras wachsen sieht
(aber nicht gesehen sondern wahrgenommen)
wenn das Kind sich bewegt
und so die Hoffnung nährt

es gebe doch eine unmittelbare Begegnung
mit dem Entstehenden
es gebe doch Anteil am Schöpferischen

und später als es soweit war
als sie nur noch von einem Schmerz zum anderen lebte
verlor sie das Gefühl der Zeitlichkeit

nicht als Folge des Gedankens:

es gibt keine Zeit
wir warten
doch wir erwarten nicht
auch nicht als fatale Empfindung

die ihr aufgrund dieses Anfanges
an dem sie nun teilnahm
die Unausweichlichkeit des Endes
bewußt gemacht hätte

sondern als klar erkennendes Bewußtsein
vergessen zu haben
wie lange sie schon hier lag
und auf die nächste Wehe wartete

als Bewußtsein
welches ihr nicht mehr gestattete
sich an Gegenständen ihrer Umwelt zu orientieren
sondern von ihr verlangte
diese Gegenstände
als das was sie eigentlich waren abzulehnen
und mit Zorn zu betrachten
als irgend etwas das ihr völlig egal war
und ihr nur noch als Vokabel diente
der das Wort:
Scheiße

als Vorsilbe anzufügen war

und auch dieses Verhältnis zu ihrer Umwelt
in das sie langsam
auch die Krankenschwestern und Medizinstudenten
einbezog
war in seiner Verneinung der Realität
die sie durch die alleinige Anwesenheit
ihres Körpers ersetzte

in den sie zunächst hineinkroch
der aber bald begann
den ganzen fühlbaren Raum
und alles was fühlbar wurde

also jeglichen Raum

auszufüllen

auch dieses Verhältnis zu ihrer Umwelt
war durch die alleinige Anwesenheit ihres Körpers
Verlust ihrer Selbst
und somit Verlust ihrer Zeit

und als sie das Bewußtsein der Zeitlichkeit
ganz verloren hatte
und auch die Zeit als Frist
nicht meßbar geblieben war

gebar sie ein Kind

gebar sie ein Kind
mit dem Kopf eines Rindes
drei Zähnen im Maul
einem Schopf auf dem Kopf
nach Art eines Hornes

behaarten Armen mit Löwenfüßen und Krallen
und dem Leib eines weiblichen Menschen
(wie schon Luca Landucci beschreibt)

doch als sie es sah
wandte sie sich ab
und verließ die Welt

und der Gesang:

kehre wieder kehre wieder
damit wir dich schauen

oh Sulamith
Rose unter den Dornen
wie schön und wie lieblich
bist du

der Gesang
drang nicht in ihre Ohren

sie hatte die Welt verlassen
und sie erwachte erst
als ein Mann den Raum betrat
in dem sie saß

(sie hatte das Bewußtsein der Zeitlichkeit verloren)
und auch die Zeit dazwischen
war als Frist nicht meßbar geblieben

2. Variation

2 und der Mann der den Raum betritt

kommt zu ihrem Verhör
drückt die Klinke der Tür zu dem Zimmer
in dem sie sitzt nieder
und hat noch einen gelben Krümel vom Frühstücksei
an der Krawatte einen kleinen Fetzen
Papier von der Serviette im Mundwinkel
den hausfrauengerechten Morgenkaffeegeruch im Haar
das Gefühl von Hausschuhen an den Füßen
den Gedanken an die Aufschlüsselung des
nächsten Gehaltes in Miete Gaswerke Elektrizitätswerke
Lebensversicherung Krankenkasse Kraftfahrzeugsteuer
Schuhbesohlung Kindermantel Geburtstagsgeschenk um die
Augen um die Nase

1 während sie
seit Minuten den dunkelgrau schmutzigen Fleck
an der Wand neben dem Bild des Präsidenten
in Form einer großen Wanze durchsieht
und jenseits nun erst eigentlich
erlebt was sie erlebt hat
zuletzt
den Weg durch die stumpfen Wände
der Gänge dieses Hauses
den Weg aus ihrer Zelle
an der Seite eines grünen Herrn
in grüner Jacke grünem Hemd grünem Schlips
und schwarzer Hose:

so sieht ein deutscher Justizwachtmeister aus

den Weg in dieses Zimmer
in dem sie nun schon seit Minuten sitzt

und einen Fleck ansieht
der wie eine Wanze aussieht

das fing an mit der Geburt eines Kindes
das eine Mißgeburt war
das endete in diesem Zimmer
und durch die Wanze
die langsam die Form eines Wachtmeisters
an einem Tor dessen Durchgang
ihr verwehrt ist
anzunehmen beginnt
geht sie zurück
bis zu dem Gefühl von Geburt
das sie nie vergessen wird

2 während er zu ihrem Verhör kommt
und die Klinke der Tür zu dem Zimmer in dem sie sitzt
niederdrückt
lange nicht mehr in der Welt von
Ei Kaffee Krawatte Hausfrau
Hausschuh Miete Gaswerk Geburtstag
sondern
Wohnung verlassen Haustür abschließen Haus verlassen
über die Straße gehen Tabakladen betreten telephonieren
eine Adresse erfahren zahlen Tabakladen verlassen
über die Straße gehen Haus betreten
Haustür aufschließen Wohnung erneut betreten
Stadtplan suchen Wohnung verlassen Haustür abschließen
Haus verlassen auf den Autobus warten
in den Autobus steigen im Autobus warten
lesen:

jemandem widernatürliche Unzucht zumuten
Eheleuten empfängnisverhütende Mittel anbieten
Werbeschriften zusenden in denen Möglichkeiten
zur künstlichen Steigerung geschlechtlicher Reize

mit entsprechenden Bildern angepriesen werden
mit Kindern trotz Fehlens wollüstiger Absichten
unzüchtige Handlungen vornehmen
mit einem fremden Kind Bilder nackter Frauen betrachten
sich vor Frauen unzüchtig entblößen
eine Respektsperson während des Urinierens höhnisch
begrüßen

aus dem Autobus aussteigen die Straße in Fahrtrichtung
immer geradeaus gehen
bei dem Feuermelder nach rechts abbiegen

1 während sie in der Zelle auf dem blauweißkarierten
über das eine graue Pferdedecke gelegt worden ist
sich mit Fingernägeln
übelriechenden Schweiß von Waden und Schienbeinen kratzt
den die unerträgliche Hitze aus der Haut treibt
und sie immer wieder den sinnlosen Satz wiederholen läßt:

am schlimmsten ist die Hitze und dieser eiskalte Wind

Hitze
die unaufhörlich aus einem grüngestrichenen Kasten kommt
der mit durchbrochenem Blech verkleidet ist
und in der Ecke steht
wo hoch oben fast unter der Decke
das kleine rechteckige Fenster ist so hoch
daß sie auf den Rand des Closettbeckens steigen muß
um einen Teil der gegenüberliegenden Wand zu sehen
an die auf roten Backsteinen große Zahlen
in fortlaufender Reihe unter vergitterten Fenstern
in weißer Farbe geschrieben stehen
auf das Closettbecken das keinen Deckel hat
aber aus dem auch mit Deckel
ständig der Geruch kommen würde
der ständig aus dem Closettbecken kommt

und es ihr unmöglich macht zu unterscheiden
ob sie es ist die sich mit ihrem eigenen Geruch
ständig umgibt
oder ob jemand anderes es ist
jemand anderes
wobei ihre Einsamkeit für einen Moment
wie ein geschlossener Vorhang der
einen Spalt breit geöffnet wird
eine Öffnung zeigt
durch die sie für die Dauer eines Blickes
die Vorstellung hat
außer ihr könnten noch andere Gefangene
in diesem Hause sein
eine Vorstellung über die sich sofort wieder
ihre undurchdringliche Einsamkeit legt
und der Satz:

am schlimmsten ist die Hitze und dieser eiskalte Wind
und der Geruch
und der schmutzige Schweiß unter ihren Fingernägeln
und die krakeligen Sprüche an den Wänden
die früher einmal weiß gestrichen waren

2 während er nach rechts abbiegt

1 während ein Wachtmeister die Tür zu ihrer Zelle aufschließt

2 während er einen Passanten fragt wie spät es ist

1 während der Wachtmeister zu ihr sagt:
Stehen sie auf

2 während er zu ihrem Verhör kommt
und die Klinke der Tür zu dem Zimmer in dem sie sitzt
niederdrückt
umgeben von:

beim Feuermelder rechts abbiegen
die Straße fünf Minuten lang geradeaus gehen
nach rechts abbiegen etwa fünfzig Meter geradeaus gehen
einen Laden betreten den Laden verlassen
in der gleichen Richtung wie zuvor weitergehen bis zu
dem dunkelgrünen Relaiskasten der Post auf dem
ein Päderast mit weißer Kreide zeichnerische Versuche
gemacht hat
was ihn aber nicht an seine Jugendzeit erinnert
sondern an die öffentlichen Aufgaben der Stadtreinigung

sich hinter dem Kasten nach links wenden
die Straße überqueren auf das Gebäude zugehen
das die Straße quer zu versperren scheint
nun ohne einen anderen Gedanken zu haben als den
der alle anderen zu verdrängen begann
kurz bevor er nach der Uhrzeit gefragt hatte:
werde ich

pünktlich sein werde ich pünktlich sein
werde ich pünktlich werde ich pünktlich
ich pünkt ich pünkt ich

1 während sie tiefer zeitlich immer tiefer
räumlich immer tiefer
aufgefordert wird darüber nachzudenken
ob sie in den ersten Wochen ihrer Schwangerschaft
Medikamente genommen habe
aufgefordert wird von einem Komitee
das gegründet worden ist
um zu untersuchen wie es dazu kommen konnte
daß eine Frau ein mißgestaltetes Kind zur Welt brachte
und ob zu befürchten sei
daß auch andere Frauen Mißgeburten gebären werden

von einem Komitee befragt werden

Fragen die ihre Blicke immer wieder zurückgleiten lassen
über die fleckige Wand des Zimmers
Fragen nach Kinderkrankheiten Geisteskrankheiten
Erbkrankheiten Geschlechtskrankheiten bis ins vierte Glied
während sie statt einer Antwort fragt
was das für ein Krach sei auf der Straße
und die Sachverständigen antworten:
das sind Menschen
die ihr Kind sehen wollen

was für ein Kind
warum mein Kind?

bis sie sich erinnert:
ehe sie die Welt verließ
war ein Schreien im Kreißsaal
nicht wie bei der Geburt anderer Kinder
wenn die Schwestern riefen:
er hat ganz schwarzes Haar
oder:
der hat ja Grübchen

sondern der gleiche Schrei wie der den sie hörte
als aus dem sechsten Stock eines Warenhauses
ein Mann in die Menge sprang die sich
angesammelt hatte weil er
auf ein Fenstersims geklettert war
die Schwestern hatten geschrieen
und als sie fragte:
was ist? lebt es?

hatte eine Schwester:
ja

gesagt und geschrieen sie sagte:
ja

zwischen zwei Schreien
und mit ihr schrieen alle die im Kreißsaal waren

und nun schreien sie
auf den Straßen

2 während er zu ihrem Verhör kommt
und die Klinke der Tür zu dem Zimmer
in dem sie sitzt niederdrückt
nun schon:
die Kante der linken Hand zwischen Rippe und
Hüftknochen in die Seite pressen und vorbei an
Briefkasten parkendem Volkswagen mit der Nummer B A 77
Kolonialwarenladen Bäckerei parkendem Volkswagen
mit der Nummer B A 78 Briefkasten Kolonialwarenladen
Bäckerei parkenden Volkswagen mit der Nummer B A 79 und
wieviel Zeit noch im Vorbei an
Hausfrauen in Hauseingängen
parkenden Wagen Geschäften
mit dem Gedanken wieviel Zeit noch

ich will nicht zu spät kommen
im Vorbei an Mülltonnen am Straßenrand
Briefträgern Bierfahrern in weißen Jacken und
wieviel Zeit noch um auf das Gebäude zu
das die Straße so hoch versperrt
daß die frühe Sonne den Schatten des Hauses weit in die
Straße legt auf der er geht und geht und weiß:
nun führt der
Wachtmeister die Frau schon durch einen der Gänge die
keine Decken haben so daß man
mehrere Stockwerke hoch
bis unter das Dach sehen kann
aber eingeengt durch schmale Brücken
die sich in Höhe der Stockwerke
an den Wänden entlang ziehen

oder quer über den Gängen
die Wände miteinander verbinden so daß
Kalfaktoren immer über Gängen stehen können
ihre Arme immer auf Geländer stützen können
immer auf sie niedersehen können
und er weiß
nun führt der Wachtmeister die Frau durch Gittertüren
die er aufschließt
und hinter sich wieder abschließt
und wenn sie das Zimmer betreten haben werden
muß er da sein
einer Verfügung entsprechend
derzufolge die Akten über diese Frau
dem Herrn Vernehmungsrichter übersandt worden sind
mit der Bitte
die Frau zu vernehmen

I während sie taucht zeitlich räumlich tiefer taucht
ohne vergangene Ereignisse
in ihr Leben aufnehmen zu können
in einem gestreift tapezierten Zimmer
in einem blumig gemusterten Sessel
eigentlich an einem beliebigen Ort der Welt
in beliebiger Lage
jede Beziehung zu ihrem Leben
und damit zu allem was ihr Leben ausmacht
verliert
was ihr Leben ausmacht
vom Aussuchen schwarzer violett durchbrochener Unterwäsche
bis zum Anzünden einer Zigarette
von der Art eine Tasse zu halten
bis zu ihrer Hand im Haar
alle paar Augenblicke
Augenblicke in denen sie gefragt wird
in denen die Sachverständigen miteinander reden
in denen sie zum Beispiel darauf hingewiesen wird

daß es sich bei ihrem Kind tatsächlich um ein
klauenviehartiges Tier
hier unbekannter Gattung handeln könne
das ebensoviel Menschliches an sich hat
wie jedes neugeborene Tier und das
niemals menschlicher sein wird als ein Tier
ein Tier ist ein Tier
und ein Mensch ist ein Wesen eigener Art

doch das bringt die sachverständigen Herren
nur immer weiter fort von der Lösung ihres Problems
deshalb prüfen sie zum Beispiel
die Tätigkeit aller Sonnenflecken Strahlengürtel
Meteoritenschwärme Strontiumwolken
Fabrikschornsteine Auspuffrohre Neonröhren
erörtern Mutation durch Zwangsvorstellungen Traumerleb-
nisse
radioaktiven fall-out Arzneimittelvergiftung
Tablettensucht Alkoholmißbrauch Nikotinüberdruß
Vollblutpolitiker jugendgefährdende Schriften
und vergessen auch nicht den Gedanken an Zeugung
durch sodomitischen Verkehr

2 während er zu ihrem Verhör kommt
und die Klinke der Tür zu dem Zimmer
in dem sie sitzt niederdrückt
noch umgeben von
laufen wieviel Zeit noch
Gegenstände Menschen sehen
Stimmen Geräusche Musik
die Hand in der Seite
alles was wahrgenommen werden muß
wegwerfen fallen lassen
nur das Haus im Auge behalten
kurz davor an einen Kiosk treten
für zehn Pfennig eine Zeitung kaufen

auf das Gebäude zugehen
bemerken daß es die Straße nicht quer versperrt
wie jeden Morgen kurz vor dem Gebäude bemerken
daß davor eine Straße entlang läuft
diese Gebäudestraße überqueren
wieviel Zeit noch
Hand in die Seite
durch das Hauptportal eintreten
wie sieht das Hauptportal aus
nicht gesehen wie das Hauptportal aussieht
mit den Augen als erstes die große runde Uhr
an der Empore des zweiten Stockwerkes suchen
noch genügend Zeit
langsam zur Pförtnerloge Schlüssel holen
in einer Telephonzelle neben dem Portal telephonieren
komplexer Vorgang telephonieren
aus der Zelle treten einige Stufen in die Halle nach links
in einen Gang etwa 150 Meter
am Ende eine Treppe zwei Stockwerke hoch steigen
den gleichen Weg wie zuvor
nur zwei Stockwerke höher wieder zurück
etwa 30 Meter auf der rechten Seite eine Tür öffnen
Tür öffnen komplexer Vorgang
eintreten reden manipulieren reden Zeit verbrauchen
Tür öffnen heraustreten den Gang nach rechts
etwa 120 Meter geradeaus gehen
über der Haupthalle ankommen
zur Uhr schauen schon wieder zu spät
schneller gehen Hand wieder in die Seite pressen
geringer Schmerz in den Waden
an der Haupthalle vorbei in die Verlängerung des Ganges
etwa 75 Meter geradeaus
nach links ab etwa drei Minuten
schneller zwei Gänge überqueren
vorbei an Hauptwachtmeisterei
und Kikillus Meierotto Hartnack

97

Kirchübel Grundei Puff Ludwigkeit
auf kleinen weißen Pappschildchen
in Metallrahmen an Amtszimmertüren

I während sie
taucht zeitlich immer tiefer räumlich immer tiefer
einen Beamten fragen hört:
Herr Inspektor
in welcher Spalte soll ich die Geburt
eines Wesens beurkunden
das einen Kalbskopf und Löwenfüße hat
und von dem ich nicht weiß
ob es Mensch oder Tier ist
welcher Paragraph welches Gesetz ist hier anzuwenden
da brauchen wir doch noch eine Bescheinigung

oh Sulamith
in deinem Haar ist nicht der Gesang
der morgens in den Bäumen ist
aus deinem Mund wächst
keine Rose ohne Dornen
in deinen Augen ist nicht
das grüne Schilf in dem Wasserlilien wachsen
deine Finger bewegen nicht den Wind
der in Holunderbüschen singt
von deinen Brüsten sind die Küsse
deiner Liebhaber abgefallen
um deinen Mund
zieht die Spinne Fäden
oh Sulamith

wenn es Nacht wird
brechen Scheinwerfer auf dem Platz vor dem Haus
die Scheiben der Fenster deines Zimmers
und deine Türen öffnen sich
vor dem Geschrei der Gebete

in Gängen auf Treppen
und auf dem Platz
bis eine Schwester kommt
und das Kind aus seinem Kasten nimmt
um es ihnen zu zeigen

dann fällst du tiefer zurück
und sie strecken ihre Hände
in die sie alle ihre Gebrechen und Wünsche gelegt haben
dem Kind entgegen

2 während er kommt und die Klinke niederdrückt
nicht mehr Kikillus Grundei Ludwigkeit
sondern
schon auf der überdachten Brücke
die den alten Teil des Gebäudes
mit einem Anbau verbindet
eigentlich schon die Klinke niedergedrückt
die Tür geschlossen zum Schreibtisch gegangen
sich niedergesetzt die Jacke aufgeknöpft
die Brille ausgetauscht
eine Akte aufgeschlagen einige Seiten umgeblättert
gelesen:
Kindstötung Sodomie Tierquälerei

zum Präsidenten aufgeblickt mit Augen
aus denen nichts kommt in die
nichts hineinfallen kann
den Kopf leicht gehoben
so daß sich am Hals die unordentliche Haut
in zwei hervorspringenden Strähnen
von den Schlüsselbeinknochen bis unter das Kinn spannt
und dann einen Arm leicht gehoben
aber so
daß sich der Oberarm nicht viel vom Oberkörper entfernt

und nur der Unterarm waagerecht über dem Schreibtisch
die Hand leicht geöffnet [schwebt
so daß die Fingerspitzen nach oben weisen
mit dieser Hand auf sie gewiesen
den Mund ein wenig geöffnet
und leise gesagt:
sie sollen ihr Kind getötet haben

1 während sie immer tiefer taucht, zeitlich räumlich

die Gartentür öffnet
durch den Vorgarten geht
auf Pfingstrosen blickt und
eine Schatulle betrachtet, die mit grünem Samt ausgeschlagen ist und in der, wie Spiegel geputzt, poliert und mit Sonntagslächeln versehen, paradierend und zum Schmuck des Herrenzimmers befördert, alle Werkzeuge eines Metzgermeisters liegen. und sie sieht hinter dem freundlichen, rotbackigen, westenbäuchigen, sanft auf Teppichen, von dicken, roten Vorhängen fast Verschluckten, an der stuckverzierten, hohen Zimmerdecke durch vielfaches unhörbares Echo fast lautlos Verbrauchten, in salmisierendem Tonfall höherer Beamter leise Dahingesprochenen:

fürchten sie sich nicht. die Werkzeuge sind alle stumpf. es ist nur ein Geschenk der hiesigen Metzgerinnung zu Weihnachten –

den Spaß der versammelten Kunden am zarten Fleisch der blökenden Kälber in feuchtkalten, zugigen, von Flaschenzügen durchzogenen, gelb gekachelten, hygienischen Hallen des städtischen Schlachthofes und Viehhauses, und sie erinnert sich, daß sie gekommen ist, um den Direktor dieses verdienten Hauses, der wie ein gutwilliger dickbäuchiger Inhaber eines Ordinariats für Humanismus und Ernährungsfragen vor ihr steht, darum zu bitten, ausnahmsweise eine vorübergehend in Kraft getretene Anordnung des zuständigen Landwirtschaftsamtes, soweit sie davon betroffen ist, nicht auszuführen: die Anordnung aus Gründen der Marktbeeinflussung und Preisstabilisierung alle Kälber, oder genauer gesagt, alles junge Hornvieh, alsbald nach der Geburt zu schlachten, in Dosen zu füllen und an das Heer zu verkaufen, in ihrem besonderen Falle ausnahmsweise nicht auszuführen, ihr Dispens zu gewähren und sich auch nicht beeinflussen zu lassen von dem: wo kämen wir da hin, wenn das alle wollten – nicht zuletzt ihn zu bitten, er wolle die Wissenschaftsfrage, ob dieses Tier ein Mensch oder dieses Kind ein Tier ist, außer acht lassen und ihr ohne den Streit um Zuständigkeitsfragen sofort die Genehmigung seines Amtes zur Ausreise geben, ein durch Dienstsiegel wichtig gemachtes Papier mit der Bescheinigung, es beständen seitens der vollzugsberechtigten Schlachtviehverwaltung keine Bedenken gegen die Ausfuhr des sich in ihrer Begleitung befindenden Tieres oder Kindes jedenfalls unbekannter Gattung

2 während er zu ihrem Verhör kommt
nicht mehr auf der Brücke
zum dreiunddreißigstöckigen Anbau sondern
vor dem Fahrstuhl stehenbleiben
einen Knopf drücken
auf die Uhr sehen warten sich umsehen
einen Knopf drücken warten sich umdrehen
auf die Uhr sehen warten die Fahrstuhltür öffnen
eintreten einen Knopf drücken
die Zeitung aus der Tasche ziehen lesen
den Fahrstuhl verlassen nach links den Gang entlang gehen

aber eigentlich schon im Zimmer
am Schreibtisch hinter der Frage
die sie nun von ihm trennt
diese Frage und andere zum Beispiel:

sie hätten Grund gehabt
ihr Kind zu töten
ich bin nicht hier ein Urteil über sie zu fällen
ich soll nur den Sachverhalt aufklären
hier heißt es
ihr Kind sei ein Tier unbekannter Art gewesen
das ist doch unglaubwürdig
haben sie denn überhaupt je ein Kind gehabt?
und wenn sie eins hatten
ist es dann nicht tot geboren worden oder
gleich nach der Geburt gestorben und sie
haben diese ganze Geschichte nur erfunden?
wenn sie ein Wesen wie es hier beschrieben wird
tatsächlich geboren haben wollen
dann müssen sie mir auch sagen können
wie sie es empfangen haben:
ist ihnen bekannt
was sodomitischer Verkehr ist?
auch das ist strafbare Unzucht
und wenn sie es tatsächlich getötet haben sollten
wie es ihnen hier vorgeworfen wird
und wir gestehen ihnen zu
daß es nur ein Tier gewesen ist
so war seine Tötung doch Tierquälerei
auch das ist strafbar
oder wollen sie sagen
sie hätten es fachgerecht
nach den Grundsätzen
eines gewissenhaften Metzgers geschlachtet

sie sagen
sie hätten ihr Kind nicht getötet?
wo ist es dann?
warum wollen sie niemandem sagen wo es ist?
was ist das für eine eigenartige Geschichte
von einigen Artisten

die bei einem alten Mann namens Frantek
auf dem Gelände einer Steinmetzwerkstatt
zwischen bestellten und nicht abgeholten Grabsteinen
in einer Baracke
in einem Holzschuppen
in einem Wohnwagen hausen sollen?
denen wollen sie das Kind gegeben haben?
warum ausgerechnet denen?
meinen sie das sei glaubhaft?
sie wissen ja nicht einmal wo dieser Garten
aus Grabsteinen und Holunderbüschen
VAT 69 und Briekäse auf frischem Weißbrot
Träumen und Poesie
Kindheitserinnerungen und tagstehlerischer
Fraglosigkeit ist
von dem sie so viel reden
statt Fraglosigkeit müßte man doch wohl
Fragwürdigkeit sagen
denn wenn ihr Kind dort sein soll
müßten sie auch wissen
wo dieser Platz ist
aber ich werde es ihnen sagen:
für mich gibt es diesen Garten
und diese Leute
und dieses Leben
das sie angeblich führen
gar nicht
habe ich recht?

I während sie nun tief genug ist
um an der anderen Oberfläche angekommen
auf einem Stuhl sitzend
die Blicke in einem Fleck an der Wand
in Form einer dicken Wanze
neben dem Bild unseres verehrten Präsidenten
antworten zu können:

für sie nicht
für sie gibt es nicht
es gibt für sie nicht das

es war in der Welt
und die Welt ist durch dasselbe gemacht
und die Welt kannte es nicht
es kam in sein Eigentum
und die Seinen nahmen es nicht auf
und das Licht scheint in der Finsternis
und die Finsternis hat nichts begriffen

sondern nur die zwei oder drei großen Höllen
die es immer gegeben hat
vor drei Tagen Gizeh
vor zwei Tagen Izmir
gestern Trblinka
und dann die alltäglichen kleinen Höllen
gesehen gefürchtet und versucht aus ihnen zu fliehen

aber nicht anders als die paar Tausend
die sich nun ihres Kindes bemächtigt haben
es geschmückt haben mit Blumen
behängt mit Glocken
gelegt auf ein purpurnes Kissen
bedeckt mit einem kostbaren Tuch
überdacht mit einem Baldachin
getragen von einem Dutzend Angesehener
namentlich Gegrüßter
die auf ihren Schultern die Stangen tragen
auf denen die Sänfte mit dem Kind liegt

durch ein Spalier sich dicht Drängender
oder aus ihren Logen für drei Personen
sich Herauslehnender
von denen je eine oder zwei

mit hoher Stimme
in einer unbekannten Tonart
Lob singen:

oh du mein Freund
du bist schön
ich sehe deine Schönheit
ich weiß daß du schön bist
ich liebe dich
um deiner Schönheit willen
oh du mein Freund
du wirst mich nicht vergessen
denn ich liebe deine Schönheit
vor aller Augen singe ich ein Lied
du bist schön
erlaube uns
dich durch alle unsere Straßen zu führen
gestatte uns
in allen Straßen
das Lied deiner Schönheit zu singen
erlöse uns
um deiner Schönheit willen
unser Freund du

durch ein Spalier
singender rauchender schwatzender
lachender fröhlicher Menschen
umgeben von Erdnußverkäufern
und dem Geruch heißen Öls
in das Kringel aus süßem Teig
mit Holzspritzen gepreßt werden die
in knisterndem Fett braun und knusprig werden die
in Kakao getunkt werden in
graues Papier gepackt werden nach
Hause mitgenommen werden auf
der Straße gegessen werden von

Menschen die in Nebenstraßen vorwärts drängen um
einige Ecken weiter
wieder den Umzug zu sehen den
schwankenden Baldachin die
Menschen in den Fenstern
die mit hohen Stimmen singenden Frauen
das Volk das viele Volk

bis der Zug auf einem Berg
außerhalb der Stadt angekommen ist

dort wird die Sänfte auf Böcken abgestellt werden
man wird sich niedersetzen
in Kreisen um das Kind
und zu schweigen beginnen
dann wird einer
das Kind aus der Sänfte nehmen
und das Kissen auf dem das Kind liegt
auf seinen ausgestreckten Unterarmen halten
ein anderer wird die Decke von dem Kind nehmen wird
eine metallene Schale mit Wasser in seinen Händen halten
die Finger seiner rechten Hand in die Schale tauchen
und das Kind mit seinen Fingern befeuchten
ohne es zu berühren
wird dreimal seine Finger anfeuchten
und das Kind benetzen ohne es zu berühren
wird die Schale zurückreichen und das Kind wieder bedecken

aber ehe er dann Brot und Wein nehmen kann, um sie dem Kind zu geben, wird sie vortreten und zu dem Kind kommen. sie wird es vom Kissen nehmen und in ihrem linken Arm tragen. sie wird den Platz verlassen und durch die Kreise gehen und niemand wird ihr in den Weg treten. wenn sie den Platz verlassen hat, wird sie die Welt verlassen und den Rest der Nacht auf einer Bank an der Straße, in einem Wartesaal, in einem Abteil einer abgestellten Untergrundbahn oder in einer Gastwirtschaft zubringen, die nachts nicht schließt. wenn es morgen wird, geht sie zu denen, deren Welt das leicht verletzbare Netz der Träume und der Poesie sind, und gibt ihnen das verkrüppelte Kind.

wenn es morgen wird, und sie es ihnen gegeben hat, weckt sie ein Wachtmeister und führt sie aus ihrer Zelle in ein Zimmer und bittet sie, sich auf einen Stuhl zu setzen. dann beginnen sich ihre Gedanken zu verlieren und sie wird erst erwachen, wenn der Vernehmungsrichter kommt und die Klinke der Tür zu dem Zimmer, in dem sie sitzt, niederdrückt

1 während er tatsächlich eintritt, die Tür schließt, zum Schreibtisch geht, sich niedersetzt, die Jacke aufknöpft, die Brille austauscht, eine Akte aufschlägt, einige Seiten umblättert, liest:

Kindstötung Sodomie Tierquälerei

zum Präsidenten aufblickt, mit Augen, aus denen nichts kommt, in die nichts hineinfallen kann, den Kopf leicht hebt, so daß sich am Hals die unordentliche Haut in zwei hervorspringenden Strähnen von den Schlüsselbeinknochen bis unter das Kinn spannt, dann einen Arm hebt, aber so, daß sich der Oberarm nicht viel vom Oberkörper entfernt und nur der Unterarm waagerecht über dem Schreibtisch schwebt, die Hand leicht öffnet, so daß die Fingerspitzen nach oben weisen, mit dieser Hand auf sie zeigt, den Mund ein wenig öffnet und leise sagt:

sie sollen ihr Kind getötet haben

2 während sie erschreckt zur Seite blickt
und sieht
daß sie erst beim siebenten Säulenpaar angekommen ist
aber daß sie noch einer weiteren Täuschung

zum Opfer gefallen ist:

daß dieser Gang nicht
zwanzig oder dreißig Meter lang ist
wie es ihr schien
sondern acht Meter
oder wenig mehr
daß sie der beschleunigten Perspektive dieser Kolonnaden
zum Opfer gefallen ist
daß die Säulen dieser perspektivischen Kolonnaden
auf leicht ansteigendem Boden schnell niedriger werden

der Eingang ist etwa sechs Meter hoch
während der Ausgang etwa acht Meter weiter
nur zwei Meter fünfzig hat
und der Satyr ist also nicht mannshoch
sondern so groß wie die Puppe eines Kindes
die sie nie umarmt haben kann
(wer schläft schon mit einem Liliputaner?)

einige Meter weit in diesem Gang
haben zwar ausgereicht sie so zu täuschen
daß eine neue Wirklichkeit entstand
aber sie haben doch nicht verhindern können
daß diese neue Wirklichkeit
an den Maßstäben jener anderen Wirklichkeit gemessen wurde
die sie umgab

wenngleich die Maßstäbe dieser anderen Wirklichkeit
nicht endgültig sein können

denn sie selbst ist etwas das entstand
nicht schon immer vorhanden war
und das in kurzer Zeit für kurze Zeit entstand
nämlich

1 von Null Uhr Mitternacht
bis eine Minute nach Mitternacht
und von eine Minute vor Mitternacht
bis Null Uhr Mitternacht
das heißt also
von Mitternacht bis Mitternacht
aber nicht in der Zeit von Null Uhr eins
bis dreiundzwanzig Uhr neunundfünfzig:

als ein Mann den ich
kannte der Frantek hieß erwachte
im Augenblick seines Erwachens träumte
während er wachte den Traum überdachte
sich eine Menge dazu dachte
sich erinnerte nachdachte
sich einiges vorstellte dann wieder einschlief
wieder zu träumen begann in tieferen Schlaf fiel
also aufhörte zu träumen
fast vierundzwanzig Stunden lang schlief
genau gesagt
vierundzwanzig Stunden minus zwei Minuten schlief
allerdings zwischendurch einige Male aufzuwachen schien
jedenfalls den tiefen Schlaf zeitweise verließ
und damit neuen Überlegungen Platz ließ
jedoch immer wieder in teils tiefen
teils weniger tiefen Schlaf fiel
also Platz ließ für Träume und Erinnerungen
also immer wieder ein Zelt über Sägespänen
auf denen alles aufmarschiert ist
was mich an Frantek erinnert
und an das ich mich erinnere
wenn ich mich an Frantek erinnere
und alles was in der Stadt
und unter der Stadt
und über der Stadt war
als ich Frantek sah

09

und wieder dort ist wenn ich mich erinnere
und mich an anderes erinnert
wovon noch zu sprechen sein wird

das ist die Wirklichkeit Franteks
deshalb ist alle Wirklichkeit Franteks

und keine außer ihr

Drittes Kapitel

Versuch über drei Zeilen eines Gedichtes

der Seiltänzer tanzt über der Stadt
sein Name ist Frantek!

(easy does it) doch wenn ich den Hof betrete
nach einer Nacht
die wie ein See auf meiner Brust liegt
und alle Hausherren sitzen auf Bananenkisten
vor ihren Haustüren und grüßen
die Sonne die für zwei Stunden über die Berge
auf den Boden des Tales scheint
auf die Bäuche der Hausherren

(easy does it) doch wenn ich den Hof betrete
brennen meine Augen selbst an Tagen
deren Wolken sich tief in den Hof gesenkt haben
ohne daß eine Träne mich grüßte
und die Brände meiner Augen kühlte
oder meine flatternden Lider beruhigte

deshalb trete ich zurück in meine vier weißen Wände
und wenn ich in sie zurückgetreten bin
wie Rauch der sich in ihnen verloren hat
werden die Brände von meinen Augen genommen
werden heller in der Kühle der Wände
deren Landschaften meine Füße bewegen
bis die Brände verlöscht sind
meine Glieder wie ein Tuch berühren
und ich
auf der anderen Seite angekommen
die Wände verlasse
wo Bilder mich umgeben die

ohne Augen sichtbar sind
weil ich sie fühle wie Fingerspitzen Wind fühlen
und der Tag seine Zeit verliert wie im Schlaf

ich schlafe jeden Tag mehr
vor Jahren schlief ich acht oder neun Stunden am Tag
später schlief ich zwölf oder vierzehn Stunden
heute schlafe ich sechzehn oder achtzehn Stunden
und Tag und Nacht streiten sich vergeblich
denn der Tag wird keine Zeit verlieren
und die Nacht wird keine Zeit gewinnen
selbst wenn der Anfang
meines unaufhörlichen Schlafes da sein wird

doch beginnen schon jetzt
die Erscheinungen in Straßen Lokalen
Straßenbahnen und Büros
meinen Träumen zu gleichen

und wie beim Betreten der Treppen und Gänge eines Hauses
in dem wir nie gewesen sind
verschnörkelte Wohnungstüren
die wie Eingänge zu anderen Welten sind
uns Versprechen zu geben scheinen

wie beim Betreten der Treppen und Gänge eines Hauses
in dem ich nie gewesen bin
vorbei an verschnörkelten Wohnungstüren
die wie Eingänge zu anderen Welten sind
die wir nur zu öffnen brauchen
um in nie Gesehenes zu blicken
das wir betrachten können
in das wir eintreten können
mit dem Bewußtsein
unser Leben werde hier
ein anderes Leben sein

wie beim Betreten im nie Gewesen vorbei

wie Treppen verschnörkelte Türen
Eingänge Blicke Bilder
Bewußtsein Leben

wie diese Türen abweisend zu sein scheinen

wie diese abweisenden Türen
Versprechen zu geben scheinen

wie ich diese Versprechen nur deshalb
nicht entgegennehme weil ich fürchte sie
nicht erfüllen zu können

so scheint es mir auch als sei ich
schon einmal auf diesen Treppen
und in diesen Gängen gewesen
und hätte schon einmal vor diesen Türen gestanden
und ich habe die Gewißheit des Gefühls
daß dies kein Irrtum ist
doch die Erinnerung schweigt
und das Bewußtsein ist leer
weil ich das Versprechen der geschlossenen Türen
schon einmal nicht angenommen habe
ohne daß ich zu sagen wüßte:
wann

nun sitze ich in meine rote Decke gehüllt
vor zwei Kerzen die ich hintereinander aufgestellt habe
und die gerade Linie der Blicke
aus meinen ungleichmäßigen Augen
geht ohne Abweichung durch beide Flammen
steigt an
und verliert sich in der Dunkelheit
aus der sie kommt

Dunkelheit
die von farbigen Bildern umgeben ist
deren Leben ich einatme wie Rauch (4)
den ich gegen meine gespreizte Hand blase die
den Lichtkreis vor meinen Augen begrenzt
der Rauch fliegt zerstreut
an den roten Rändern meiner Finger vorbei
vorbei an den durchleuchteten Rändern und Fingerspitzen
meiner durchscheinenden Hand vor den Kerzen
und wenn ich den Kopf leicht zur Seite lege
verdoppeln meine Blicke die Flammen
und ich kann meine Finger
in eine dieser neuen Flammen tauchen
ohne verletzt zu werden
die Flammen verbrennen nicht die rot leuchtende Haut
berühren sie nicht
und verwandeln sie nicht
in den Geruch vor Hufschmieden auf Gutshöfen
deshalb vertraue ich mich dem zerstreuten Rauch an
und gleite in das Bewußtsein
diese Erlebnisse schon einmal gehabt zu haben
die Leere meines Bewußtseins beginnt sich zu füllen
die Haut der alltäglichen Berührungen ist bereit
aufzunehmen was es nicht gibt
und ich beginne
mich der Ereignisse zu erinnern
die ich nie erlebt habe

(4) Gregor Thunfisch war sich des Zustandes der Verführbarkeit, in den ihn das Rauchen zuzeiten versetzt hatte, bewußt. Er war sich der erfahrenen Zustände bewußt und er wußte, daß die Entfernung zwischen Verführbarkeit und Verführung nicht immer gleich groß war – daß sie praktisch Null betragen konnte. Zugleich ließ seine Erfahrung keine Schlüsse auf Zukünftiges zu. Nichtsdestoweniger war er froh und wußte, daß dieses

115

nun stehe ich auf der Straße
über der zitterndes gläsernes Gas liegt
die Lichtwolke die verdampfende Erde
und meine Blicke fahren durch diese kilometerdicke Wand
wie durch Fensterscheiben
auf denen Staub liegt
nach einer Seite hin steigt die Straße an

Frohsein, stammte es auch aus den je vorangegangenen Erfahrungen, zum Zustand der neuen Verführbarkeit oder des erneuten Verführtseins gehörte. Wie denn überhaupt Überschneidungen zeitlicher Art dazu führen, daß Gegenwart immer weniger etwas bewußt Erfahrbares ist und statt dessen zu einer Mischung aus Vergangenem und Zukünftigem wird. Thunfisch hätte wissen können, daß hierin der Grund dafür lag, daß er auf seine eigene Zukunft nicht schließen konnte, während sie durch andere längst bestimmbar geworden war und eine Funktion in einer bestimmten Zukunft erhalten hatte, als Täter oder als Opfer, so daß sein Leben zwar der Manipulation durch ihn selbst, nicht jedoch der Manipulation durch andere entzogen war.

Rauchte Thunfisch, so konnte es geschehen, daß er sich des unwiederholbaren Genusses erinnerte, den ihm das Rauchen zu einem bestimmten, erinnerbaren Zeitpunkt bereitet hatte. Sah er diesen erinnerten Genuß in Beziehung zu allem, was den damaligen Zeitpunkt ausgemacht hatte, so schien er ihm am besten dargestellt auf einer Zigarettenreklame, an der er täglich mehrfach entlangging: Menschen befinden sich an hoher Stelle einer Landschaft; in der Kehre einer Paßstraße, an der Brüstung der Plattform auf einem Gipfel oder einem Aussichtsturm, im Korb eines Fesselballons. Unter ihnen, um sie herum, eröffnet sich ein weiter Ausblick; sie rauchen.

Denk ich an Thunfischs Verhältnis zur Erinnerung bestimm-

und fällt dann ins Unsichtbare
nur eine Fontäne markiert die Entfernung
von mir bis zum Abgrund
und begrenzt die flimmernde durchsichtige Wolke
in der Autos schweben die aus der Tiefe kommen
und in die Tiefe fallen
aus dunklen Wänden zu beiden Seiten der Straße kommen

ter Augenblicke, so ging auch für ihn, wie für die meisten Menschen, die Erinnerung vielfach von bestimmten Anstößen aus. Einige banale Lieder hatten zum Beispiel die Kraft, ihn an ganz bestimmte Ereignisse zu erinnern. Es gibt einen Walzer mit dem Titel *Geheimnisse der Etsch,* dessen Hauptthema er nicht hören konnte, ohne sich zusammen mit einem jüngeren Bruder und einem oder zwei gleichaltrigen Jungen am Rande einer Höhle sitzen zu sehen, die sie in den sandigen Boden getrieben hatten, in dem auch die Schwalben nisteten. Im Umkreis hatten sie kleine Stöckchen gesetzt, an denen sie braune Tabakblätter trockneten, die sie von russischen Soldaten, die in ihrem Haus einquartiert waren, gestohlen hatten. Die Russen verprügelten sie, als sie entdeckten, wo ihr Tabak geblieben war, obwohl sie sehr kinderlieb waren.

Thunfisch kannte auch eine Frau, die als zehnjähriges Mädchen mit ihren Freunden beim Biwakieren im Garten gesungen hatte *wir lagen vor Madagaskar,* und nun dieses auch heute noch beliebte Lied nicht mehr hören konnte, ohne in ihr vertrauten Landschaften zu biwakieren, Feuer zu entzünden, Höhlen und Gräben anzulegen, auf Bäumen Kirschen und Birnen zu pflükken, schräge Wände zum Schutz vor Regen und Wind anzulegen und mit Kopierstift auf liniertem Papier Din A 5 den Kodex eines geheimen Clans zu fixieren. Darüber hinaus aber – und soviel kann im Falle Thunfischs gesagt werden – geht es bei ihm nicht nur darum, daß gewisse Augenblicke eine Erinnerung an eine Vielzahl von Ereignissen, Erlebnissen, Personen, Emp-

und sich wieder in ihnen auflösen
nach der anderen Seite hin winden sich dort
wo die Straße früher das Knie berührte
Wasserschlangen aus der Erde
schweben Farben im Staub der Tropfen

findungen und so fort erschließen, und daß sie wie eine Kette zu einer Vielzahl von Erinnerungen führen können, die in sich abgeschlossene und voneinander unabhängige Komplexe darzustellen scheinen, so daß also der betreffende Zustand zunächst nur eine Erinnerung nach sich zieht, diese aber ihrerseits zu einem derartigen Zustand wird. Denn während sich diese Art des Erinnerns dadurch auszeichnet, daß in dem Zustand, welcher die Erinnerung bringt, die Zeit wiedergefunden wird, die die Erinnerung verkörpert, spielt in Thunfischs Erinnerung das Moment der Unwiederholbarkeit und der Unauffindbarkeit jener Zeit eine ungleich wesentlichere Rolle. *Was ist es nur gewesen, das ich damals für so unvergleichlich, einmalig, bedeutsam gehalten habe?*, hätte seine eigentliche Frage sein müssen, die alles, aber auch alles Bemühen nicht hätte beantworten können.

Er wußte zum Beispiel, daß er vor einigen Jahren in einem spanischen Café Schokolade getrunken hatte. Es war ein Lokal gewesen, das seiner Einrichtung nach aus dem vorigen Jahrhundert stammte. Lokale dieses oder ähnlichen Interieurs begegnen einem dort noch auf Tritt und Schritt, während bei uns Tapeten und Vorhänge mit abstrakten Mustern und glatte vierbeinige Tische mit Kunststoffplatten längst die alten Einrichtungen ersetzt haben.

Thunfisch hatte an einem der Tische an der langen Fensterwand des Lokals gesessen. Außer ihm waren nur noch einige Herren

daran vorbei sind die Blicke
schneller als durch die Klarheit eines grauen Morgens
an der Säule mit dem Engel vor der himmelblauen Kulisse
und wer eingehüllt ist
in die Monotonie aller Geräusche der Straße
und den flimmernden Lichtstaub
der die empfangene Wärme sichtbar macht und

im Raum gewesen, die seit langem hinter einem Glas Wasser, das von Zeit zu Zeit erneuert wurde, und einer kleinen, leeren Kaffeetasse saßen und Zeitung lasen. Das Lokal war, wie alle, um die Mittagszeit gut besetzt gewesen als die große Mittagspause begonnen hatte und die Männer sich zu einem Apéritif vor dem Essen versammelt hatten. Alle Lokale waren in dieser Zeit gut besucht und würden in den Abendstunden, zwischen Feierabend und Abendessen und dann noch einmal zwischen elf und ein Uhr nachts, ziemlich voll werden. Aber jetzt, wie gesagt, war es ruhig, und weil das Wirtschaften des zur Zeit einzigen Kellners und des Mannes hinter der Bar kaum Geräusche verursachte, bestanden die einzigen akustisch wahrnehmbaren Vorfälle im Lokal aus dem Händeklatschen einiger Gäste – dann und wann.

Gregor klatschte in die Hände und rief so den Kellner herbei. Während der schon an seinem Tisch stand, begann er zu überlegen, was er bestellen solle. Der Tee war im allgemeinen miserabel, Alkohol wollte er so früh am Tage noch nicht trinken, Bier hatte man in diesem Lokal nur aus winzigen Flaschen und jedenfalls nicht vom Hahn, eine der wenigen Bars mit Faßbier war einige Häuser weiter – von dort kam er gerade – und Kaffee hatte er schon mehrere Tassen im Laufe des Tages getrunken. Also bestellte er eine Tasse Schokolade, dieses Getränk unserer Jugenderinnerungen, dachte aber nicht an Kinderzimmer mit Märchentapete, Kindergeburtstage und familiäre Abendessen an Sommerabenden auf dem Balkon, wo sein Va-

119
das Bild des Lichtes
auf die Wände der trockenen Mundhöhle legt
das
die Bewegung der Gegenstände und Menschen aufhebt
in dieser Wolke aus Licht und Lauten
die keine Zeit hat und in sich ruht
der erkennt den Hauch Wahrheit über diesen Nachmittagen

ter Bier getrunken hatte, seine Mutter Tee, er aber Schokolade, wandte sich statt dessen wieder seinem Manuskript zu und blickte erst hoch, dachte erst wieder an Schokolade, als die Tasse vor ihn gestellt wurde, machte sich aber auch weiterhin die Bedeutung des Wortes Schokolade, im objektiven wie im subjektiven Sinne, nicht bewußt.

Etwas anderes geschah. Nachdem er die Tasse an die Lippen gesetzt und den ersten vollen Schluck in die Mundhöhle bekommen hatte, schien es ihm, als habe er noch nie etwas annähernd Gutes, Wohlschmeckendes getrunken. Das Gefühl hielt bis auf den Grund der Tasse an, zwang ihn, sich klar zu machen, daß er beileibe nicht das erste Mal Schokolade trank und ließ ihn sich fragen, ob diese Schokolade nicht von besonders guter Qualität sein mochte. Da er jedoch zu keinem Ergebnis kam, entschloß er sich, mehrere Gründe zusammenzuziehen. Seine Erinnerung an den Geschmack von Schokolade sei schwach gewesen. Schon eine ganz normale und übliche Sorte habe ihn also verwirren können und er sei auch außerstande zu verneinen, daß diese Schokolade nicht tatsächlich besser war als die üblichen Sorten. Er selbst sei des Geschmackes so entwöhnt gewesen, daß er auf etwas fast Unbekanntes gestoßen sei. Seine Geschmacksnerven seien in einer besonderen oder bestimmten Verfassung gewesen und hätten deshalb den Genuß von etwas ganz und gar Einmaligem signalisiert, dem er sich mit vernünftigen Erwägungen nicht habe entziehen können. Alles das sei zusammengekommen, sagte er sich, und begann, sich von dem

der nicht Wirklichkeit ist
sondern Teil eines endlosen Traumes
Erscheinung
Möglichkeit dessen was möglich ist
und das ist alles

wenn ich dann aus der Mitte dieses Dammes auf einen der

fraglichen Ereignis zu entfernen. Kehrte allerdings noch einmal zurück, nach fünf oder zehn Minuten, als er, mechanisch fast, die Hand ans Wasserglas gelegt hatte und sich nun dabei ertappte, wie er das Glas zum Trinken an die Lippen halten wollte.

Da gewahrte er noch einmal den unvergleichlichen Geschmack in seinem Munde und überlegte, ob er mit zwei, drei Schlucken Wasser seine einmalige Empfindung zerstören solle. Hielt also das Glas in der Hand, tastete mit der Zunge die Mundhöhle ab, zog etwas Speichel, um den Geschmack noch einmal zu aktivieren und im Mund überall hintragen zu lassen und trank dann einige Schlucke aus dem Wasserglas, seine Geschmacksnerven sofort befreiend.

Seither waren etwa drei Jahre vergangen und die Empfindung hatte sich nicht wiederholt. Auch beim Trinken von Schokolade nicht. Manchmal, ohne daß ein Anlaß zu erkennen war, hin und wieder auch, wenn er bei einem Ereignis das Gefühl hatte, es könne so unwiederholbar sein, wie das in jenem spanischen Kaffeehaus erinnerte er sich. Aber seit der ersten Erinnerung an jenen Geschmack war er der Möglichkeit beraubt, das Ereignis nachzuempfinden und selbst mit der größten Anstrengung wäre es ihm nicht gelungen, eine Vorstellung von jenem außergewöhnlichen Geschmack zu bekommen. Alles war reduziert darauf, daß er wußte, er habe einmal beim Trinken von Schokolade einen geschmacklichen Genuß gefunden, wie nie zuvor und wie nie danach, und zur Unwiederholbarkeit des Er-

Gehsteige trete, die so breit sind, wie anderen Ortes die Straßen und mich nicht entscheiden kann zwischen Rinnstein und Hauswand, weil mir der Tag in Kreisen vor den Augen steht, und die Luft sich als feuchte Staubschicht auf Hände und Füße legt, dann welke ich schnell, wie die schöne Bewegung eines feinen Mannes in hellgelbem Mantel mit weichem Hut oder verdampfe wie Tropfen aus Blumenkästen voll übel rie-

eignisses kam die Unmöglichkeit, den Geschmack von damals wiederzufinden. Es blieb ihm statt dessen nicht mehr, als sich zu sagen, es habe einmal ein völlig einmaliges Ereignis gegeben, es habe mit dem Trinken von Schokolade zusammengehangen, *aber ich könnte nicht mehr sagen, wie und was es gewesen ist.*

Erinnerte er sich an ähnliche Augenblicke, so verhielten sie sich genauso. Er war aus einer Kleinstadt drei Kilometer hinaus auf ein Dorf gegangen. In der Gegend einer kleinen steinernen Brücke hatte er sich eine Zigarette einer heute nicht mehr bekannten Marke angezündet. Schon beim ersten Zug hatte er gespürt, daß diese Zigarette einen Geschmack hatte, wie keine zuvor. Zu Hause angekommen, hatte er, am Küchenherd stehend, eine zweite Zigarette geraucht und denselben Genuß verspürt. Aber alle Zigaretten danach, der gleichen oder einer anderen Marke, hatten bis auf den Tag nicht das wiederholen können, was er damals empfunden hatte. Vor etwa fünfzehn Jahren.

Von der gleichen Art war auch die Erinnerung eines Samstagnachmittags auf einem Gerümpelhof. Der Jahreszeit nach mußte es Spätsommer gewesen sein; das Jahr erinnerte er nicht mehr. Er saß gegen eine Holzmiete gelehnt auf dem Boden, lag mehr als er saß, und die Sonne war warm und hüllte ihn ein, die Luft flimmerte leicht und gab ein leises gleichmäßiges Summen von sich. Er beobachtete einen alten Mann, der alle möglichen Handarbeiten tat. Er stammte aus der Herzegowina von

chender Geranien und erobere mir die ganze Straße, bis ich Gewißheit über eine neue Eigenart ihrer Spaziergänger habe. ging man früher an blumenverzierten Balustraden, Glaswänden und Markisendächern vorbei hinter denen auf niedrigem Sockel, zu dem zwei drei Stufen führen, Tische und Stühle der Straßencafés stehen und verlangsamte man den Schritt, wenn ein Café kam, das im Ruf stand, bekannte Persönlichkeiten zu seinen Gästen zu zählen, und hielt man den Blick unbewegt abgewandt, um nicht in Verdacht zu geraten, danach zu gieren, den Blick eines Malers oder Dichters auf sich zu ziehen, der gerade im allgemeinen Gespräch war, oder lenkte man den eigenen Blick frech und bewußt über die hinter Glas auf der Straße Sitzenden mit der Geste Eines, der es sich erlauben darf, nach Freunden oder Bekannten unter derartigen Berühmtheiten zu suchen, so hat sich daran nichts geändert.

will man eintreten – nun spreche ich nicht mehr von den Deux Garçons in Aix-en-Provence oder einer ähnlichen Stätte – so tritt man schnell auf den grobgewebten, graubraunen Kokos oder wendet sich mit höflichem Zögern und Worten, die im Lokal stumm aussehen, seiner Begleitung zu und tritt ein. hat man die Herren im Café gebeten, ihre Damen zu bitten, die leichten, hellen Mäntel und die weichen, ledernen Handtaschen von den unbesetzten Stühlen zu nehmen, so ist das Sitzen und die Veränderung der Lage nur wie der Durchgang zu einer anderen Feststellung:

der er ihm oft erzählt hatte: blaue Tomaten, Mulis, Zisternen, die Moscheen von Sarajewo. In den Jahren, die Thunfisch seither vergangen waren, hatte er noch oft gelegen wie damals. In Seebädern, Arbeitspausen, Wartezeiten. Und trotzdem war das Gefühl von Sonne, Geräusch, Luft und Faulheit, das er damals gehabt hatte, nie wiedergekehrt und er konnte sich auch nicht vorstellen, wie er sich gefühlt haben mochte.

die Verschiedenheit der Geräusche im Lokal und auf der Straße wird durch eine unsichtbare Wand getrennt, so daß die Vielzahl der lautlosen Bewegungen draußen mit den wenigen, eintönigen Bewegungen drinnen vermengt wird, und das Klappern der Teller und Bestecke, das ununterscheidbare, gleichbleibende Gewirr der Stimmen und die von Zeit zu Zeit aus dem Lokal dringende Musik für Geräusche gehalten werden, die Wagen und Menschen auf der Straße, deren andere Seite kaum erkennbar im Dunkel liegt, erzeugen.

und durch die täuschende Synchronisation von Spiel auf der Straße und Geräusch im Café verändert sich wieder die Welt, durch die wir fallen. die Damen und Herren auf der Straße, die in langsamem Spaziergang oder in eiligem Schritt am Café vorbeigehen, an der Hand eine Leine, die einen Pekinesen, Zwergspitz, Pudel, Schäferhund, Afghan, ein Windspiel, eine Bulldogge führt, müssen ihren Geschmack geändert haben, sie müssen einer unerklärlichen Mode der Haustierliebhaberei zum Opfer gefallen sein, Tierzeitschriften, Händler und das ganze Gewerbe der Haustierhalterei scheinen unerwarteten Einfluß ausgeübt zu haben. zwar haben Damen und Herren, Eilige und Spaziergänger noch eine Leine an der Hand, wie früher. den Platz am Halsband haben jedoch zierliche Vipern, wendige Kletternattern, exotische Korallenschlangen, gefährliche Buschmeister und schwanzwedelnde Schauerklapperschlangen eingenommen, die gezähmt den Damen, passend zu Halstuch, Handtasche und Schuh, den Herren zu Socke, Krawatte und Einstecktuch, auf das leiseste Pfeifen und Zischen gehorchen. und während wir wie im Traum Autos vorbeifahren sehen, die das gedämpfte Klirren von Kaffeelöffeln und aneinanderschlagenden Kuchentellern an unser Ohr wehen, wetteifern korpulente Witwen unter schwarzgelockten Pelzcapes miteinander, wer bereits Ende August eine junge, nicht mehr als zwanzig Zentimeter lange Kreuzotter von diesem Jahr hat, sehen wir gewichtige Herren drei Meter lange, olivgrüne Siposchlangen an der Leine führen und wegen der briefkastengelben Unterseite des Kopfes, der Kehle, des Halses und des Schwanzes ihrer schlangenhaften Lieblinge bewundert werden. gefleckte Tigerschlangen setzen ihre kleinen, kaum sichtbaren Hinterfußstummel auf das warme Pflaster und lohgelbe oder fahlblaue Brillenschlangen blähen unruhig den Hals, wenn eine entgegenkommende Hausfrau ihre anspruchslose, ängstliche Würfelnatter vorbeiführt.

vor dem Café parken gut aussehende, unverheiratete Männer Mitte Dreißig ihre Sportwagen und halten am breiten, schottisch karierten Band eine halbmeterlange Sandotter, die auf der Nase einen mit Schuppen bedeckten, hornartigen Aufsatz, wie eine kegelförmige Warze hat, weshalb sie auch Hornviper genannt wird, oder haben einer sogenannten stummen Klapperschlange das ziegenlederne Band um den dünnen Hals geschlungen, einer Jararacucu aus der Familie der Gruben- und Lochottern.

Mädchen mit lebhaft wechselndem Verkehr unter hochtoupiertem Haar, hinter roten Lippen, auf hohen Absätzen und schlanken Beinen, gehen geziert in die Knie, so daß der enge Rock noch fester spannt, sich sehenswert hochzieht und nehmen ihre vielfarbige Buntnatter auf den Arm, so daß sie wie ein buntes Tuch in ihrer schwarzen Ellenbeuge liegt, oder lassen sie sich mit dem Schwanzende um das Handgelenk ringeln, so daß sie einen halben Meter herabhängt, wie ihre Vorfahren als bunte, schimmernde Bänder von Ästen der Lianen und Mangroven, Trompetenbäume und Klusien herabgehangen haben mögen.

überall sind nun schon Leute, die ein Schuppenkriechtier aus der Familie der Schleichen, Vipern, Nattern oder Stummelfüßer mit sich führen; auch Angehörige niedrigerer Einkommensklassen leisten sich wenigstens eine der einheimischen Blindschleichen, die sich, oben grau, an den Seiten rötlichraun, unten bläulich-schwarz, mit gelben Punkten verziert, n langsamen, starren Bewegungen, nicht wie andere Schlanen in kurzen Wellenlinien, sondern in ungelenken Biegungen nit großen Halbmessern durch den staubigen Asphalt neben hren nunmehr arrivierten Herrchen und Frauchen herziehen. n den großen Spucknäpfen in den Ecken des Lokals spielen iele ängstliche aber lebhafte junge Ringelnattern, die kaum ünfzehn Zentimeter lang sind. zwei Rautenklapperschlanen und eine Wasserklapperschlange hat man von ihrer Leine osgemacht, so daß sie, hin und wieder mit steil aufgerichtetem chwanz erregt klappernd, mit ihren Jungen, die noch keine assel haben, unter Stühlen und Tischen, über Schuhe und trümpfe sich winden können. längst haben die kundenlienstbeflissenen Besitzer ein großes Wasserbecken in der Mitte des Lokals aufgestellt, in dem unter großen, flachen teinen liegende künstliche Fische die Tiere an die Jagdspiele hrer Vorfahren erinnern sollen. allenthalben sind baumartie Plastiken aufgebaut worden, mit wucherndem, künstlihem Blattwerk, um einstmals kletterfreudige Tiere anzuloken. zur Ablage schalenloser oder weichschaliger Schlangenier stehen flache Gefäße bereit, die auf Wunsch der Gäste rutwarm angeheizt werden können. just ausgebrütete Eir finden reißenden Absatz. eine drei Meter lange Python hat hre gänseeigroßen Eier, die von dicker, lederartiger Haut mgeben sind, kegelförmig aufgebaut, sich wie ein Schnekenhaus um diesen Berg gelegt, ihren vom Leib abgesetzten Kopf, den ein großer gabeliger Fleck in Form eines Ypsilon edeckt, auf die höchste Stelle gelegt und brütet seit vierundvierzig Tagen, wobei der Leib sich immer wieder zuckend ewegt, während ihr Besitzer jede freie Minute an einem Einzeltisch zubringt, den er sich direkt neben sie hat stellen lasen, um die Geburt etlicher, sechzig Zentimeter langer, daumendicker Pythons zu erwarten und zu verhindern, daß die Mutter die wertvollen Jungen nach dem Ausschlüpfen auffrißt.

aber nun beginnt sich mir die Haut vom Kopf zu lösen, au
meinem Kuchenteller liegen schon einige markstückgroße
behaarte Hautfetzen von meinem Kopf, mein Augenlich
wird schwächer, alles um mich her verschwimmt, ist nur noc
sichtbar wie durch eine regennasse Fensterscheibe an der Was
ser herunterläuft, wie durch ein unscharf eingestelltes Thea
terglas oder wie durch eine Brille, die meinen Augen nich
paßt, auch von meinen Augen beginnt die Haut sich zu lö
sen, es fällt mir wie Schuppen von den Augen, ich bin scho
fast blind, ich sehe nichts mehr außer meinem Mund, d
weckt mich wie früher da weckte mich oft das Entsetzen e
weckte mich oft das Lächeln meines Gesichtes oft weckte mic
das mich zurück führte das mich weckte verbannte doc
schien mir das schön nicht das Entsetzen das mich in die Wirk
lichkeit ein Ereignis das weckte das schlug mich das bannt
nicht endlos doch ohne Entsetzen das
früher wenn das Entsetzen mich weckte
früher dann führte ein Lächeln mich in
das Entsetzen die wirkliche Schönheit zurück

früher weckte mich oft das Entsetzen oder
das Lächeln meines Gesichtes führte mich zurück
in die Welt
wo mir das eine Ereignis nicht schrecklich
das andere nicht schön zu sein schien
da lernte ich:
nicht das Entsetzen schlägt in den Träumen den
Träumenden an das Entsetzen
nur der Traum Schönes zu träumen
macht unsre Träume schön

Traum eines Traumes Traum eines Weges
Weg eines Weges Weg eines Traumes
Traum ohne Weg und Weg ohne Weg
Weg ohne Traum und Traum ohne Traum
Traum eines traumlosen Traumes

27

Traum eines weglosen Weges
Weg eines traumlosen Traumes
und Weg eines weglosen Weges also
Weg ohne Weg ohne Weg
denn ich schlafe schon zwanzig Stunden täglich
mein Schlaf ist leicht geworden
und die Grenze zwischen Schlafen und Wachen
ist mir nicht mehr so bekannt wie früher

wenn ich die große Entfernung
zwischen mir und der Frau an meinem Bettrand spüre
die meinen Kopf in ihren Schoß gelegt hat
und mir mit ihren Fingern in meinem Haar
sagt daß ich aufstehen solle
so sage ich:
warte noch
ich habe eine Blume gefunden
ein langes gewölbtes Blatt
dessen Ränder sich einander zu gebogen haben
aus dem eine violette Blüte gewachsen ist
warte noch
ich muß erst
diese Blume verstecken

der leichte Schlaf ist wie das schläfrige Wachen:
ein Netz
das mich an die Häfen der Fischerorte erinnert
und an den Strand
auf dem sie ausgebreitet liegen
ich bin dort
falle von einer Tiefe in die andere
von einem Loch des Netzes in das andere

mein Leben ist sichtbar wie der Steg
das dünne Seil das die Löcher umgibt
aber es lebt in den Tiefen

aus denen ich mich nur erheben kann
wenn ich alles unten lasse
was ich zwischen Schlafen und Wachen
und Wachen und Schlafen erlebt habe:

den rotzenden zerlumpten alten Mann
mit zerbrochenen Fußnägeln und
blutverklebten Zehen der
sein Netz an Land zieht
die weißhäutige barfüßige schwarzgekleidete Strandläuferin
unter ihrem dunklen Tuch
den Schimmer des Salzes im wirren Haar
eines dürren Mädchens das auf einer Stufe hockt
den Geruch eines unbekannten Baumes
in meinen Händen in die
ich mein Gesicht tauche
das violette Blau einer Lilie
in die eine Hand
dunkle blaue Linien gezogen hat
die klare Grenze des Wassers und der Luft
und Luft und Wasser ohne Grenze

deshalb scheint es mir manchmal
im leichten Schlaf scheint mir manchmal ich schlafe nicht
manchmal wenn ich im leichten Schlaf liege scheint mir
ich wache dann quält mich die Vorstellung
ich werde nun alles erleben
was ein Wacher erlebt
werde nun nicht den Erscheinungen
des leichten Schlafes begegnen
und versuche deshalb in die Welt zu flüchten
in der ich schon bin
ohne daß es mir bewußt ist
meine Versuche einzuschlafen werden immer qualvoller
und mein Glaube zu wachen
in der Wirklichkeit zu sein

wird immer mehr zur Gewißheit
doch wird auch die Wirklichkeit wehrloser
wenn ich in ihr sein sollte
denn ich bin ja im Schlaf
nur mein Körper wird noch gequält
wendet und windet sich unter den Schlägen der Hoflampe
deren Licht bis in mein Bett scheint
und eine Nadel ist
eine Klingel deren Töne harte Tropfen sind
die seit Minuten
seit einer Stunde auf mich fallen
ohne daß ich sagen könnte seit wann

später trete ich in einen kleinen Raum etwas größer
als ein Schilderhäuschen
eine Art Zelle
die inmitten eines großen leeren Zeltes auf einem Rummelplatz
steht. ein Herr mit großem Schnauzbart (5), ausgebeulten Hosen, die von den Hüften hängen und rotem Hemd – schon wieder ein wollenes Hemd über einem Bauch; schon wieder Hosenträger, von der Seite wie Parabeln; und eine Bombe, schwarzer Hut, wie alle Hüte unserer Väter; alle runden, schwarzen, steifen Hüte unserer Väter in einem Hut, auf einem Herrn, vor einem Zelt, auf einem Platz, der angefüllt ist füllt ge an Orchester Dissonanzen in verbannt in Kinoorgeln treiben Schaukeln Kettenkarussels Orchester sind verbannt in Ketten Orgeln miteinander Stühle Ketten Pferde

(5) Gregor Thunfisch gehörte zu den Leuten, die Plätze und Veranstaltungen lieben, an denen sich viele Menschen drängen, aus Notwendigkeit, aus Spaß oder um ihren Interessen nachzugehen: Bahnhöfe, Gastwirtschaften, Fußballplätze, Autobusse, Lottoannahmestellen, Fischbratküchen, Promenaden, Volksfeste, Stadtparks, zoologische Gärten, Schwimmbäder an Hitzetagen, Betriebsausflüge, Familienfeiern, Faschingsfeste,

Räder Autos Schwäne die auf großen runden Flächen kreisen – und ein Herr mit weißem Halstuch über rotem Hemd lädt ein, sein Zelt zu betreten: kommen sie näher, kommen sie ran: ruft er: hören sie wie ihr Zwölffingerdarm, hören sie wie ihr Blut in den Adern. wir zeigen ihnen nicht den Stärksten, noch den Längsten, noch den Dümmsten, noch den Kleinsten, noch den Klügsten! und er empfiehlt ernstlich, ein-

Ausflugsziele, Urlaubsorte, Wartezimmer – wobei er allerdings Orte mied, an denen sich dieselben Menschen aufgrund besonderer Gewaltverhältnisse zusammentreiben ließen, also: Exerzierplätze und Kasernen, Kirchen- und Kirchentage, Strafvollzugsanstalten, Fronleichnamsprozessionen, Schulen mit Ausnahme der Turnstunden größerer Mädchen, zu denen man aber nur schwer Zugang erhielt und schließlich Massenkundgebungen aller politischer und parteilicher Richtungen, angefangen bei Maifeiern und Rassenpogromen und aufgehört bei Besuchen ausländischer Staatsoberhäupter.

Wir treffen Thunfisch zum Beispiel im Kaufhaus des Westens. Wollte man es beschreiben, ein Buch könnte kaum dick genug sein. Über Treppen, Rollstiegen und Fahrstühle, von Schwerbeschädigten bedient, die vor sich hinmurmeln: Porzellan, Haushaltswaren, Abteilung für das Kind, der Zweite, Herrenmoden, Damenmoden, Ski- und Sportmoden, der Dritte, Teppiche, Gardinen, Stoffe, Erfrischungsraum – gelangt man hinauf und hinunter. Wollte man es beschreiben, so müßte man sich anfangs der Babysprache bedienen und hätte längere Zeit vollauf zu tun, davon zu sprechen, welche Schwierigkeiten es macht, mit einem kleinen Kind, das noch für keine drei Sechser Verstand hat, aber schon laufen und alles anfassen kann, durch ein Kaufhaus zu gehen. Später müßte man den Kindheitserinnerungen nachgehen, die sich an Warenhäuser und an dieses im besonderen knüpfen. Man dürfte aber auch das abgeschossene englische Flugzeug nicht vergessen, das in den letzten

zutreten, eine schalltote Zelle werde den Besucher erwarten, ein Raum, der so schalldicht abgeschlossen sei, wie möglich, in den mit Sicherheit ein für das menschliche Ohr hörbares Geräusch nicht dringen werde, ein Ort, der die Ohren überflüssig mache und dem Menschen beweisen werde, wie sehr er am Hören hänge:

Monaten des Krieges auf dem Dach des Hauses über dem nordöstlichen Eingang lag und käme unmöglich an den Abteilungen vorbei, die einen auch heute noch interessieren.

Die Delikatessenabteilung im obersten Stock mit ihren Muscheln, Schnecken, Austern, Krabben, Tintenfischen, alle auf verschiedenste Weise eingelegt oder angemacht, mit schokoladenüberzogenen Waldameisen, gesottenen japanischen Seidenraupen, verschiedenerlei eingelegten Kürbissen und gekochten Artischocken, mit hunderterlei Salaten, Früchten, Gemüsen, Konfitüren, von kleinen weißen Zwiebeln und den Oliven ganz zu schweigen; vor allem den Oliven, schwarz oder grün, gefüllt oder ungefüllt, insbesondere aber den gefüllten und hier wiederum den sehr großen, saftigen, oliv-grünen Oliven, die aufgebrochen und mit Lorbeerblättern gefüllt sind. Doch sind die Delikatessenabteilung, die Herrenhüte und die Damenwäsche nur Beispiele, wenn es nicht ausreichen sollte, zu erwähnen, daß man durch eines der großen Schaufenster den Hähnchengrill sehen kann, der allseitig offen an die hundertzwanzig Hähnchen auf dem Spieß, die sich um sich selbst und an den Grillschnecken vorbei drehen und die beiden Köche, die dahinter hantieren, tranchieren, portionieren und servieren zeigt und ein laufendes Band abgibt, das Thunfisch stundenlang hätte bewundern können.

Thunfisch betrat die Abteilung für Damenwäsche, seiner allseits bekannten Neigung wegen, und suchte die Stände für

also trete ich ein
in die Stille in der ich mich höre
nicht das Horchen in mich hinein
sondern in die Angst die mein Körper mir macht
wenn ich ihn höre
weil außer ihm nichts hörbar ist

Dessous auf, brauchte nicht eigentlich zu suchen, denn er war hier zu Hause, und steuerte deshalb seines Zieles sicher auf sie zu.

Die Abteilung bestand aus einer großen Zahl mit Waren vollbepackter Tische und nahm ein Viertel oder ein Drittel der Fläche der ganzen Etage ein. Ein erster Blick über das Angebot hätte schon genügt, um zu begreifen, wo es herkommt, daß man so häufig Frauen trifft, die völlig angezogen und völlig ausgezogen ein Vergnügen für Augen und einige andere Sinne sind, während sie in Unterkleidung nicht immer völlig unserem Idealbild entsprechen. Von grauwollenen, bis fast ans Knie reichenden Hosen und am Hals anliegenden, langärmeligen und geschlossenen Unterhemden, wie sie eine Unterkleiderpuppe hier zeigte, die aus Reklamegründen auf einem Sockel stand, ganz zu schweigen. Aber gewisse Stoffarten und Wäschefarben sind uns so zuwider, daß wir uns Rückschlüsse auf gewisse Eigenschaften ihrer Trägerinnen gestatten.

Thunfisch mied Tische, an denen diese Art Wäsche angeboten wurde. Er wandte sich Auslagen zu, die, wie er wußte, feinere Ware ausgestellt hielten, wenn auch keine Importen. Indes er sich diesen Gebieten näherte, begegnete er zugleich einem der Charakteristika der Verkaufsstände feiner Damenwäsche: der Minderzahl weiblicher Käufer neben der Mehrzahl männlicher. Die Anwesenheit so vieler Herren verschiedenster Schichten, Einkommensklassen und Alterslagen hatte seine Phan-

133
trete ein
berühre Wände die vor meinen Fingerspitzen zurückweichen
setze mich und warte während mich
die Geräusche der Welt und des Platzes
noch einige Zeit lang umgeben
warte also
bis mir die Stille den Mantel der Lieder

tasie über den Umweg des Fragens schon immer angeregt: Ist es usus, seiner Frau oder Freundin Damenwäsche zu schenken? Womöglich auch der eigenen Schwester? Bringt man bei Einladungen der Hausfrau Dessous mit? Wie gut muß man die Leute kennen, wenn man mit einem solchen Geschenk keinen Anstoß erregen will? Behalten die Männer die gekauften Stükke womöglich für sich? Tragen sie zwar nicht selbst, heben sie aber gut auf? Um sie von Zeit zu Zeit hervorzuholen? Oder bewahren sie sie offen auf, vielleicht sogar mit Einfühlung drapiert?

Man unterschied Unterwäsche, Miederwaren und Nachtkleidung. Unterwäsche gab es in Garnituren und Einzelstücken. Garnituren bestanden aus einem Hemd und einer Hose. Auch Nachtkleidung konnte aus Kombinationen mehrerer Stücke bestehen. Büstenhalter lagen meist offen umher, ineinander gesteckt wie Eierbretter auf dem Markt. Alles andere war verpackt in Plastikhüllen oder in Schachteln, die ein kleines Fensterchen trugen, das den Blick auf eine Borte oder Spitze freiließ. Mehrere dieser Packungen standen übereinander, obenauf lag ein ausgepacktes Stück, daneben ein anderes Dessin. Auf fast jedem Tisch stand eine spärlich bekleidete Puppe. Auf einem Tisch stand eine Frau ohne Oberleib. Sie war oberhalb der Hüften abgeschnitten und diente der Zurschaustellung einer Strumpfhose. Hier und da war ein bloßer Torso aufgestellt worden, der zum Beispiel ein Corsett oder einen Strumpfhalter trug. Mittelpunkt eines Tisches war ein überdimensionales

Worte Geräusche und zuletzt der Laute
unhörbarer Bewegungen
einer Katze vielleicht
die ich noch sah und die leise in mir hörbar wird
von den Schultern nimmt
und ich nur Stille höre
und zuletzt

Bein, das unterhalb des Gesäßes abgeschnitten war. An unsichtbaren Fäden von der Decke hingen Wäschestücke, drapiert als wollten sie gerade fortfliegen. An den Wänden und an Säulen, die die Decke trugen, waren ebenfalls drapierte Wäschestücke angeheftet, vielfach durch ein Arrangement künstlicher Blumen ergänzt.

Thunfisch hatte die Abteilung halb durchschritten. Da betrat eine schwarze Fürstin, eine gewaltige Negerin von mindestens zwei und einem halben Zentner, in der Tracht ihres Landes das Gelände. Die sie umgebenden Gewänder und bunten Tücher gaben von Zeit zu Zeit den Blick auf ein kleines um sie herumlaufendes Männchen weißer Hautfarbe preis, mit dem sie sich auf französisch unterhielt; ihr Dolmetsch offenbar.

Sie, die noch jung wirkte, vielleicht 25, betrat diesen Teil des Raumes wie eine Königin, oder wie eine Millionärin, der der Ruf vorausgeht, sie werde eine Provinz kaufen. Es war nicht auszuschließen, daß sie aus einem Lande kam, in dem Vielweiberei noch gesellschaftlicher Brauch ist, und daß ihr, als womöglich sogar gekrönter Lieblingsfrau des Landesherren die Aufgabe zukam, für die feine Wäsche des gesamten Frauenhauses Sorge zu tragen. Nicht zuletzt ist bekannt, mit welcher Anmut und Grazie, Hoheit und Würde die Bewohner Afrikas Kleidung und Gegenstände zu tragen verstehen, wie sie in Kaufhäusern billigster Art angeboten werden und uns farblos und stumpf gewordene Europäer, wollten wir uns ihrer bedie-

35
mich selbst
das gleichmäßige Klopfen meiner Schläfen
das hart und klar in meinen Hals fällt
und die unregelmäßigen Bewegungen
meiner Organe und Därme
deren Verschlingungen ich
in meinem Leib zu spüren beginne

nen, als Angehörige niedrigster Einkommensklassen ohne jeden Geschmack ausweisen oder gar als Besucher von Faschingsfesten demaskieren würden.

Die Landestracht, der Dolmetsch, die gewichtige Hoheit der Dame, Vorstellungen, wie Thunfisch sie auch hatte – das und mehr traf zusammen und rief außer dem stellvertretenden Abteilungsleiter vier Verkäuferinnen auf den Plan, die hinter dem Dolmetsch das Gefolge bildeten und die also Geehrte zu jenem Tisch begleiteten, auf dem eine große Zahl verschiedenfarbiger Einzelstücke sich zu einem Hügel häufte, der rings von einer niederen Glasbegrenzung umzäunt war. Sie gab einige leise Entzückungsrufe, die einer Europäerin nicht minder angestanden hätten, von sich und begann mit beiden Händen zu graben. Es handelte sich ausnahmslos um winzige Büstenhalter und Höschen, sogenannte Slips, die Höschen an Seiten und Bein, die Büstenhalter am oberen Rand mit Spitzen verziert. In allen Farben und Mustern. Doch mochten sich die lebhaftesten Vorstellungen an das scheinbare Mißverhältnis zwischen der Käuferin und den kleinen Größen der Kleidungsstücke, die sich am Leib freilich dehnen würden, knüpfen.

In ihrem Gesicht begann sich die Feuchtigkeit zu sammeln, die der Eifer und die schlechte Luft in Warenhäusern heraustreibt. Ihre Züge spiegelten Freude über die Erwartung des angenehmen Gefühls wider, daß gewisse Gewebe unserer Haut bereiten oder über die veränderte Haltung, in die uns das Bewußt-

wie ein Ornament
das mit der Spitze eines flachen Eisens
ohne Schmerz in mich hineingebrannt worden ist
und höre das Leben
in jedem meiner Körperteile

dann beginnt das ständig hörbare Gehörte

sein versetzt, gewisse Kleidungsstücke zu tragen: ein frische
Hemd, ein vorübergehend geschlossener Kragen mit eine
Schleife darunter, ein selten getragener Anzug, eine Weste -
ein Gefühl das ergänzt wird durch das Befinden nach dem Ba
den und Rasieren und dem Einreiben mit Kölnischem Wasse

Immer wieder hielt sie gewisse und besondere Stücke hoch, leg
te sie an ihren Körper, zeigte sie ihrem Dotmetsch, offenba
sein Einverständnis erbittend (sollte er etwa ihr Mann sein?)
erbat auch von den Verkäuferinnen und vom zweiten Abtei
lungsleiter ihr Einverständnis, das dieser, nicht minder befan
gen als der kleine, offenbar südfranzösische Dolmetsch, nich
eindeutig zum Ausdruck brachte, und tat das Objekt schließlic
zu jenen, die bereits als gekauft gelten konnten.

Das Gebaren dieser Gruppe und ihrer wahrhaft hinreißende
Hauptakteurin zog bald weitere Schaulustige an, auch Verkäu
ferinnen, die das Spiel umstanden und tatsächlich durch Be
trachtung dieses afrikanischen Lehrstückes Gelegenheit gehab
hätten, zu begreifen, daß es sich hier weder um den Kauf vo
Nutzgegenständen, noch um den leicht anrüchigen Erwerb ir
gendwelcher Fetische handelte, sondern um schöne Dinge, di
zu tragen ein Vergnügen bereitet.

Als das Schauspiel so viele angezogen hatte, daß Thunfisc
sich unbeobachtet glauben konnte und es in der Tat auch wa
fand er sich vor einer Kombination aus Höschen und Büsten

sich in Gefühl zu verwandeln
meine Unterarme die ich
auf den übergeschlagenen Beinen liegen habe
beginnen sich auszudehnen und zusammenzuziehen
sie beschreiben einen Kreis nach oben
scheinen einander im Zenit zu begegnen
obwohl sie doch beieinanderliegen
fallen senkrecht durch den Kreis
bis zur unteren Peripherie
geben dort die Bewegung weiter an meine Schenkel
die nun Kreise nach unten beschreiben
sich im unteren Zenit treffen
senkrecht durch den Kreis aufsteigen und die Bewegung
an die Arme zurückgeben die sie
den Schultern dem Nacken mitteilen so
wie die Schenkel Hüften und Bauch in Bewegung setzen
so daß mein ganzer Körper nun in Bewegung ist
und sich immer weiter von mir entfernt
und wie mir mein Körper nur bekannt war
so lange ich ihn nicht kannte
so lange er eingehüllt war in fremdes Leben und
in Geräusche die nicht meine eigenen sind

wie mir mein Körper nur bekannt ist im Vorbei am noch nicht im Vorbei an Geräuschen von Kompressoren Pressluft-hammern Motoren Musikautomaten in deren Klang ich mich hineinstürzen möchte weil ich weiß daß diese Geräusche wenn

halter wieder, deren farbliche Mischung aus schwarz und laubgrün ihn einen Moment lang festhielt. Dann hatte er begriffen welche Möglichkeit sich ihm hier bot. Er langte zu und tat beides unauffällig in seine Manteltasche, ohne daß ihn auf seinem weiteren Wege durch das Warenhaus oder nach dem Verlassen desselben jemand auf diesen Vorfall hin angesprochen hätte.

sie mich zerstört haben werden Tore zu Landschaften vollkommener Stille sein können

wie mir mein Körper nur bekannt war so lange ich ihn nicht
kannte nicht gehört hatte:
erscheint er mir nun fremd
nicht wie mein Körper sondern wie irgendein Körper
ein anderer Körper hier in der Zelle obwohl ich
der Einzige bin
deshalb wird die Entfernung zwischen mir und meinem Körper
immer größer

der Kontrapunkt der festen und freien Metren
der Geräusche die immer lauter werden:
Pochen
Rasseln
und der klopfende Fall dagegen
dieser Kontrapunkt ist wie der Rhythmus einer Maschine
die auf mich zukommt
um mich in sich aufzunehmen
und zu verarbeiten

eine Maschine deren Rhythmus kontrapunktisch ist
eine Reihe gleichmäßig
um mich in sich aufzunehmen
eine Reihe ungleichmäßig
um mich zu verarbeiten
das Rasseln Pochen Klopfen der Maschine
deren Geräusche hart und lauter werden
zwei Geräusche
kontrapunktisch
eine Reihe fest in gleichen Metren
eine Reihe ungleichmäßig
zieht mich nun unweigerlich
nimmt mich auf verarbeitet mich
spuckte mich wie einen ausgekauten Tabak aus

wenn ich ganz verarbeitet bin
werde ich ein Tabak den ein alter Mann mit Seemannsmütze
tief im Landesinnern Schweine hütend
ausspuckt
aus wie ausgekauten Tabak spuckt
auf den Hof an dessen Wänden auf Bananenkisten
alle Hausherrn
grüaß di gott gang weida
sagen
auf den Hof
auf dem Maschinen unter großen weißen Seemannsmützen
unaufhörlich ausgekaute Menschen auf die warmen Steine
spucken

Pause

wenn sie mich berühren
wenn mich die Kühle der Gedanken
der Steine in meinen Armen weckt
fliehe ich in Schlaf und Wachen
die sich gleichen
seit ich ohne Unterbrechung schlafe

wenn ich mich erhebe um zu essen oder zu rauchen
ist es das Gleiche
wie wenn ich Strukturen von Steinen betrachte
oder mit den Fingern auf einem hohlen Stück Holz trommele

seit mein Schlaf Tag und Nacht bedeckt
gibt es nichts mehr was außerhalb der Welt ist
und alles was in ihr ist
steht mir offen
ich tauche
in die Erinnerung vergangener Ereignisse und
die Bilder der Hoffnung zukünftiger Begegnungen
wie in die weißen Wände

an denen ich täglich entlanggehe oder
wie in das dunkle Holz
meines Tisches und meiner Sitzbank
und ich weiß

eine Möglichkeit
Hoffnung Wände Holz Ereignisse
durch und durch zu durchdringen
erreichen die Seite die andere Seite erreichen
wo die Erklärung Schlaf Tiefe Lebendigkeit
Traum eines wahrhaften Lebens
bewegen berühren ich weiß
hier ist die Möglichkeit
diese Ereignisse Hoffnungen Wände das Holz
zu durchdringen
und auf der anderen Seite die ich erreichen werde
ist die Erklärung auf alle Fragen
die mich wie im Schlaf berühren und bewegen
und seiner Tiefe Lebendigkeit
und den Traum eines wahrhaften Lebens geben
so daß ich sterben muß weil ich nun alles weiß
und ich glaube es ist nur die Furcht
gerade aus diesem Traum nicht mehr aufzuwachen
die mich daran hindert
das zu durchdringen wohinein ich getaucht bin
denn ich habe den Wunsch zu wissen
daß dies der Schlaf sein wird
aus dessen Träumen ich nicht mehr aufwachen werde
wenn ich mich niederlege

aber immer wieder schlafe ich ein und weiß
daß dieser Schlaf zu einem bestimmten Ereignis führen wird
vielleicht gibt es einen Menschen
dem ich noch niemals begegnet bin
und den ich durch diesen Schlaf treffen werde
dann erhält die Möglichkeit dieser Begegnung

eine solche Bedeutung daß ich mich an sie klammere
und hoffe
sie werde nicht nur eine unausweichliche Folge
meines Schlafes sein sondern
ich hätte mich nur ihretwegen niedergelegt
und begonnen zu schlafen
doch muß dies ein Irrtum sein
denn ich schlafe ja schon immer
mein Wachen ist mein Schlaf
wie mein Schlaf mein Wachen ist

an unsichtbaren Tagen die wie helle Nächte sind seit ich
ohne Unterbrechung schlafe
an Tagen und in hellen Nächten ohne Unterbrechung
habe ich die klare Empfindung in einem Raum zu sein
in einem Raum zu schlafen und habe
die Klarheit der Empfindung
die allein es uns ermöglicht zu fühlen
daß der Raum veränderlich ist

da spüre ich
auf einem Stuhl der die Erde nur mit drei Beinen berührt
daß es für die Veränderung nur darauf ankommt
mein Gewicht auf das Stuhlbein zu senken
das die Erde nicht berührt

deshalb verlagere ich mein Gewicht immer wieder
um auf diese Weise durch geringes Schaukeln
die Veränderung des Raumes zu genießen
und nach einiger Zeit
die Empfindung einer Bewegung zu haben
oder einer Reise
ohne daß ich
meinen eigentlichen Standpunkt zu verlassen brauchte
bis ich die klare Empfindung
die mir dieses Gefühl ermöglicht hat verliere

und es mir scheint
als habe ich durch meine Reise jeglichen Raum verlassen
und könne nun meinen Körper in jede beliebige Lage bringe
ohne mich bewegen zu müssen
wenn ich nur meine Augen nicht mehr von dem Punkt nehm
in den meine Blicke sie trugen
als dieser Zustand begann
und es ist nur die Furcht
ich könne diese Reise nicht eigentlich wollen
die mich immer wieder ins Bewußtsein ruft
in das ich schwankend zurück
ich kehre schwankend
ich kehre schwankend zurück
und versuche ein Neues:

so oft ich die Geschichte des Seiltänzers erzähle, erinnere ic
mich. die Reihenfolge ist beliebig und auch was ich erinner
hat eine gewisse Beliebigkeit, weil das, was ich zu erzähle
pflege, in gewisser Weise beliebig ist; doch eben nur in ge
wisser Weise. geht es zum Beispiel darum, daß über eine
Platz das Seil gespannt ist und auf dem Platz all die Gerät
schaften aufgebaut sind, die Seiltänzer mit sich führen, s
wird die innerhalb der Geschichtserzählung folgerichtige Er
wähnung dieses Faktums ergänzt durch das, was ich tue, seh
und was geschieht, so daß sich möglicherweise folgende For
mulierung ergibt: als über den Platz mit den Laubengänge
das Seil gespannt wurde, stand bei mir eine Rose in eine
halslosen Flasche und warf ihre Schatten in die Unebenheite
der Wand.

man sieht schon, daß es sich um eine Attitude handelt, di
darin besteht, scheinbar Zusammenhangloses zusammenzufü
gen, nämlich die Realität des Schreibenden mit der des Zu
Beschreibenden. doch wird die daraus drohende Beliebigkei
begrenzt durch die Erfahrung des Schreibenden.

nderes, das ich erinnere – und alles, was mich dazu auf-
ordert, ist der Eingangssatz: der Seiltänzer tanzt über der
tadt, sein Name ist Frantek – kann sich auf die Notwen-
ligkeit, erzählt zu werden, berufen. der Ort zum Beispiel, an
lem der Seiltänzer auftritt – wobei angemerkt werden muß,
laß er, der Art meiner Geschichte nach, völlig gleichgültig
st. doch ist nicht gleichgültig, ob die Geschichte an einem
rt spielt, oder an keinem. und so, wie ich die Geschichte
u erzählen pflege, soll sie an keinem Ort spielen. wie be-
chreibe ich keinen Ort? ich versuche mir zu helfen, indem ich
inen unbekannten Ort beschreibe, der in der Erinnerung des
uhörers seine Entsprechung nicht ohne weiteres findet und
ersetze die Beschreibung mit Hinweisen auf allgemein be-
annte Orte, was den Zuhörer dazu verleiten soll *aha* zu
agen, *da also.* solchen Versatzstücken aber lasse ich die Fort-
etzung der Beschreibung des unbekannten Ortes folgen, so
laß sich der Zuhörer sagen muß: *also doch nicht; dort jeden-*
alls nicht! und führe ihn schließlich dahin, zu sagen, *es kann*
berall sein, was sich gedanklich ergänzt zum *überall und nir-*
ends, denn mit nichts sind die Leute schneller bei der Hand
ls mit Schlagworten und ein Schreiber oder Erzähler, der
ich ihrer bedient, kann sich viel Arbeit ersparen.

rzähle ich die Seiltänzergeschichte, so befindet sich der Ort,
len ich für gemeinhin unbekannt halte, in einer andalusi-
chen Kleinstadt am Mittelmeer und zwar dort, wo die
auptstraße zwischen Alicante und Almeria über Elche, Mur-
ia und Lorca durch das Landinnere und nicht am Meer ent-
ang führt, wodurch mein Ort, abseits der Durchgangsstraße,
enigstens bis vor einigen Jahren, in der Zeit, als ich die
eschichte regelmäßig erzählte, vor Reisenden ziemlich si-
her war. deshalb muß es heißen, so oft ich die Seiltänzerge-
chichte erzähle, erinnere ich mich an Spanien, so daß die Ge-
chichte zumindest für mich längst aufgehört hat, an keinem
rt zu spielen, was dem entspricht, daß sie für meine Zuhö-
er wahrscheinlich stets an irgendeinem Ort gespielt hat. es

gab Zeiten, da erschien es mir unerhört wichtig, eine Ge
schichte von der Art meiner Seiltänzergeschichte an keinen
Ort stattfinden zu lassen, da mir die Bestimmtheit des Orte
eine zu starke Belastung für meine Geschichte zu sein schie
(vielleicht, weil ich unbewußt wußte, daß sie im Licht de
Wirklichkeit ihre mangelnde Schlüssigkeit erwiesen hätte). ic
meine heute zu wissen, damit bewiesen zu haben, daß ic
noch zu sehr ein auf Umstände reagierendes, schreibende
Objekt war und unfähig, Umstände gegeneinander aus
zuspielen oder wenigstens die Wirksamsten herauszusuche
(wobei man natürlich nicht außer acht lassen darf, daß sic
überschneidende Bewußtseinslagen durchaus zu einer gewis
sen Konfusion des Ortes führen können, deren Darstellung
wie auch immer, mithin legitim wäre). ich meine weiter z
wissen, daß die Methode, meine Zuhörer über den Ort i
Unklaren zu lassen, in ihnen durchaus nicht den Schluß er
zeugen mußte, meine Geschichte spiele an keinem Ort. ers
wenn eine Geschichte so ist, daß sie notwendig an einem O
nicht spielen kann, und ihr dennoch ein sehr eindeutiger O
entgegensteht, ist dieser Widerspruch geeignet, die Zuhöre
darauf zu bringen, die Geschichte müsse tatsächlich ohne O
sein.

seit langem habe ich die Seiltänzergeschichte nicht mehr e
zählt. einer der Gründe dafür mag der sein, daß ich sie an
ders erzählen müßte, wollte ich sie wieder einmal erzähle
so geht es dieser Geschichte nicht allein. denke ich an den Sei
tänzer, wie er sich für mich darstellt – in einer Weise, d
mir zum Beispiel im Zirkus suggeriert, was der Seiltänz
hier bietet, sei nicht das, was Seiltänzer üblicherweise zu bie
ten haben – so erinnere ich auch andere Geschichten, die i
gleichermaßen vieldeutig zu erzählen pflege. sie stecken vo
ler Anspielungen, hinter denen sich bestimmte Ereignisse, E
lebnisse, Gedanken verbergen, ohne daß ich den mir be
kannten Weg von der Erzählung zu den angespielten Dinge
zeigte. in jener Zeit erzählte ich die Seiltänzergeschichte nich

mehr um des Erzählens willen, sondern faßte sie als Modell auf; und wenn ich heute die Geschichte vom Seiltänzer wieder für eine Erzählung halte, deren Realitätsgehalt gering ist und die nicht für etwas anderes steht, so erinnere ich mich all der Geschichten, die ich zu erzählen pflegte, als die Seiltänzergeschichte keine andere Funktion hatte, als unglaubwürdig zu sein. das war in einer Zeit, als ich einem Mädchen von sieben oder acht Jahren als Märchenerzähler diente. da erfand ich die Geschichte von den zwei Katzen, die einander so ähnlich sahen, daß sie sich immer miteinander verwechselten. anderntags erzählte ich von einem Zirkusdompteur, der mit seiner Raubtierpeitsche so heftig geknallt hatte, daß der Knall verlorengegangen war, und eines Tages war da auch die Geschichte von dem Seiltänzer zu erzählen gewesen, der anstatt eines Seiles, wie üblich, plötzlich zwei Seile vor sich hatte. aber man neigt immer zu dem Glauben, die Art in der kleinen Mädchen Geschichten erzählt werden, schicke sich nicht für einen Schriftsteller und vor allem, wie schon gesagt, hielt ich damals dafür, es müsse vieldeutig geschrieben werden, da die Welt und jedes Stück von ihr selbst vieldeutig sind. doch meine ich heute zu wissen, daß vieldeutige Schreibweise nicht dazu führt, die Welt in ihrer Vieldeutigkeit bewußt werden zu lassen. wollte ich die Geschichte wieder einmal erzählen, so hätte ich in einer Weise eindeutig zu sein, die sich selbst in Frage stellt. ich kann immer nur das schon Vorhandene betonen, womit nicht gesagt werden soll, daß nicht immer schon alles vorhanden sei.

erzähle ich die Seiltänzergeschichte, so erinnere ich Nachmittage, an denen ich einem kleinen Mädchen Geschichten erfand; ich erinnere die Weise, in denen ich später versucht habe, sie Erwachsenen zu erzählen und dabei fällt mir Spanien ein. ich erinnere aber auch jenen Rummelplatz, den ich beschrieben habe, weil über ihm das Seil gespannt ist. ich erinnere alles, was für mich mit meiner Seiltänzergeschichte zusammenhängt, so, als hätte ich es selbst irgendwann einmal erlebt. ich erinnere die bedrückende Nähe des Lichtes auf dem schattenlosen Platz und den Zustand des außer mir Seins, in den ich durch die Schwäche meines Körpers gerate. ich sehe mich über den Platz gehen: die Häuser sind weiß gestrichen und werfen das Licht zurück. auf dem Staub über dem Boden flimmert das Licht, wenn der Platz um die Mittagszeit fast menschenleer ist und nicht, wie jetzt, Marktstände aufgeschlagen sind, Zelte, ein Karussell. aus den Schatten einiger Hausflure sind Rufe der blinden Losverkäufer zu hören, wenn man vorbeigeht. am Rande des Platzes hocken unter Sonnenschirmen die Schuhputzer. auf den Böcken unter Sonnenschirmen sitzen die Kutscher und haben auch ihren Pferden kleine Sonnenschirme am Zaumzeug befestigt.

in der Zeit von der ich spreche ist die Seiltänzergeschichte für mich Sinnbild einer Weise gewesen, die Welt zu betrachten, wie ich sie bei den Leuten auf Franteks Grundstück angetroffen zu haben glaube. deshalb sind die Mittage in der Sonne auf einem andalusischen Platz nicht Inbegriff von Ereignissen, sondern ein Zustand, wie man ihn spürt, wenn man mit einer Frau schläft. sehe ich mich wieder sitzen und höre mich reden, so ist aber auch jede Erinnerung an meine Kindheit Bestandteil meiner Erinnerung der Art die Seiltänzergeschichte zu erzählen und ich meine, mich wieder über eine Straße gehen zu sehen, von der ich keine Vorstellung mehr habe. alles, was ich von dieser Straße erinnere, sind ein Wagen, ein Pferd, ein Kutscher und eine Peitschenschnur, die mir in die Wange dringt. oder ich erinnere mich an meinen kleinen Hund, den ich mit zum Einholen genommen hatte, weil er müde zu sein schien und der tot war, als ich ihn zu Hause aus der Tasche nahm. aber ich weiß nicht mehr, ob Jahre oder Monate zwischen den beiden Ereignissen liegen. ich erinnere andere Ereignisse, aber alles scheint mir wie ein Jahre dauernder Zustand, nicht wie eine Kette von Ereignissen. ich sehe ein, daß sich diese Zustände, meine Kindheit, eine Zeit in Spanien, die Begegnung mit einer Frau, das monatelange Zusammensein mit den Leuten um Frantek, in eine Reihe von Vorfällen zerlegen ließen, doch würde es nichts an dem ändern, was ich von diesen Zeiten übrigbehalte: Zustände, die in eine rational nicht erklärbare Welt führen und Bestandteil einer irrationalen Welt sind, in der Erinnerungsvermögen, Assoziationskraft, Denkfähigkeit nur die Möglichkeit haben, Empfindungen auszulösen und Zustände zu erzeugen. und da ist auch der Seiltänzer für mich nur jemand, dessen Weg in diese Welt führt. er sieht plötzlich zwei Seile vor sich, er setzt jeden Fuß auf eines und sie geben ihm beide Halt, er beginnt auf beiden zu gehen, aber es erweist sich, daß sie auseinanderlaufen.

erinnere ich die Seiltänzergeschichte, wie ich sie zu erzählen pflegte, so fällt mir ein, daß sich in ihr meine Erinnerung so darstellte, als sei sie imstande, sich auf Dinge zu beziehen, die ich nie erlebt habe; doch war das eine Sache der Welt, wie ich sie sehen wollte, und nicht, wie ich sie sah: zwischen Schatten und Körper sollte ein Unterschied nicht bestehen; gestern und morgen wären die gleiche Zeit gewesen und Wände nicht länger undurchdringliche Hindernisse. deshalb konnte ich sagen:

fürchte die Laute des Sängers nicht
der seine Lieder
in altenglischer Sprache singt
sondern folge dem Tänzer auf das Seil
über die Leiter der arpeggierten Akkorde
einer frühbarocken Tonart
und glaube nicht
Du könntest Dich in den Straßen einer Stadt
der Zeit des Dreißigjährigen Krieges verlaufen
wenn Du Dir ihren Grundriß
in Holz geschnitten
ansiehst

folge den Gängen
die ein Holzwurm in dieses Blatt gefressen hat
als es noch in einem Buche lag
und finde
den Geruch der Küchen und Ställe
das Geschrei der Zeitungssinger und Moritatensänger
und spüre die unbestimmbare Angst Einiger
die nur an bestimmten Toren eingelassen
und dort wie Vieh
aktenkundig gemacht werden

Was Du finden wirst
wird es Dir erlauben
Deine Gestalt ganz zu verlassen
Du wirst überall sein
in der Stadt
die Stadt selbst
das Seil
der Seiltänzer
und alles
was in der Stadt ist:

Geruch der Bratwürste und Mandeln
Geruch der Knaben und Mädchen
Geruch dessen
was bei Jahrmärkten auf dem Platz ist
wenn der Seiltänzer auftritt

auch die Erwartung:
Seiltänzer bitte
nur einen Schritt neben das Seil
Deine gebrochenen Glieder werden sich
um die Erde legen
wie ein Kleid über Steine
die Staub sein werden
oder glühendes Gas

149
wie Du –

hätte ich sagen können, weil ich es glaubte; doch kann
ich heute nicht mehr sagen:

Seiltänzer! er allein ist in der Lage, die Welt zu
verlassen!

weil ich weiß: niemand verläßt die Welt! es gibt nur Spiele, Täuschungen, Vorstellungen, Zustände, die uns wesentlich erscheinen, weil wir immer nur einen Bruchteil präsent haben. also trinken wir, schlafen bei, essen den weißen Schnee, starren stundenlang in eine Kerze oder betasten einen Gegenstand mit griffiger Oberfläche; legen uns hin und stehen nicht mehr auf, versuchen 24 Stunden täglich zu schlafen oder zünden so viele Räucherstäbchen an, daß wir uns übergeben müssen. aber die Welt bleibt so, wie sie ist und nicht, wie wir sie zu haben wünschen.

hätte ich nachgedacht, immer bevor ich meine Seiltänzergeschichte erzählt habe, so hätte ich es wissen können. da ich nachgedacht habe und habe doch erzählt, bleibt nur die Frage, was drängt einen Erzähler dazu, eine Geschichte wider seine besseren Möglichkeiten zu erzählen?

die Stadt reicht an die Berge, die zur Küste hin steil abfallen; ein Teil der Stadt ist in den Stein hineingehauen. dort wo sich eine Wohnung befindet, hat man den Fels blau, grün oder weiß gestrichen. vor den Wohnungen liegt auf Geröll Wäsche ausgebreitet; in den Mulden und Rinnen, die herabfallendes Wasser gebildet hat, liegen Abfall und Kot der Bewohner dieses Gebietes und durchdringen den Teil der Stadt, der in den Berg gehauen ist, mit ihrem Gestank. wer auf Trampelpfaden durch dieses Stadtviertel kommt, wird verfolgt von vielen zerlumpten Kindern, die nur ein Hemd tragen, bevor sie ein gewisses Alter erreicht haben. er wird von ihnen umkreist, sie zerren an seinen Kleidern, die Kleinsten stellen sich vor ihm auf und halten ihm ihre nach oben gerichteten Handteller entgegen. Größere, die ihn verfolgen, bewerfen ihn mit Abfall und Steinen.

blickt er hinab, so sieht er auf das Meer, dessen Grund er von hier aus sehen kann, dessen Wellen-bewegungen sich in Licht-Schatten- oder Hell-Dunkel-Bewegungen verwandelt haben und über dem Wolken weißen, glänzenden Wasserstaubes immer wieder aufgewirbelt werden. über der ganzen Stadt aber schwebt der Geruch von Meer, verfaulenden Fischen und Tang, Kot und Abfall aus der Stadt an den Hängen und dem Unrat in den Höfen der Häuser im Tal.

erzähle ich die Geschichte, so brennen mir die Augen, so daß ich meine, das weiße Licht nicht länger ertragen zu können und die Ohren schmerzen mir, während ich noch den Schlag der Stöcke der Blinden an den Hauswänden und ihren Ruf höre. ich höre das Betteln der Kinder und den Lärm der Ausrufer auf dem Platz, sehe die Stände mit den bergeweis aufgetürmten roten Krabben, die großen Kessel voll siedenden Öls, in das Männer mit weißen Schürzen und hohen Hüten aus Kuchenspritzen fadenlangen Teig pressen, der sofort zu Spiralen erstarrt und braun wird; sehe ein Kettenkarussell mit einer Drehorgel, alte Frauen in Schwarz mit schwarzen Kopftüchern, plumpe Männer in abgewetzten zu engen Anzügen mit schwarzen Hüten über roten Gesichtern, schmale, quirlige Zigeuner in pepita-karierten Anzügen, Westen und breitkrempigen Hüten, die, in der Hand ihr Stöckchen, barfüßig, doch voller Eleganz und Grazie am Randstein sitzen; sehe den Platz voller Mädchen auf dünnen Beinen mit roten Lippen und toupiertem Haar; und von all dem darf ich erzählen. doch reicht es mir nicht aus. denn: ich versuche ja ein Neues. ich sagte ja: *ich kehre schwankend zurück, und versuche ein Neues!*, nach allen erfolglosen Versuchen; und ich begann: *so oft ich die Seiltänzergeschichte erzähle.* ich hoffte, es werde gelingen, wenn mein neuer Versuch nicht erleben, sondern erzählen wäre, und das heißt zugleich, erzählen nicht als erleben wäre. doch scheint es mir, als könne ich nicht erzählen, ohne zu erleben, wie ich nicht erleben kann, ohne zu erzählen; und erleben kann ich meine Seiltänzergeschichte nicht so, wie ich sie immer erzählt habe; wie ich sie einem Mädchen erzählt habe und wie ich sie erzählt habe, als ich sie für ein Modell hielt, das sie nicht war, weil nicht alles, was sich verschlossen und vieldeutig gibt, ein Modell ist:

mit jedem Fuß auf einem Seil beginnt der Seiltänzer zu gehen; die Seile laufen auseinander, so daß er herabstürzen müßte; doch er wächst, wird immer größer und steht zum Schluß hoch über der Stadt.

es gibt den Dichter auf dem Seil, wie ich ihn erleben könnte, weil er sich selbst auf dem Seil erlebt weil er selbst sich, als auf dem Seile befindlich begreift und ich ihn als solchen begreifen kann. das ist der, der von sich sagt: *ich habe gute Weile, der Platz auf meinem Seile, wird immer uneinnehmbar sein.*

doch ist das nicht jener, kann nicht jener sein, der *ein Neues* versuchte und sein Seil ist nicht das, von dem ich zu erzählen pflegte, kann es nicht sein. deshalb kann man nur sagen: auch diesmal vergeblich; so nicht! doch ist gerettet, wer diesen Mißerfolg übersteht.

Viertes Kapitel

Das vierte Kapitel über Frantek

oder ist Frantek einer, dessen zu gedenken wir aufgefordert sind?
denken seiner zu gedenken?
seines Gedenkens zu fühlen?
seiner am neunzehnten Oktober, vierzehnten Juli, achtzehnten März, zwanzigsten April, achtundzwanzigsten Juni, siebenten November, ersten September, dritten Februar, siebenten Mai?
oder ist er einer, der immer dabei ist?
in Babylon einen Turm bauen helfen. jede Nacht an Schwäche, Seuche, Überdruß sterben?
in Kairo bei den Pyramiden, in Athen bei der Akropolis, in Rom beim Kolosseum, rhein-donau-längs beim Limes, in Köln beim Dom?
einer der von Ostafrika nach Jamaika, von England nach Australien?
alles von der Kulturgeschichte längst anerkannte Leistungen. aber er. jede Nacht dran gestorben? jede Nacht an kommenden Kulturgeschichten? und jeden Morgen wieder dabei?

oder in diesem Jahrhundert.
ist er einer von Galizien nach Breslau, von Breslau nach Bautzen, von Bautzen nach Berlin, von Berlin nach Wien, von Wien nach Prag, von Prag nach Paris, von Paris nach Oslo, von Oslo nach Helsinki, von Helsinki nach Moskau, von Moskau nach Nowosibirsk?

oder ist Frantek einer, dessen man sich bedient hat, als eine Art Klammer bedient, die Texte einander zuordnen soll?
wenn es so wäre:
ist er es dann!?

ist Frantek einer der?
also Frage über Fragen, wenn die Frage entsteht –
oder ließ wer die Frage entstehen? ja, ließ wer die Frage entstehen? und wenn. wenn jemand die Frage entstehen ließ. wer ließ die Frage entstehen?

die Antwort ist: JEMAND! ließ die Frage entstehen!
JEMAND.
und warum?
Jemand glaubte.
Jemand, der sich damals in Franteks Kreis befunden hat, glaubte, er müsse seine Erlebnisse aufschreiben.
und er wäre gehalten gewesen!
Jemand wäre gehalten gewesen.
auch ich bin es. gehalten. zum Chronisten gehalten.
ob er es nicht gewußt hat, erkannt hat, bemerkt?
er ist eben nur einer gewesen, wie so viele.
die täglich kamen, standen, saßen, hockten, lagen.
und nicht wußten, ob stehen, sitzen, hocken, liegen.
und nicht wie. und Worte tauschten.
ach nicht tauschten: einsam sprachen. ohne ihre Einsamkeit zu spüren, ihre Lästigkeit. unbeachtet störend Reden hielten.

denn er legte nicht seinen Zeigefinger von außen auf das Schlüsselloch, ehe er eintrat, um zu spüren, was ungesagt im Raum war. er hielt die Finger fest beieinander und spreizte nicht die Hände, hob sie nicht leicht an und weg von den Hüften, um ohne zu fragen.
ach er fragte nicht einmal. schloß nicht einmal die Augen.
öffnete nicht einmal den Mund (ohne zu reden). um zu spüren ob Poesie oder der rauhe Stoff einer Hose von Innen. oder was sonst in diesem Augenblick allein wichtig war.

was er geschrieben hat, liegt vor mir. ich habe es über mir gehalten und unter mir. ich bin hindurchgegangen und davor stehengeblieben. alle haben es gelesen. jeder auf seine Art

und nach seinem Verstand. nun fragen sie:
wer ist Frantek!?
ist Frantek einer der!?
was wissen Sie über Frantek!
wenn ich ihn richtig verstanden habe, ist Frantek einer.
hier das. was ich hier habe. ist alles. was ich weiß.
über Frantek. wer weiß mehr?
drei Kapitel hat Jemand über Frantek geschrieben.
sieh her. hier liegen sie. ich erinnere alles, was drin steht. ich habe zu meiner Erinnerung: einen Blaustift, einen Rotstift, einen Grünstift. ich habe es vorgelesen.
allen vorgelesen. wo ich ging und stand und saß und lag.
dem Zeitungsmann, dem Schrippenmann, dem Milchmann, dem Bahnbeamten, dem Postbeamten, dem Polizeibeamten. dem Friseur.
dem Schuhmacher.
dem Tabakwarenhändler.
sie alle fragen.
sie alle fragen Jemand: Jemand!
was haben Deine drei Kapitel mit Frantek zu tun?
was tut Frantek in diesen drei Kapiteln?
haben diese drei Kapitel etwas mit Frantek zu tun?!
sie fragen vielerlei.
wer richtig fragt. fragt.
wer ist Frantek!!
wir wollen Antwort!

wenn einer dann ich.
nicht du. er sie. nicht es. wir ihr.
nur ich. ganz allein.
wer hat denn zuerst gesagt. es ist die reine Poesie Leute.
als Frantek zwischen den Grabsteinen hervorkam und sang:

nimms Hemde weg
nimms Hemde weg
es kommt ein warmer Spieß

dabei war das noch gar nichts. ein Lied von vielen.
das er sang. das er einmal sang. ich kann mich eigentlich nur an einmal erinnern.
er hat es sicher oft gesungen. wie die anderen.
aber einmal und an dieses eine Mal erinnere ich mich.
weil es das erste Mal war.

ich lag auf den Steinen und hatte meinen Kopf auf die Türschwelle gelegt und dachte nicht einmal. nun muß doch bald mal wer kommen. entweder von Innen oder von Außen.
so gehts nicht weiter. und erwartete also auch nichts.
nicht einmal Frantek.
und trotzdem wußte ich plötzlich. er kommt!
ohne Grund.

denn sicher habe ich keine Schritte gehört. auf dem abgetretenen Gras. und Frantek ging immer sehr leise.
ich habe ihn nie mit den Füßen gehen gesehen.
oder mit den Beinen.
oder mit den Hüften.
oder mit den Armen.
oder mit den Schultern.
wenn ich es recht überlege. ging er immer mit dem Kopf. so etwa in einem Meter und siebenzig Höhe an den aufgestapelten Grabsteinen entlang. hob er den ganzen Körper.
trug ihn also, wenn er ihn auch nicht straffte.
ließ ihn so gekrümmt wie er war. und führte ihn hinten im Gelände herum. von wo ich ihn nicht gehört und doch gewußt hatte, daß er kommen würde, und daß der, der kommen würde, er sein würde, der, der kam, er war. obwohl ich ihn noch nie gesehen hatte. aber die Jungens hatten mir schon viel von ihm erzählt.

erst als er mich sah.

nimms Hemde weg

ımmms Hemde weg
ːs kommt ein warmer Spieß
ːs ist die reine Poesie Leute!
zwischen den Grabsteinen hervor, die gleich neben dem Holz-
chuppen fast zwei und einen halben Meter hoch aufgestapelt liegen. direkt an der Stirnwand des Holzschuppens hoch.
lann einen Gang frei lassen, der nach hinten auf einen freien
Platz führt. wo sie bearbeitet werden.
ınd dann bis vor an die Straße in verschiedener Höhe.
aber immer an die zwei Meter oder mehr. so daß der, dessen
Wohnwagen neben der Einfahrt gleich an der Straße steht,
nahe an die Grabsteine herangeschoben, wenn er aus Fenster
sieht, meinen müßte, ihm stände sein Haus in den Hochalpen.

wenn nämlich die Bezugspunkte fehlen.
weder vom Fenster des Wohnwagens aus noch von dort wo
ich liege, aber auch nicht von oben auf den Grabsteinen zwischen vielerlei Gewächs, sieht man Häuser, Telefonmasten,
Bäume.
dann kann man schon nicht mehr genau sagen, wo man ist.

doch ist dort, wo die Gewißheit des Ortes fehlt,
viel gewonnen.
nicht was man als Gewinn für erstrebenswert hält,
sondern Zweifel.

derzeit kann ich flach liegen und schauen, was für Bilder an
der Wand des Holzschuppens hängen.
ich meine die Längswand, nicht die Stirnwand.
sie hängen seit einigen Monaten. ich habe nie daran gedacht,
wie lange die Bilder dort gehangen haben mögen, und jetzt,
wo ich versuche, mich an Frantek zu erinnern, und wie er an
diesem Morgen. auf einmal ankam. denke ich, daß diese Bilder eigentlich schon ziemlich lange dort gehangen haben müssen.

weil ich nach diesem ersten Morgen so oft dort gewesen bin
und so oft über die Bilder hinweggesehen habe, ohne über si
nachzudenken, daß ich meine, sie müssen schon sehr lange dor
gehangen haben.
nun beginne ich zu denken. da hinten geht einer.
nun steht Frantek direkt am schmalen Durchgang zwische
den Steinen.
nun kann er mich sehen.
nun könnte ich ihn sehen.
er setzt seinen Fuß langsam auf den Zementfußboden.
nun sehe ich ihn. nur seinen Kopf. er beginnt zu singen.
was singt er? und ich weiß was es gewesen ist, dort zwische
den Steinen hin und her, da kommt er, das ist er, das muß e
sein, das kann niemand, ich weiß es, habe es immer, nun is
er da und ich sehe ihn.
aber nur seinen Kopf.
wie er langsam auf den Zementfußboden tritt, der am ganzen Haus entlang. wahrscheinlich mit dem Fuß, auf mich zu
und im Vorbei, kleine Pause, nicht mehr singen

hello boy monsieur!
you speak english?
parlez vous français!

bevor er auf das kleine Holzhäuschen ging. über den Zementfußboden nach links. bis zu mir, wo ich lag. über mich
hinweg oder um meine Füße herum. dann weiter nach links.
ich meine. von mir aus gesehen nach rechts. weil ich auf dem
Rücken lag. und von ihm aus gesehen gerade.
aber von dort her, wo ich ihn zuerst gesehen hatte, nach links
bis an die Hausecke, dann an der fensterlosen rückwärtigen
Giebelwand entlang und bis zur nächsten Ecke.
und nur noch so eine Handbreit weiter. dort steht das kleine
Häuschen, wie es alle kennen. meist auf dem Hof oder neben
Baustellen. Jemand hat seine Jacke über die Ecke der Tür gehängt. damit jeder von weitem sieht.

besetzt. Jemand macht es so. noch einige andere Vorsichtige
machen es so. wir machen es nicht und Frantek schon lange nicht.
es ist ja seins.

bevor er auf das kleine Holzhäuschen ging, und ich wußte,
das ist Frantek, das muß er sein, aber ich sprach ihn nicht an.
einer, an den ich mich erinnerte, obwohl ich ihn nie gesehen
hatte, nie gehört, nie gerochen.
und dazu das Bewußtsein, ihm schon einmal begegnet zu sein.
wenn er gesungen und gesprochen hat.
ist er vorbei.

bis einige von unten her kommen.
von der Einfahrt her.
mit einem Roller oder einem dreirädrigen Auto. sie machen
die lange Gittertür auf, die so ausgeleiert ist, daß sie nach
einem halben Meter auf dem Boden zu schleifen beginnt.
dann kommen sie über den Platz vor dem Haus, der eingeengt
ist durch einen Wohnwagen, der links steht und einen großen
Holzschuppen, der rechts steht (nicht der an dem die Bilder
hängen!). so ein alter Ostpreuße, hieß es einmal, braucht seine
zwei drei Schuppchen.
dazwischen ist praktisch nur Raum für einen Gang und etwas
abgetretenes Gras.
dann kommt die vordere Giebelwand des Hauses.
doch wer durch das Gitter ist, hat schon die Bezugspunkte in
der Landschaft verloren und vergessen.
natürlich ist die Tür in der vorderen Giebelwand.
Franteks Tür.
nicht die, an der Längswand, auf deren Schwelle ich liege.
und dahinter ist seine Wohnung, wenn man das so nennen
will. aber selbst wenn. ist das auch ein Ort?!
die Frage. wer ist Frantek?! und der, der er ist, wohnt dort.
wenn man das so nennen will.
und die Bezugspunkte fehlen.
die unsere Landschaft so schön gliedern.

also ist es nicht einfach zu sagen, wo man ist.
und wenn ich Jemand den Vorwurf mache. was Du geschrieben hast. findet nicht statt am Orte Frantek. nicht statt am Orte Hommage à Frantek.
denn dies hier ist er. Franteks Ort. den Du doch nicht beschrieben hast.
dann heißt es:
ein Ort ist ein *wo*.
das *wie* eines Ortes ist nicht sein *wo*.
das *wie* eines Ortes kann ich beschreiben. aber wie beschreibe ich sein *wo*?
und frage.
hast Du sein *wie* nicht beschrieben, weil Du gewußt hast, daß es nicht sein *wo* ist? und hast Du sein *wo* nicht beschrieben, weil es nicht geht?
und wird es auch mir nicht gelingen, sein *wo* zu beschreiben? mir dem Chronisten?

weil sie jetzt alle drei oder vier von der Einfahrt her kommen, über den Platz auf die Hausecke zu, auf den Zementfußboden treten, in den schmalen Gang zwischen Grabsteinen etwa zwei Meter hoch, links von ihnen, und Franteks Haus, rechts, auf mich zu, aber ich erhebe mich absichtlich nicht, weil ich ihnen zeigen will, daß mir ihr Besuch gleichgültig ist, ich war sehr froh, als einer gegen Morgen sagte, komm doch nachher mit zum Frühstücken, dann kannst Du den und den und diesen und jenen kennenlernen und Frantek, ja Frantek.
dessen Sprüche jeder kannte.
sie begrüßten sich damit.
das war sehr wichtig für mich.
aber so etwas kann man nicht sagen.
das hat alles nur Bedeutung, wenn es in den Bereich alltäglicher Selbstverständlichkeit aufgenommen worden ist.
ich bin Artist.
und alles was ich kann, sind Kunstgriffe.

wenn man mich bittet. zum Beispiel, man bittet mich.
bitte.
vergleich diese drei Kapitel. das, was Jemand Hommage à Frantek nennt.
womit?
mit dem: wer ist Frantek.
und was heißt das?
das heißt:
wo.
wann.
mit wem.
und wer.
ist Frantek.
das steht mir doch zu.
da bin ich der Einzige, der das kann, weil. wie sie jetzt drei oder vier über mir stehen, erhebe ich mich bewußt langsam und ächzend und sage mit einer Stimme in der tief knarrend der Nikotinspeichel zittert:

es ist die reine Poesie Leute
eben kam einer vorbei
und als er dort drüben
nimms Hemde weg
nimms Hemde weg
es kommt ein warmer Spieß
und im Vorbei
hello boy monsieur
es ist die reine Poesie
Leute

das hat keiner von ihnen gewußt!
NA BITTE.
und warum nicht, wie ich.
liegen auf dem Boden. flach. mit dem Kopf auf der Schwelle einer Tür oder so was.
und sagen, was ist. was zu sehen ist.

links rechts vorn oben unten.
und wer kommt.
wie er aussieht, wo er lang kommt, was er macht.
und wenn ich das getan habe. kann ich zwar immer noch nicht sagen. wo?! wo. sondern immer nur: wie.
und wenn ich ehrlich bin: wie heute.
nicht wie gestern oder wie morgen, denn dazu müßte ich mögliche Möglichkeiten als möglich bezeichnen, was ich ohnedies schon tue beim: wie heute.
denn wessen Erinnerung ist so gut, daß er sagen kann:
so
so
und nicht anders!
für jedermann so. nicht nur für mich und Dich und die Liebhaber, die Kenner, die treue Gefolgschaft. mit Operngucker und Kerze, die uns aus den Journalen kennt, mit Foto und Stilprobe.

und dieses bißchen *wie* ist das *wo.*
und weil es das *wo* also nicht gibt, ist das *wo* überall.
und wenn Franteks Ort wo ist
(und jeder Ort ist wo)
ist sein *wo,* wo es *wo* gar nicht gibt.
also nirgends.
und wenn nirgends überall ist, ist Franteks Ort.
wäre Franteks Ort überall.
(Legitimation Ereignisse zu schildern unter Franteks Namen, die er nicht bewegt, mit denen er nichts zu tun hat. außer: daß sie an Franteks Ort ereignen. außer:
Frantek an ihrem Ort.
Simultaneität der Ereignisse die Ort haben. Gleichheit der Orte.)

aber es ist alles, was ich tun kann.
außer: ich sage Dir, wann es gewesen ist.
also wann?

die Zeit eines Mannes sind Tage, die wie Tage sind.
wann ist die Zeit eines Mannes?
ich versuche es so:
Hofbräuhaus, das gab es in Berlin auch.
mit sechzehn Mann Trachtenkapelle und stündlichem Bierausstoß von zehn Hektolitern.
Zirkus Renz, unter dessen Jupiterlampen glänzend geölte Nackte einander zärtlich mit verzerrten Gesichtern ans Knie fassen.
Big New Orleans Dancing Hall, das seine sieben fußbodenerleuchteten Riesentanzflächen absperren muß, Tanzwillige plansystematisch erfaßt und raumentsprechend zum Tanz einteilt.
alles voll besetzt bis auf den letzten Platz.
jeden Freitag, Samstag, Sonntag.
und Herren mit dunklem Band vor dem Hals, das unter weißem Hemdkragen vor dem obersten Knopf, dem Kragenknopf, Zierde, die früher Krawatte gab, bildet. Herren aus aller Welt, um allen Mädchen aus dem Osten der Stadt die Hand beim Tanz hintern Rücken, bei Bier und Sport aufs Bein und nachher im Park auf der Bank untern Rock.
was die Mädchen gewillt waren bis zum letzten Moment auszunutzen. so lange wie die S-Bahn fährt.
an jenem Tag und überhaupt.
so lange also, wie der Spitzbart seine wohl verhüllte, oft dementierte, allen bekannte Drohung noch nicht wahr gemacht hatte, seine Drohung, den Ostteil der Stadt von ihrem Vergnügungszentrum abzutrennen.

war das nicht die Zeit?
wohl schon eher.
aber es geht weiter:
die westliche Welt wählt ihren Kaiser und nennt ihn JFK.
in Wüste, Bergland und sonstiger Öde zittert die Erde und begräbt Menschen unter ihren Häusern.
in Südostasien tritt der jährliche Strom über die Ufer, er-

tränkt Tausende und setzt Länder unter Wasser.
unter karibischem Mond tobt die jährliche Ida, Sigrid, Wiltrude, der jährliche Xenophon, Protagoras, Demokrit. Taifune und Hurrikane, die Wälder, Dächer, Autos, Arme, Beine mit sich führen.

da sagt man: also doch das jährliche Jahr.
warum dann nicht: zwei Minuten eines beliebigen Tages.
unter Gesichtspunkten technischer Entwicklung, die Zeit in der Grammophone spielten, in der es Autos gab, in der man das Selbst bedienende Supermärkte hatte.
warum nicht: die Art zu schreiben.
das Ganze steht in keinem Verhältnis mehr zu seinen Teilen. die Teile stehen in keinem Verhältnis mehr zueinander. wir werden nicht mehr fertig mit der Welt und anderes reizt uns. wie einer klebbares Material um seines Reizes willen aufklebt, ohne den Unterschied zwischen dem Reiz des Details und dem Reiz des Ganzen aufzuheben.
wie einer, der seine Leinwand durch den Druck auf die Tube färbt, das entstandene Leben voll Zärtlichkeit betrachtet und voll Liebe verändert, ohne es in Beziehung zu setzen zu anderem Lebendigen, das auf gleiche Weise auf der gleichen Leinwand entstehen wird.
wie einer, dem ein Pferdeapfel gerade recht ist, um ein Malerleben lang ihm Modell zu liegen: auf einem weißen Tuch befestigt, samt weiß an die Wand gehängt, vor der ich sitze. und porträtiere diesen herrlichen Gegenstand.

dann muß es gewesen sein. als so etwas gelernt werden konnte. in dem Kreise, der um Franteks Thron stand, lag, saß, ging und anderswo.
steht damit auch fest, wann dieser Kreis stand, saß, lag, ging? und andere Kreise in Kreisen?

Frantek bog um die Ecke seines Hauses. dann öffnete einer die Tür, auf deren Schwelle ich gelegen hatte. wir traten ein.

aber es ist doch nichts zu trinken da!!

Frantek legte erst einem von uns, dann dem anderen, gewiß aber nicht Jemand, die Hand aufs Knie und versuchte, seine Finger unbemerkt höher schleichen zu lassen.
warum nicht Jemand?
er ist ein Awekaat, sagt Frantek.

aber es ist doch nichts zu essen da!

wenn einer nicht wußte, was Frantek wollte.
Jemand wollte nie begreifen, was Frantek wollte.
Frantek wollte Jemand eine Freude machen.
dann traute Jemand sich nicht zu sagen. laß das.
weil. Frantek ist Frantek, und den haben die Jungens auf einen Thronsessel gesetzt und da holt ihn keiner herunter. auch mit Worten nicht.
wenn aber Jemand Franteks Hand unauffällig aus seinen Lenden entfernt hatte, merkte es Frantek, lächelte weise und fragte. kennst Du eine Frau, die Franz heißt?

jetzt muß aber endlich wer gehen, was holen.

so und auf vielerlei Weise sprach Frantek und hieß Franz Bausch. deshalb bleibt es mir nicht erspart. wenn ich frage. zum Beispiel. wann ist das gewesen. bitte. wann.
wenn Frantek nur eine Möglichkeit ist.
wenn Frantek also unsterblich ist.
nur ein Kaleidoskop, durch das wir Kinder sehen, das bis zum Tode sich vor unseren Augen dreht.
selbst wenn Frantek nie vor mir gestanden hätte, vor Jemand und vor all den anderen und gesungen:

keiner weiß es mehr genau
Julia mehr genau
ob sie Mann ist oder Frau
Julia oder er Frau

selbst wenn nicht. aber ich weiß, er hat.
dann bleibt mir das *wann* nicht erspart.

deshalb muß ich folgendes sagen.
ich weiß, daß Jemand ein Buch über Frantek schreibt, von dem sind drei Kapitel fertig. und dieses Buch ist nur für vier oder fünf Leute da. die alle dabei waren, wenn Frantek anfing:
ich hatte einst eine Schwester, die hieß Franziska Bausch. aber als sie zwanzig Jahre alt war, begann sie, sich in einen Mann zu verwandeln, und als sie fünfundzwanzig war, war sie ein Mann.

nun müssen die aber bald mit dem Frühstück da sein, hab ich einen Hunger. hab ich einen Durst.

auf der Treppe des Lokals.
es war einmal eine Treppe zum Notausgang bei Nacht und zum Biertransport bei Tag.
auf der Treppe des Lokals in dem wir nach zwölf immer saßen.
war manchmal ein Mädchen, das Zeitungen verkaufte.
das in seinen Kleidern wie ein Mann aussah.
das nach vierzehn Tagen in Männerkleidung da war und darin wie eine Frau aussah.
die hieß Franziska.
und Frantek hatte von seiner Schwester erzählt.
da sagten alle vier oder fünf, alle, die immer um Frantek waren.
es bleibt nichts unberücksichtigt.
und forderten sich auf, ein Buch über Frantek zu schreiben.
aber niemand außer ihm.
außer wem?
außer Jemand hat es versucht.

wo die nur so lange mit dem Frühstück bleiben.

und hat diese vier oder fünf aus der Runde, die alle kein Buch über Frantek schreiben werden, zu seinen alleinigen Lesern ernannt.
hat denn jemals wer ein Buch für irgendeine bestimmte Person geschrieben? alles verschlüsselt, aber in der Gewißheit, daß die Empfänger ihn verstehen werden. weil er sie kennt. und sich geweigert, so zu schreiben, daß dieser und jener, und der da und Du, versteht, verstehen, verstehst, aber mit Sicherheit, was Jemand gemeint hat. hier hat Jemand drei Kapitel für sich selbst geschrieben.
wann war das möglich.
in welchem Jahrhundert.
in welchem Jahrzehnt.
in welchem Monat.
also ergibt sich die Zeit hieraus:
wenn das *wann* die Funktion einer Möglichkeit ist,
ist es gewesen, als die Möglichkeit da war.
verstehst Du nun: wann?!

doch ich.
wenn Du mich fragst.
dann sage ich: das ist nicht *wann* genug.
denn es muß auch gesagt werden, nun kommen zwei zurück und haben die Taschen voll Schnaps und Briekäse und Butter und Weißbrot und Thunfisch und Krabben.
und
dann
muß
es
heißen:
wer an die Buchhalter denkt, die am Monatsende zusammenrechnen, wieviel in Dollar, Pfund, Lire, Franc, Deemark, ohne Bezahlung mitgenommen worden ist, wer an Polizeiinspektoren, Kriminalräte, Staatsanwälte, Amtsrichter, denkt, die sich vergeblich fragen, ob Warenentwendung in Selbstbedienungsläden Diebstahl, Betrug, oder Unterschlagung ist,

wer an Rentier Meier denkt, mit Frau und sechs Kindern, der sich mit leerem Magen vor vollen Regalen fragt, ob er eine Dose Tomatenmark kaufen soll, oder lieber nicht

ist das keine Zeit?
wo sich die Jungens den VAT 69 in die Unterhosen gießen, weil sie ihn nicht mehr trinken können?

es war kurz vor Franteks Tod im Jahre 61.
woran er starb, ist schwer zu sagen.
die einen sagen: er starb an seiner täglichen Flasche.
die anderen sagen: wer stirbt schon an seiner täglichen Flasche.
aber was man wissen muß.
wenn der, dem der Grund und Boden gehört die Polizei mobil macht. und einer muß über Nacht aus dem Zimmer, auf dessen Schwelle ich einmal den Kopf liegen hatte.
der andere kommt morgens nach Hause, sein Wohnwagen ist fort und Frantek zeigt ihm einen Zettel und sagt.
den hat mir ein junger Polizist gegeben.
darauf steht geschrieben, wo der Wohnwagen abzuholen ist.
der Dritte aber sucht zwischen den Grabsteinen seinen gefütterten Schlafsack, den er sich beschafft hat, um auch im Freien warm zu schlafen. und so geht das weiter.
wenn also von einem Tag auf den anderen.
und nun kein Frühstück mehr um einen Thronsessel
und was sonst noch alles da herum
und auch keine tägliche Flasche mehr
im Supermarkt zwölf fünfundneunzig
beim Spezial- und Hoflieferanten aber nur fünf dann kann es schon sein, daß kein Frantek mehr lange lebt.
dann kann es schon sein, daß nur noch zwei drei Tage vergehen.
und dann fällt er um.
und ist tot.
wird verbrannt.
und begraben.

das muß doch mal gesagt werden.
weil.
wenn ich das weiß, dann weiß ich auch, wann es war.
in einem Register steht beispielsweise.
Datum der polizeilichen Anmeldung. Grund der polizeilichen Anmeldung. Zuzug von daundda.
Datum der polizeilichen Abmeldung. Grund der polizeilichen Abmeldung. Ableben.
in einer Akte steht ferner.
Vermerk über das unerwartete, unauffällige Versterben eines gewissen Herrn namens Franz Bausch, genannt Frantek.
der Selige hinterläßt keinerlei Angehörige oder sonstige Vermögenswerte.
das sind doch Fakten.
und warum nicht, wie ich.
eines morgens wische ich mir den Schaum vom Ohr
binde mir einen Apparat unter den Kehlkopf
mache einen guten Eindruck
und sage höflich zum Amtssekretär z. A. 2. Klasse.
bitte.
die Akte, das Register, über den und den Vorgang.
zum Beispiel das genaue Datum des Ablebens des Herrn Franz Bausch aus München.

warum statt dessen fragen, wann neunzehnhunderteinsundsechzig sei und wenn es dann auf Null bezogen ist, zu fragen.
wann ist Null?
warum fragen, ob ein Hommage à Frantek überhaupt eine Zeit haben muß.
überhaupt und weil Frantek eine Allerweltsperon ist, die für keine zwei Sechser Vernunft hat, geschweige denn für einen Groschen.
und für niemand eine Bedeutung hat.
außer für mich, für Dich und für diesen und jenen hier und da.

und ob Frantek wirklich eine Zeit hat.
selbst nur als Form verstanden, in die vieles hineinfällt.
in Berlin wird eine Mauer quer durch die Stadt gebaut.
in Pakistan findet eine Überschwemmung statt.

wenn ich das getan habe, weiß zwar immer noch niemand, ob es Bedeutung hat.
und wenn es Bedeutung hat, weiß auch immer noch niemand wann es gewesen ist.
denn wann ist Null?
deshalb muß zugegeben werden, was immer bekannt war.
daß mit dem *wo* und dem *wann* das *wer* nicht erklärt wird.
aber wie es damals und dort gewesen ist, das will man doch schließlich auch wissen.
verstehst Du?
also wer war dabei?

wir saßen in dem Raum, auf dessen Schwelle ich einmal den Kopf liegen gehabt hatte.
die ganze Bekanntschaft dauerte zwei Monate.
in dieser Zeit haben wir fast täglich zusammen gefrühstückt.
Sergio, aus dem Urwald, oh, stategovernemente, wo die schwarzen Neger sind und die vielen Moskitos, der viel von einem Indio hatte und aus Südamerika kam.
Uli, weil Frantek im vorbei an seinem Fenster, morgens um fünf, seinen Kopf hinein und: Ulikönig, Ulikönig. Rath, der immer von einem Leihbüchereibesitzer namens Rath, zu dem einst eine alte Frau kam und sagte: guck mal da Rath, Stein auf Hand gefallen, dicke Knoche, und dann soll sie sich noch gebückt und gesagt haben: da, als so'n Hüppel, so'n Steen!
Cesar, obwohl er die Haare ich weiß nicht mehr wie, nur nicht so.
Jemand, aber, der schon drei Kapitel über Frantek geschrieben hat.
und ich.
Sergio tanzte.
Rath saß am Fenster, schmierte Farbe auf weißes Papier und tupfte mit allen zehn Fingern darin herum.
Cesar stand am Kocher und machte sich Rührei.
Jemand stand nahe der Tür und traute sich nicht recht weiter.
Frantek saß auf seinem Thron in der Mitte.
Uli und ich lagen auf dem Bett und spielten:
greif hier mal hin
greif da mal hin
greif auch mal in die Mitte rin
und ein Mädchen war da, das packte die Tasche aus.
ein Mädchen?
das ist eine, die Jemand Bettina (6) genannt hat.
und warum?

(6) Als Usch Bettina das erste Mal traf, wußte sie, daß nun alles vorbei war; durchdrungen, überstanden, und wie die Be-

weil.
einmal stand sie in einem Blumenladen, der hieß: Bettina am Zoo. frische Veilchen.

aber die Bekanntschaft dauerte nur zwei Monate.
das ist ja die reine Poesie, Leute.
und dann ging es los.

zeichnungen dafür, daß sich eine Veränderung anbahnt und ein Zustand zu Ende geht, noch alle heißen mögen. Sie geben dem Weg, der zur Veränderung führt und der selbst schon Veränderung ist, mehr oder weniger sinnfällig Bedeutung und entheben uns doch nicht des Zwanges, nachzudenken, wie es eigentlich gekommen ist. Ist es gekommen? Sind wir hingekommen? Wenn überhaupt.

Was gewesen war, lag auf seinen Schultern wie Staub auf einem Denkmal. Er brauchte nur noch jemandem zum Staub wischen – Bettina!

Wieviele Jahre hatte er *drin* gesteckt? – und ohne Übergang der Gedanke, daß dieses Wort nicht zu Unrecht eine Bezeichnung im sexuellen Jargon ist. Wann hatte er, hatte er überhaupt noch, erwartet, es möge eine Veränderung eintreten? Oder besser: die Veränderung möge zu einem neuen Zustand führen, der sich vom vorigen deutlich absetzte? Soll man die Widersprüche lösen? So unvermittelt gefragt würde er ohne zu fragen antworten: *ja!*

Also Bettina, die erste Frau eines Mannes, der immer nur mit Männern und doch stets die Veränderbarkeit in sich: denk doch nur an Deinen gefährlichen Schrecken, als Du auf die Damentoilette gingst, wie das in diesem Lokal üblich war und Du fandest zwei, die sich liebten. Das hattest Du nicht erwartet, daran hattest Du nie gedacht, es war Dir nie in den Sinn ge-

sie sprachen nur noch von Frantek und lehrten die anderen seine Sprüche.
Lott ist tot, Lott ist tot.
aber es war nichts heiteres dran, nur das Gefühl versteinerte Worte zu betrachten.
höchstens die komische Gewißheit, wenn Sergio das Gesicht in beide Hände nahm und wie Frantek sagte:

kommen, daß Du nicht die Einzige sein könntest, die fähig war, einen Mann zu lieben, obwohl Du es wußtest, Du hattest es Dir nie klar gemacht, wenn Du mit einem Mann im Bette lagst.

Ohne zu Zögern würde er antworten *ja,* denn er hielt sich für einen vernünftigen Menschen und nach einigem Überlegen hinzusetzen – vielleicht nach Tagen oder Wochen – daß dem zum Trotz gewisse Widersprüche nur deshalb auftreten, weil wir die Unlösbarkeit einiger Widersprüche nicht anerkennen wollen, und da wir kraft unserer Vernunft verpflichtet sind, Widersprüche aufzulösen, auch nicht anerkennen können, so daß unser Dilemma eigentlich darin besteht, nicht zu wissen, welche Widersprüche tatsächlich unlösbar sind, welche für uns und nur für uns, welche für gestern, heute, morgen und so fort.

Also Bettina und Usch wüßte nicht einmal genau zu sagen, wie es angefangen hat. Wann fängt eine Veränderung an? Wann welche Veränderung? Sicher ist nur, daß der Beginn einzelner Veränderungen nicht in der gleichen zeitlichen Folge steht, wie die Resultate, die sie erbringen.
Mit einem älteren Jungen namens Pelz hatte er in dem *Pulvergraben* genannten Teil der alten Stadtbefestigungen gesessen und sich für Manipulationen in Pelzens Hose einen Zigarrenstummel erarbeitet, den heute der ärmste Rentner nicht aufheben würde – aber damals war noch die schlechte Zeit.
Im Vorbeifahren mit dem Rad hatte er einem für sein Alter gut entwickelten Mädchen mit dem Tischtennisschläger auf den Hin-

diese Hitze
und diese Moskitos
Südamerika
fahr ich nie wieder hin

aber das war Zufall, denn Frantek als ein Ganzes ist ein ganzer Frantek. wie der immer unbekannte Inhalt eines Spiegels.

tern geschlagen und sich dadurch ihre Sympathie zugezogen, so daß er sich in Zukunft mit ihr allabendlich im Ziegenstall ihres Vaters treffen konnte, wobei sie ihm vieles beibrachte, bis der Vater eines Tages dahinterkam. Sie waren zur Abwechslung einmal auf den Boden geklettert, ohne zu ahnen, daß ein gewisser ausgedienter Schweinepfleger namens Kalinowski, genannt *Käse*, in seinem Taubenschlag saß, den er kaum auszumachen unter dem Giebel des hohen Daches hatte. Der hatte sich erst gerührt, nachdem er alles mit angesehen hatte. Und jahrelang hatte er einem älteren Jungen als Freundin gedient. Wo auch immer hatte er sich auf den Rücken gelegt. Im Straßengraben, auf dem elterlichen Sofa, im Stroh einer Scheune. Seine Schenkel lagen schön dicht beisammen.

Aber wo beginnt die Veränderung eines Jungen zum Strichjungen, der im Volksmund *Pupe* oder *Tunte* genannt wird? Wie lange reichen die kindlichen Spiele, wann wird es Ernst? Was haben frühere Begegnungen mit Mädchen dennoch für eine Bedeutung? Trifft Usch deshalb Bettina? Weiß er deshalb, daß nun alles vorbei sein wird? Und deshalb ohne Bedeutung, ob die kindlichen Spiele mit dem Pendant nie zu Ende waren? Oder ob sie schon das Gleiche waren, wie der Ernst unter Männern, wenn auch weniger bewußt? Ist etwas, nur weil es vorbei ist, ohne Bedeutung?

Bettina verspricht ihm, da weiterzumachen, wo er vor fast zwanzig Jahren auf dem Heuboden eines gewissen Landarbeiters

dann konnte es sein.
Uli fing an zu erzählen.
so daß die Erinnerung an Frantek durch die Worte eines anderen aufrechterhalten wurde und es also hieß: und alles, was Frantek erinnert, weil ich es erinnere, wenn ich Frantek erinnere, weil ich Frantek erinnere, wenn ich es erinnere.
und die Möglichkeit bestand, daß einer anfing zu reden.

der halbtags für eigene Feldarbeiten frei war und zwei Kühe zum Ackern und Mistfahren hatte, aufgehört hat. Bettina ist eine Frau und wenn eine Frau eine Veränderung einleiten kann, dann sie.

Manches läßt sich leichter verfolgen. In der Zeit, da die Jungens ihre Freunde oft verlassen und sich für Mädchen zu interessieren beginnen und nur noch einmal die Woche das *Troquadero* oder ein ähnliches Lokal aufsuchen, aus Erinnerung, weil sie ihren Freund nicht so leicht vergessen können, weil es mit dem Mädchen nicht so recht klappt, weil sie Geld brauchen oder wenigstens wieder einmal einen ausgegeben haben wollen, in der Zeit lernte Usch einen kennen, der sich für sie interessierte. Er war ohne Ähnlichkeit mit Leuten wie dem dicken, sicher zwei Meter großen Substituten aus dem Kaufhof, der ihn wochenlang durch die ganze Stadt verfolgte, stehenblieb, wenn er stehenblieb, kehrt machte, wenn er kehrt machte, sich zwei Tische weitersetzte, wenn er in ein Lokal ging, rot wurde, wenn er an seinen Tisch kam und um Feuer bat, nie ihn einlud, ansprach, und doch in allen seinen Bewegungen und Reaktionen eindeutig war. Man kennt diese Leute.

Es war in der Zeit, als man begann, in den Schwulenlokalen offen zu tanzen; da flogen sie aus einem, das besonders vornehm tat, weil sie Ländler und Polka tanzten. Später bat er ihn, ihm alles zu zeigen und es stellte sich heraus, daß er noch nie mit einem Mann geschlafen hatte. Das war also in dem Alter,

die Nase in die Luft und aus Zigarettenresten Funken schla-
gend. dann wurde der Wind abgestellt und was alles im Raum
war:
Senfeier,
Rauch,
Fußschweiß,
nicht einen Millimeter bewegbar.

da andere begannen, sich für Mädchen zu interessieren, wei
sie ihre Freunde satt hatten und das ganze Leben und sein Ge-
tue. Da hatte er seine zweite Freundin seit dem Heuboden, abe
es war immer noch ein Mann.

Und nun hat er also Bettina. Er versucht zu vergessen, wie e
mit dem war, der ihm als erster Symbole und selbstmörderische
Gedanken beibrachte und den ganzen Masochismus.
Er versucht dies und das zu vergessen, indem er sich erinnert
Vieles befindet sich in seinem Gedächtnis wie in korbgefloch-
tenen Reisekoffern, die auf einem Boden stehen, über den e
oft hinweggeht. Er weiß, da gibt es diesen Koffer und jene Kiste, und jeder Behälter stellt sich dar als der vage Gedanke
daß da vor kurzer oder langer Zeit einmal ein Ereignis gewesen ist, das sich ihm nur noch in einem Stichwort, Zeichen, Bild
Geruch und so fort darstellt. Sie kann es nicht vergessen, es
fällt ihm immer wieder ein und sie hat doch keine Klarheit darüber, welche Bewandtnis es mit ihm hat. Da beginnt er sich zu
erinnern, spürt ihm nach und bedient sich der Hilfsmittel historischer Wissenschaftler. Doch wie sie sich dem Ereignis zu nä-
hern beginnt, wie es sich aufzuklären beginnt, wird es immer
undeutlicher. War es zuvor wenigstens ein scharf umrissener
schwarzer Fleck auf einem großen weißen Bogen Papier, so beginnt der Fleck zu zerfließen, läuft über das ganze Papier aus
und läßt ihm zum Schluß eine noch immer weiße, aber nur
doch etwas angegraute Fläche, auf der sich jedenfalls kein
exakter Punkt mehr befindet. Ist das die Erinnerung wert?

und die Möglichkeit verloren, aufzustehen, wegzugehen, an den morgendlichen Beischlaf zu denken.
dafür Balanceakte.
daumengroß werden und an der Tischkante entlanggehen.
sich vollsaugen, die Konturen verlieren, und den ganzen Raum ausfüllen, auch unter den Schränken.

Doch er hat Bettina! Er sitzt und wartet und sie kommt und kommt. Eine Frau, zierlich wie ein Strichjunge, nicht größer als einen Meter und sechsundfünfzig, doch mit Beinen, die innerhalb ihrer Proportionen schlank sind und Brüsten, die nicht zu groß und nicht zu klein sind. Als er sie das letzte Mal sah, zeichnete sich an ihrem engen Rock das den Schenkel einschneidende Höschen ab, wie er es früher an jungen Männern bewundert hatte. Es sind immer einige bestimmte Punkte, auf die wir zuerst sehen, wenn wir jemanden treffen. Bei ihm ist einer dieser Punkte der deutliche Einschnitt eines Höschens am Schenkel und seine Abzeichnung an den eng sitzenden Hosen junger Männer und den engen Röcken der Frauen. Darüber ist es der Einschnitt des Büstenhalters am Rücken und an den Seiten, über dem sich der Pullover oder die Jacke aufwerfen. So war es gewesen, als Usch Bettina das letzte Mal gesehen hatte. Er hatte versucht, sich der Abende mit dem zwölfjährigen Mädchen zu erinnern und des Wenigen, das er seither über den Verkehr mit Frauen erfahren hatte.

Seit er Bettina das letzte Mal gesehen hat – es ist zugleich das erste Mal gewesen – hat ihn dieser Gedanke nicht mehr losgelassen. Dazu einige immer wiederkehrende andere: ist es möglich, daß ein Mann, der so lange nur mit Männern zu tun hatte, plötzlich eine Frau nimmt? Hat er eine Chance dabei glücklich zu werden oder wird ihn die Frau über kurz oder lang seiner Persönlichkeit so berauben, daß er ruiniert sein wird? Wird er die Frau als Frau nehmen können und nicht als Ersatz für einen Mann?

andererseits sitzt der Rath in der Ecke und spielt mit zwei vertrockneten Mohrrüben Katze und Maus, Hund und Katze, Hase und Hund, Fuchs und Hase.
hat Bettina, die Ludwig Grimm 1809 nach dem Leben in die Kupferplatte geritzt hat, schon wieder soviel Marihuana oder auch nur Preludin, daß sie meint, sie müsse nur die Arme bis in Schulterhöhe heben und sich auf die Fußspitzen stellen, um zu fliegen. nun umkreist sie den Thron Franteks, küßt Jemand aufs Haar und fliegt zur niedrigen Tür hinaus. draußen landet sie auf einem Sofa an der Längswand des Schuppens.
außerdem.
Fetso der Feuerschlucker macht vor, wie man Frantek die Krawatte abbindet, ohne daß er es bemerkt.
Germaine, die ihren Namen Jamais sprach, aber noch niemals nein gesagt hatte und *Matratze* genannt wurde, erzählt

So ist es wohl gewesen: bis zu einem gewissen Zeitpunkt ist uns der Freund zugleich Ersatz für die Freundin; danach war für Usch der Gedanke an Frauen ausgeschlossen gewesen und erst seit der Begegnung mit Bettina ist er wieder wach. Ein trivialer Schluß: er ist wieder sechzehn. Doch da kommt Bettina. Sie trägt einen winzigen Herrenanzug, wie sie ihn für ihre winzige Figur braucht. Er paßt ihr wie angegossen, wie man so sagt. *Es war nicht leicht, einen passenden Anzug zu bekommen,* erzählt sie. *Er gehört einem Beleuchter am Staatstheater,* sagt sie, *der ist praktisch ein Zwerg.* Dabei lacht sie. *Gehen wir in ein Lokal, wo nur Männer verkehren?,* fragt sie, *gefall ich Dir?, hast Du schon einen Freund wie mich gehabt?*

Sie sah tatsächlich aus, wie der charmanteste Junge, den Usch kennengelernt hatte. Sie nahm ein Taxi und fuhr sie ins Troquadero. Weil er so sehr bat.

UND WEIL SIE SICHER WAR, BENEIDET ZU WERDEN!

von erotischen Freuden in anderer Städten und in anderer Besetzung. nämlich. Kluss, Hinz, Fittus, Adelheid, Käse, Dux. sagt sie. da haben wir ganz schönen Spaß gehabt.

nun frage ich einmal, mit wem war Frantek.
dann wird mir gesagt.
na, mit denen.
mit wem denn.
na, mit denen allen.
und wer sind sie?
na, die.
ja, wer denn?!

da müßte ich also nach verschiedenen *wer* fragen und frage doch nur.
wer ist Frantek?!
aber warum der Vorwurf. Du nennst Namen. Du beschreibst ein wenig, was sie machten, doch reicht das alles nicht aus, um zu sagen. wer waren die, mit denen Frantek war. wenn Du mit ihrer Hilfe sagen willst. wer Frantek war.
warum der Vorwurf. mit Sergio, Bettina, Fetso und mir kommst Du Frantek nicht näher.
wenn Du einen hättest, der immer mit Frantek war.
und könntest sagen, wer der eine ist. dann wohl schon eher.

deshalb: warum nicht, wie ich. sitzen vor Franteks Haus und warten. eintreten. trinken. liegen mit Uli auf einem Bett. sagen, was einige machen, wie sie heißen, wie sie sind. im Kreise um Franteks Thron.
und fragen.
wer bist Du. Frantek.
wer bist Du.
wer.

dem eigentlichen wer geht das wer voraus. also muß jeder der anfängt zunächst einmal ernsthaft bestreiten, daß es Frantek nie gegeben haben soll. es hat ihn gegeben, denn ich habe ihm selber die Haare geschnitten. doch was ist mit Frantek wie er 1963 in Berlin umgebracht wurde und war doch bei seinem Tode noch fünfzehn Jahre jünger als jener Frantek in München? warum wird es heißen, eines Tages sagte Frantek zu einer Frau: du bleibst hier sitzen und ich gehe nur schnell Zigaretten holen und bin gleich wieder da und dann geht er weg und dann wartet die Frau und dann wartet sie nur noch und auch beim Polizeirevier und beim Touristeninformationsamt und in allen Hotels der Stadt und in allen Lokalen der Stadt weiß keiner wo er sein mag und auch mit Netzen in den Kanälen ist er nicht zu finden? der nur mal Zigaretten holen wollte? im Jahre Kraft durch Freude 1936? ist Frantek damals schon gestorben? oder ist er nur abgehauen und war deshalb Junggeselle in München 1961 und in Berlin 1963 fünfzehn Jahre jünger? und denk nur mal an den, der beim Baden im Eriesee von einem in Eile vorbeifahrenden brennenden Schiff überfahren wurde und gleich tot war, der hieß doch auch Frantek! und wer weiß wie viele sind gestorben und hießen alle Frantek, also welcher?! man will doch schließlich welcher wissen. denn alle durcheinander sind sie nichts, der eine ist Trinker, der andere Raucher, der dritte Tabakschnupfer, der vierte Priemtabakesser, der fünfte geht auf den Strich und ist schwul, der sechste hat einen dicken roten Mittelfinger an der rechten Hand, der siebente macht wieder alles. nun nimm nur mal diese.

aber mal halblang. wenn ich dir sage: München 61 gab es Frantek der im gleichen Jahr starb. dann kannst du mir glauben. dann glaube ich es. obwohl meine nächste Frage die gewesen wäre: ob Frantek virgo intacta gratia plena in früherem Leben Franziska, weiblich, vielleicht die Frau gewesen ist, die ein Kind geboren hat mit dem Kopf eines Rindes drei Zähnen im Maul, einem Schopf Haare auf dem Kopf nach

Art eines Hornes und einem Granatapfel, behaarten Löwenfüßen mit Krallen und dem Leib eines weiblichen Menschen und ebensolchen Geschlechtsteilen, und hat es vor Menschen verborgen und zu Frantek und den Jungens in Sicherheit gebracht? aber das hätte ich auch gleich verneint.
also Frantek. hat ja nie seine Geschichte erzählt. weder ganz noch teilweise. und niemand außer einer gewissen Metzgersgattin namens Maria Geringer war in der Stadt oder irgend wo sonst, der hätte sagen können, was Frantek gemacht hatte. früher. bei ihr nur, der Geringer, hatte Frantek (wann vor dem zweiten Weltkrieg) in Untermiete gewohnt.
das bekam einer raus, als Frantek sagte: kennst du eine gewisse Frau Geringer?
nein.
na, die war vielleicht eifersüchtig auf mich.
damit meinte Frantek geil. und dann:
sag mal Frantek, woher kennst du sie denn.
bei der hab ich gewohnt. die war aber eifersüchtig auf mich.
bevor du in Amerika warst oder danach?
das war danach.
vor dem Kriege oder nach dem Kriege?
nun gibt es für Frantek viele Möglichkeiten zu antworten.
er sagt zum Beispiel: warst du schon dort? Chicago, Detroit, Philadelphia. I worked in the meat-factory.
dann ist auch diese Ermittlung vergeblich. so ist das eben. bei Frantek gibt es nichts zu ermitteln. nur mühsam notieren was die einzelnen Sprüche, Sätze, Erzählungen, enthalten. und das ist ein ewiges Werk; aber nur wenn du in der Gnade bist. nicht wie ich.
doch so viel scheint festzustehen: in der Kaschubei versteckt liegt die Hauptstadt Konitz. und Vandsburg liegt am Rudener Fluß. dann aber wurde in der Rominter Heide eine Straße gebaut und es gab schon damals eine Mark zwölf die Stunde. das war mehr als ein Maurer verdiente. und dann kam der Zug nach Westen.
weißt du, da war die Weltwirtschaftskrise und da mußte ich

zu Bauern aufs Feld gehen. und wie ich nach Hause komme, hab ich einen Hunger, hab ich einen Durst, ist keiner da und auf dem Tisch liegen zwölf Königsberger Klops.
ich in Garten, einen kleinen Liegen, einen kleinen Schlafen, aber immer der Gedanke an die Klops. bis ich rein und hab zwei gegessen. da hat die Frau aber einen Krach geschlagen, und dabei war sie doch mit meinem Bruder verheiratet. und wie der sich nicht getraut hat es ihr zu sagen, bin ich ab nachem Westen.
wohin?
na. nach Köln.
gleich nach Köln, Frantek? oder erst noch wo anders? nicht erst noch wo anders?
ja, nach Mörs am Niederrhein.
und was hast du da gemacht?
dann lautet die Antwort, die keine ist: weißt du wer die schwerste Frau der Welt ist?
nein.
eine gewisse Frau Hilschenbach aus Mörs am Niederrhein. drei Zentner achtzig mit einer Tochter von zwei Zentner sechzig.
dann gibt es noch die Möglichkeit herauszufinden, daß diese beiden Damen einen Stehausschank betrieben haben, in dem Frantek immer verkehrt hat. wahrscheinlicher aber ist, daß sich der Frage nach der schwersten Frau der Welt die Frage nach dem schwersten Mann der Welt anschließt.
Jonny Weißmüller, der Tarzan-Darsteller.
der stärkste Mann der Welt?
Max Schmeling, Weltmeister im Boxen.
das längste Tier der Welt?
das Ungeheuer von Loch Ness!

gibt es die Frage, was Frantek im Stehausschank der Damen Hilschenbach getrieben hat?
ja, denn die Frage ist berechtigt. Frantek hat immer im stillen gesoffen, nie in Lokalen, er hat sich nie für Frauen inter-

essiert und ist sofort ab, wenn eine eifersüchtig auf ihn wurde.
also was hat Frantek dort gemacht?
dann antwortet er vielleicht. eines Tages steht in der Zeitung: ein Partieposten Zigaretten wegen Aufgabe des Lagers sofort abzugeben. pro Mille sechzehn Mark, da bin ich gleich hin, hab zwei Mille übernommen und verkauft. ein bißchen vom Verdienst habe ich für mich behalten und von dem Rest habe ich am nächsten Tag gleich drei Mille geholt und verkauft.
dann folgt die Geschichte von einem gewissen älteren nicht übel wollenden aber pflichtversessenen Polizisten, der sich weder eine Zigarette anbieten, noch von seiner Absicht, dem Gewerbeaufsichtsamt das nicht angemeldete oder genehmigte Gewerbe des Kleingewerbetreibenden Franz Bausch zu melden, abbringen läßt. sich jedoch selbst hinein verwendet, Herrn Bausch gegen geringe Zahlung an die Amtskasse schon zwei Tage später einen Gewerbeschein zu beschaffen. der war später Franteks bester Kunde.

was das mit den Damen Hilschenbach zu tun hat? in der Zeit kauften sie ihre Zigaretten auch bei Frantek.
und wenn Jemand von Frau Goldschmidt erzählt?
bei ihr hat Frantek damals gewohnt. sie war eine Witfrau deren Mann gestorben war. der hatte außer einer großen Wohnung und Geld einige zehntausend Zigaretten pro Mille sechzehn Mark hinterlassen. die kaufte Frantek und zog zu Frau Goldschmidt. was pflegte die zu sagen? zum Beispiel am Sonntag Morgen?
Herr Bausch, Ihr Bad ist gerichtet und das Handtuch hängt hinter der Tür.
bei der hätt ichs gut haben können, bis an mein Lebensende, sagt Frantek.
stimmt das?
ja! denn Frau Goldschmidt hat auch gesagt: leihen Sie niemand was, borgen Sie niemand was, schaffen Sie sich keine Freundin

an. dann wird es Ihnen gut gehen bis an Ihr Lebensende. Sie werden noch mal an mich denken.
die wollte mich heiraten, die war eifersüchtig auf mich.
und warum ist Frantek bei der nicht geblieben, sondern mit dem Geld nach Amerika gefahren?
da antwortet Frantek: Columbusdampfer dritte Klasse. sechsundzwanzigster Februar 1926, sechzehn Uhr. drei Wochen Überfahrt. in New York Pier zwei. warst du schon dort?

über Mörs nicht mehr zu erfahren. über Amerika gar nichts. ob er in Südamerika war: zweifelhaft. in Paris könnte er gewesen sein, aber wann, wie, warum? nichts zu erfahren.
zum Beispiel: Frantek: wann bist du in Paris gewesen?
Frantek: oh, Paris, wo die Mädchen mit den roten Lippen sind und der Eiffelturm.
und was war mit Köln? da hat Frantek in einer Brauerei gearbeitet. aber wann? nach Amerika, vor Amerika, nach dem Krieg, vor dem Krieg?
was hast du denn da verdient?
oh, in Köln hab ichs gut gehabt und wenn die mich hier raus haben wollen, dann geh ich einfach wieder nach Köln.
folgt Geschichte des Braumeisters.
wie alt ist der damals gewesen, Frantek?
sicher sechzig.
und heute?
achtzig oder neunzig, wenn er noch lebt.
und wenn er nicht mehr lebt, kannst du doch gar nicht mehr hingehen.
ja, dann kann ich nicht mehr hingehen.
und was willst du da machen?
Strick nehmen und aufhängen.
aber weil das nichts ist, sollten lieber die Leute, die hier so Schwierigkeiten machen, nachts im Dunkeln, mit dem Beil erschlagen werden, aufn Schubkarren und ab und vergraben.
wer? wen?
einer, oder Frantek selbst, den Eigentümer des Grundstückes

dem all die Grabsteine gehören und der Boden auf dem Franteks Haus steht.
also ist mit Köln auch nichts zu machen. das ist mit Amerika genau so. mit einer Ausnahme.
nämlich einen Onkel. hatte Frantek in Königsberg. der sein Pate war.

erste Variation: wie dann Patte!? würde man jetzt in Nordhessen sagen, wenn einer unerwartet seinen Patenonkel trifft und dessen Wohlbefinden erfahren möchte.
zweite Variation: der war Malergeselle in Königsberg.
dritte Variation: er wandert aus nach Milwaukee und stirbt Anfang der zwanziger Jahre.
vierte Variation: er stirbt an dem guten Münchner Bier,
das in Milwaukee gebraut wird.
fünfte Variation: er wird während einer Parade zu Ehren des Besuches der Abgeordneten eines bayerischen Kriegervereins in Milwaukee von langbestrumpften, kurzberockten, trompeteblasenden, ehrlichbürgerlichen Jungfrauen im Gleichschritt zu Tode getreten.
Frage: woher wußtest du, oh mein Frantek, Frantecissimus, vom Tode des Patenonkels im fernen Milwaukee?
er wurde ihm brieflich mitgeteilt.
Kettenreaktion auf das Wort Milwaukee: warst du schon dort? Chicago, Detroit, Philadelphia, Milwaukee – halt! was wolltest du in Milwaukee?
erste Variation: I worked in the meatfactory. (das war doch in Chicago?!) hey you greenhorn, you no work, you go to office und you quitt, you go to all other country. zweite Variation: in Milwaukee? Pause. in Milwaukee wollte ich einen Onkel besuchen.
aha. war das vielleicht dein Patenonkel? Antwort:
erste Variation: aber Südamerika ist viel schlimmer. oh, stategovernemente, wo die schwarzen Neger sind, und so weiter.
zweite Variation: ja, der war mein Patenonkel, ein gewisser

Herr Heil, ein gewisser Malergeselle namens Heil aus Königsberg, der mein Patenonkel war.
Frage: und in Milwaukee. hast du ihn da getroffen?
Antwort:
erste Variation: New York, Chicago, Detroit, Philadelphia.
zweite Variation: nein. als ich hinkam, war er gerade gestorben.

also wieder eine Möglichkeit verpaßt. geschichtlich-biographisch ist über Frantek noch immer nichts zu erfahren. die Frage nach seiner Identität bleibt also offen.
und warum?: weil nicht glaubwürdig nachgewiesen wird, daß Frantek dieser, einer, ein bestimmter, und kein anderer ist und nicht eine beliebig große Zahl von beliebigen Franteks, die mit verteilten Rollen die Erlebnisse spielen, von denen hier die Rede ist. also wieder eine Möglichkeit verpaßt, Frantek anhand eines behördlich halbwegs verwendbaren Lebenslaufes in eine unordentliche Ordnung gestellt zu sehen – sein Schicksal ist genau so groß wie mein Schicksal, zwar viel kleiner als dein Schicksal, doch genau so schön – und ihn auf diese Weise wenigstens nach üblichen erkennungsdienstlichen Methoden identifizierbar zu machen – du wolltest immer nur zum Spaß, na, du weißt schon was. noch genauer: so nicht, meine Herren, so nicht. so beantworten sie mir die Frage nicht: wer ist Frantek?

doch vielleicht geht es so.
was hat denn Frantek gemacht, als Jemand ihn traf?
er ging zur Toilette.
und davor?
war er seit sechs Uhr morgens auf wie täglich.
und was machte er so?
ging auf und ab zwischen Grabsteinen oder sortierte alte Kleidungsstücke, die er in seinem Schuppchen hatte, oder saß nur so und wartete auf seine tägliche Fläsch. und wenn er die hatte, blieb er sitzen.

und die Kleidungsstücke?
ja, und auch ein altes Moped.
wozu?
über Land fahren, die Klamotten verkaufen und die hundert tausend Garnrollen und allerlei Kleinkram.
aber Frantek konnte doch gar nicht mehr über Land?
ja.
und was machte er da mit den Sachen?
was machst du denn mit dem ganzen Kram, Frantek?
sowie ich Gewerbeschein hab, gehts wieder ab, über Land.
und hätte Frantek noch über Land fahren können?
nein.
also blieb doch der ganze Krempel liegen?
ja.
und nach seinem Tode?

da hättest du was sehen können. ich möchte nicht wissen, was die für Augen gemacht haben, und das meiste wird wohl gar nichts mehr wert gewesen sein. aber Kohlen und Holz verderben ja nicht. und Konserven halten sich auch ziemlich lange. aber die anderen Sachen. sagen wir mal. in Textilien Motten und im Speck Maden, so daß einem das Zeug schon an der Tür entgegengelaufen kam. und was sie weggefahren haben, nachdem Frantek tot war. ich will mal sagen: nach dem, was ich gehört habe, sind drei oder vier Lastwagen voll abgeholt worden. Nahrungsmittel, Konserven, ganze Seiten Speck und Kugeln Käse. Stoffballen und Kleidungsstücke. allein mehr als ein Lastwagen voll Brennmaterial.

gut. aber was hat Frantek in den letzten Jahren seines Lebens sonst noch gemacht; außer Hamstern.
ein bißchen Rente abgeholt, ein Mal im Monat aufs Revier weil er betrunken vor eine Straßenbahn gelaufen war, und sonst halt. einen kleinen Essen, einen kleinen Trinken, einen kleinen Schlafen, einen kleinen Schwatzen, einen kleinen zwischen den Grabsteinen hin und her gehen, einen kleinen im

Rosenlehnstuhl sitzen, einen kleinen Jemand ans Knie fassen, einen kleinen betrunken sein, was man halt so macht. wenn man Frantek ist.

und wann ist man Frantek? wann ist einer Frantek?
schön bei der Wahrheit bleiben. wann ist einer Frantek?
na, wenn er Frantek ist.
und wer ist Frantek?
tja, und zuckt mit den Achseln. was sonst.
denn so wie es ist, ist das Ganze für niemanden von Interesse. womit ich nicht meine, ob ich, ob Jemand, ob irgend einer, für mich, für Jemand, für irgend einen – und wenn nicht für diese oder andere Personen, so doch überhaupt, und wenn auch für niemand, so doch auf jeden Fall – etwas zu sagen hat. denn es braucht ja nicht gleich aufgeschrieben zu sein nur irgendwohin, und wenn auch nicht gleich gesprochen, so doch wenigstens gedacht. und wenn auch nicht gleich gedacht, so doch wenigstens die Möglichkeit dazu. auf Anhieb oder nicht. auf Veranlassung oder nicht. aber auch ob er es muß, und wenn auch nicht muß, so doch wenigstens darf, und wenn auch nicht darf, so doch wenigstens tut, mit oder ohne Rechtfertigung, kraft eigener Überzeugung oder fremder – auch darauf kommt es hier nicht an. zwar bleibt es zu fragen und zu beantworten, und deshalb der Hinweis. aber man kann es ruhig zurückstellen. denn im Moment reicht aus, was ich das fehlende Interesse nenne, das fehlende Interesse, weil ich die Frage unbeantwortet lassen muß, obwohl es sie gibt:

wer ist Frantek?

obwohl es ihn gegeben hat.

Fünftes Kapitel

warum soll nicht gesagt werden, was geschieht?:
eine Frau sitzt und wartet!

1 wo er nur so lange bleibt, ich hätte ihn nicht gehen lassen dürfen; aber die Zigaretten, ja, es gibt hier im Lokal keine. sowas. bei uns hat jedes Lokal Zigaretten; im Automaten oder sonst wo. wenn ich nur wüßte, wo er bleibt.

sicher macht er absichtlich langsam, weil ich ihm nicht zuhören wollte, als er mir Unterschiede zu erklären versuchte, die es verbieten, hier Zigaretten zu verkaufen, weil ich gesagt habe: *nun geh doch endlich, hör auf zu reden;* ich hätte es nicht tun sollen, warum ich es nur getan habe, wahrscheinlich aus Ärger darüber, daß er immer alles mit seinen Reden verbinden muß; genau wie heute: ich bitte ihn Zigaretten zu holen, statt dessen beginnt er, mir eine Rede zu halten; aber ich hätte ihn reden lassen sollen; ich habe nichts gespart durch mein Drängeln; und es war so unwichtig.

natürlich hätte ich mitgehen können. aber ich wollte noch einige Zeit sitzen bleiben, weil es mir hier gefällt. wir hätten zahlen müssen, alles mitnehmen, gehen; da war es einfacher, daß er allein ging und versprach, gleich wieder zurück zu sein; aber nun ist er schon so lange fort.

vielleicht will er mich ärgern. will mich einfach mal sitzen lassen. weil ich ihn gedrängelt habe. dabei habe ich ganz recht gehabt: ich kenne ihn nach so vielen Jahren. er macht es immer so. wenn ich ihn bitte, etwas zu tun, sagt er: *ja.* manchmal schlägt er sogar vor, es zu tun und ich bin ihm wirklich dankbar. aber dann beginnt er darüber zu reden, etwas, das mich nicht interessiert und das außer dem Namen nichts mit der Sache zu tun hat, und ich sitze und warte und denke:

wann hört er nur endlich auf, ich will doch nur eine Zigarette, nur eine, warum holt er mir die nicht?!.

wenn mich die Geduld verläßt, sage ich: *nun geh endlich, hör auf zu reden!*, dann antwortet er: *was denn gehen? wohin denn?*, und nach einer Pause: *ach ja, die Zigaretten, die hatte ich ganz vergessen*, und dann geht er, aber er ist böse auf mich und sagt noch: *ich gehe ja schon, aber Du solltest mich nicht immer so drängen, es eilt doch gar nicht, außerdem bin ich nicht Dein Bote, nun schau nicht gleich beleidigt!*, dann geht er.

und nun ist er fort und kommt nicht mehr wieder. wahrscheinlich steht er an irgendeiner Theke und läßt mich einfach sitzen, es geht wirklich zu weit. er könnte etwas mehr Rücksicht auf mich nehmen; inzwischen bin ich schon dreimal angesprochen worden; wenn ich nur wüßte, wo er so lange bleibt; er müßte längst wieder hier sein; aber er kommt nicht und ich muß warten.

2 eine Frau sitzt in einem Lokal und wartet. es ist eine sogenannte Bar, wie man sie hier hat. bei uns heißen sie Espresso, sofern es sie überhaupt gibt. kein Ort, der nach Beschreibung verlangte. jeder weiß, was gemeint ist, auch über die Beziehung der Frau zum Lokal braucht nur gesagt zu werden, daß sie gern Gaststätten dieser Art aufsucht und sie zu Hause sogar vermißt. wohl ihrer Art wegen, aber auch wegen des Geschmacks, den der Kaffee hat, der aus kleinen Tassen ohne Milch getrunken wird. die Tassen werden nicht voll geschenkt. der Kaffee schmeckt bitter und süß.

deshalb sitzt sie hier, ordnet Gegenstände, die vor ihr auf dem kleinen runden Tisch liegen. ordnet sie anders ohne erkennbare Ordnung: eine Zigarettenschachtel, ein Kästchen Streichhölzer, ein Notizbuch, einen kurzen Bleistift; ordnet neu und anders ohne erkennbares Ordnungsprinzip, greift dazwischen nach der Tasse, die längst leer ist, der zweiten

Tasse, die längst leer ist; versucht durch Schlürfen und mit der Zunge einen Rest kaffeebraun gefärbten Zuckersatz aufzunehmen, nimmt den Kaffeelöffel zu Hilfe, kratzt den Bodensatz aus der Tasse, fährt sich später einige Male mit den Fingern durch das Haar, nimmt die Sonnenbrille von den Augen, putzt sie mit einem kleinen Taschentuch, das sie ihrer Handtasche entnimmt und beginnt wieder, die Gegenstände auf ihrem Tisch zu ordnen.

1 ich kann mich nicht erinnern, daß er mich jemals hätte so lange warten lassen. selbst zu Haus nicht, wenn wir verabredet waren, um eine gemeinsame Besorgung zu machen. dann kam er schon mal zu spät, weil er den Bus verpaßt hatte, weil er die Zeit vergessen hatte; in irgendeiner Kneipe, mit diesem oder jenem; das kam schon mal vor und war etwas anderes, als wenn es hier geschieht, in einem fremden Land.

außerdem kann er nicht weit sein. an jeder Ecke ist ein Laden, in dem Zigaretten verkauft werden. er müßte längst wieder hier sein. wo er nur bleibt. bestimmt steht er an einer Theke; hat sich eine von den winzig kleinen Bierflaschen kommen lassen, die sie hier haben und trinkt sich eins, wie zu Haus; ißt dazu ein hartgekochtes Ei, spricht mit den Einheimischen und läßt mich warten.

wenn ich Pech habe, betrinkt er sich wieder wie letztes Jahr in Südfrankreich mit einem Freund, den er zufällig auf der Straße getroffen hat und der auch auf Urlaub ist. dann sehe ich ihn heute Abend wieder oder heute Nacht; und was mache ich so lange? ich kann doch nicht ewig hier sitzen bleiben.

womöglich hat er wieder so viel vom Reisegeld versoffen, daß wir drei Tage lang sparen müssen. dabei wollte ich mir noch dies und das kaufen; aber wenn er so mit dem Geld umgeht, brauche ich damit gar nicht zu rechnen. so etwas kann er vielleicht zu Hause machen, aber nicht im Urlaub. er verdirbt mir ja den ganzen Tag. natürlich könnte ich fortgehen, soll er doch sehen, wo er bleibt; da bin ich schließlich nicht schuld. wenn er lieber in der Kneipe steht, als sich alles anzusehen, na bitte! seine Schuld! und wenn er keine Rücksichten auf mich nimmt, brauche ich keine auf ihn zu nehmen. ich sollte einfach weggehen, ohne Nachricht zu hinterlassen. keinen Zettel, kein nichts! in die Pension sollte ich gehen, und wenn er nicht in der Pension ist, bis ich mich ausgeruht habe, dann werde ich weitergehen und auch dort keine Nachricht hinterlassen. da wird er schon sehen, wie weit er kommt!

2 sie sitzt an einem der drei kleinen runden Glastische des Lokals. fingert mit den Gegenständen auf dem Tisch herum. winkt dem Kellner, der ihr noch ein Glas Wasser bringt. scheint einige Zeit mit Interesse zu beobachten, wie der Kellner hinter der Bar in seiner kurzen, weißen, westenähnlichen Jacke zwei große Becher mit Eis und Früchten füllt. wendet den Kopf jedoch immer wieder zur Straße, blickt sie hinauf und hinunter, so weit wie sie sehen kann, wird einige Male noch unruhiger, als sie schon ist, nestelt an ihrer weißen Bluse, die vor dem Hals einige große Rüschen hat, steht eilig auf und läuft nach draußen – im Laufen dem Kellner etwas zurufend – steht nun vor dem Lokal und ruft:

Franz! hallo, Franz!,

hebt einen Arm, winkt, steht einen Moment lang mit erhobenem Arm, steht so, bis der Ruf nicht nur physikalisch, sondern auch nach dem unaufmerksamen, allgemein verbindlichen, unüberlegten Meinen eines Jeden bei dem Angerufenen, der von hier aus nicht zu sehen ist, angekommen sein muß, offenbar angekommen ist, ohne bemerkt zu werden, wie aus ihrer langsam phasenähnlich erschlaffenden Haltung zu erkennen ist; kehrt nun in sich. kehrt um. kehrt zurück. kommt wieder in das Lokal, setzt sich, nimmt eine Zigarette und zündet sie an. raucht und schaut aus dem Fenster. entschließt sich offenbar erneut. nimmt einen Stift vom Tisch. reißt einen Zettel aus ihrem Notizblock. und schreibt:

Frantek, ich habe so lange gewartet, wie es ging. Du triffst mich in der Pension.

winkt dem Kellner, gibt ihm den Zettel, und zeigt zugleich die Photographie eines Mannes in mittleren Jahren. aufrecht stehend vor einem kleinen Holzschuppen über dessen Tür mit greller Farbe geschrieben steht: *Lagerhaus!* ein Mann in altmodischer Kleidung, die ihn älter macht, als er ist. ein Mann in den sogenannten besten Jahren. mit kurz geschnittenem Haar und zerknittertem Gesicht. Anzug offenbar zu groß. die Hosen haben Falten, die darauf schließen lassen, daß der Mann Hosenträger unter der Weste trägt. unter der auf weißem Chemisett ein Schlips nach alter Art gebunden hervorschaut. wie auch die Schuhe unter den zu kurzen Hosen so weit ersichtlich sogenannte hohe Schuhe sind.

die Frau zeigt dem Kellner das Bild. sie gestikuliert. der Kellner nickt und redet auf sie ein. sie nicken beide. der Kellner nimmt den Zettel und die Photographie, schaut darauf, gibt ihr die Photographie zurück und nimmt den Zettel an sich. die Frau zeigt auf ihre Tasse. der Kellner geht zur Theke und ruft etwas, das eine Aktion des Kellners hinter der Theke auslöst. kurz darauf kommt er mit einer kleinen, kaum mehr als halbgefüllten Tasse zurück. an der Theke reden einige Männer über die Frau, die schon ziemlich lange sitzt und entgegen aller einheimischen Gewohnheit gerade die dritte Tasse Kaffee bekommen hat; sogenannten Espresso.

1 es hätte immerhin sein können, daß er sich verläuft und dort drüben entlanggeht, ohne das Lokal zu sehen. aber es war wohl dumm von mir, das auch nur zu glauben.
wenn er schon den Weg dort drüben genommen hätte, spräche doch eigentlich viel mehr dafür, daß er bewußt nicht

herübergekommen ist. wer weiß denn, was hinter seiner langen Abwesenheit alles steckt. vielleicht ist es gar nicht der Zorn darüber, daß ich vorhin. wer weiß denn, ob er nicht in der Absicht weggegangen ist, mich ein paar Stunden sitzen zu lassen und sich derweil die Zeit auf seine Weise zu vertreiben. irgend so ein Flittchen. zu Hause ist er ja auch oft so lange fort. wer weiß, was er da macht. sicher hat er längst eine Freundin, während ich noch glaube, er sei mir treu wie Gold. und das hier ist womöglich nichts anderes als eine dumme, billige Rache dafür, daß ich gestern abend nicht so gewollt habe, wie er. sicher, das wird es sein. er hat sich geärgert, daß ich mich nicht jedes Mal wie ein Stück Fleisch behandeln lasse und jetzt macht er's mit einer anderen.

aber trotzdem. so geht's nicht. so nicht. wenn er meint, er könne mich auf diese Weise bekommen, dann irrt er sich. stundenlang kann er sich abmühen. nicht einen Zentimeter, sage ich Dir! da mußt Du mich erst einmal anständig behandeln und nicht glauben, Du könntest Dir alles erlauben. so nicht mein Lieber! das sage ich Dir. Du kannst eine ganze Menge mit mir machen, aber was zu weit geht, geht zu weit!

natürlich ist es gar nicht so schlimm und wenn ich jetzt schon in der Pension wäre, könnte ich mich ins Bett legen und mir vorstellen, wie er mich mit einer anderen betrügt. ich wäre bestimmt glücklich, wenn ich mir vorstellte, wie sie beieinander liegen und glücklich sind und wünschte mir nichts anderes als zu liegen und immer ganz deutlich vor mir zu sehen, wie sie mich miteinander betrügen. mehr brauchte ich gar nicht; aber was hilft es? es hilft mir nicht weiter. das Gefühl ist zu kurz. und dann kommen die Fragen zurück: wo er nur bleibt. wenn ich nur wüßte, wo er bleibt. wenn ich nur wüßte, daß er mich gerade in diesem Augenblick betrügt. das wäre wenigstens noch etwas. da könnte man sich einstellen. schließlich will man doch wissen, woran man ist. nicht daß einem die Leute im Haus eines Tages auf diese oder jene gehässige Art und Weise sagen, daß einen der eigene Mann betrügt. das ist weiß Gott nicht angenehm. deshalb wäre es besser, ich wüßte Bescheid. vielleicht würde ich ihm sogar verzeihen können. schließlich weiß ich was mit mir los ist und man hört oft, daß Männer, die eine Freundin haben, zu Hause so zärtlich und großzügig sind, wie kein anderer.

aber hab ich denn das nötig? so wie ich hier sitze? ich bin schließlich nicht irgendeine. mich so zu behandeln. und sicher ist das erst der Anfang. ich werde schon sehen, wie schlimm es noch kommt. was er sich noch alles herausnehmen wird. dann kann ich von Glück sagen, daß er mir nicht auch noch ein Kind gemacht hat. das wäre was. zu allem Unglück auch noch ein Kind.

2 es handelt sich um eine große dunkelhaarige Frau, die offensichtlich landfremd ist. eine Frau nicht ohne Charme und mit jener Hilflosigkeit gegenüber dem Lächeln eines jungen Mannes, die an Fremden so geschätzt wird, weil sie eine Verführung leicht zu machen verspricht. nicht unbedingt und nicht immer gleich Bett. es spricht sogar einiges dagegen. aber führen wohin sie nicht will. und eine Erinnerung, die für Jahre reicht.

nun sieht sie mit demselben hilflosen Blick – er ist eigentlich nur nichtssagend – wieder durch das Lokal. nimmt also den Blick aus der Straße ins Lokal über die drei kleinen runden Tische hinweg, die noch einigen Platz lassen für zehn oder fünfzehn Männer, um an der Theke zu stehen. manchmal eine Frau. aber selten. und sonst nur Männer.

sie stehen teils einander zugewandt vor der Theke. teils sehen sie über die Theke hinweg in den Spiegel an der Rückwand, der ihre Blicke hinauswirft durch das große bis zum Boden und bis zur Decke reichende, gardinenlose Fenster, das fast die ganze Länge des Lokals einnimmt. draußen ist eine breite baumbestandene Allee, die an dieser Seite des Hauses entlang in einen Platz mündet.

andere schauen in die gleiche Richtung, wie die Frau. durch das ebenfalls wandhohe Fenster am schmalen Ende des Lokals. sehen ohne den Umweg und den Zwang der Spiegelung auf einen Platz mit einem Reiterdenkmal eines Heerführers. das ein Renaissancebildhauer hat in Bronze gießen lassen.

da bleiben die Blicke der Frau stellenweise liegen, aber nicht lange. und was es mit dem Liegenbleiben auf sich hat: wer kann das sagen? wer weiß, was sie sieht? wer weiß, was sie überhaupt und in ihrer besonderen Lage imstande ist, zu sehen? deshalb ist es viel wahrscheinlicher, daß ihr Blick gerade so lange wie eine dünne Staubschicht dort liegen bleibt, gedankenlos und ohne Empfindungen zu erzeugen, so lange, wie eine Staubschicht, die der Wind gleich wieder fortnimmt. so kommt ihr Blick mit dem Wind herein. kehrt zurück ins Lokal mit den Männern an der Theke, den Flaschen hinter der Theke über und unter dem langen Spiegel und der Kaffeemaschine auf der Theke. bleibt aber auch hier nicht liegen. nimmt auch hier nicht wahr.

warum soll nicht gesagt werden, was geschieht?:
eine Frau sitzt und wartet!

1 warum eigentlich wollte er unbedingt gehen, obwohl ich gesagt habe: *ach laß doch; wir werden es nicht mehr wieder bekommen. wer so etwas findet, gibt es nicht mehr her.*

es war ein schönes Tuch. ich hatte es gern. nicht, daß ich es nicht mehr haben wollte. es war noch immer mein liebstes Tuch. ich hatte es so lange, daß es eine Erinnerung geworden war. an etwas, das ich einmal besessen habe. einen Freund. einen langen Herbst. eine freundliche Tante.

aber deshalb hätte ich doch nie etwas getan, das ich für sinnlos halten mußte und ich muß es für sinnlos halten, in einer wildfremden Stadt, ohne Kenntnis der Landessprache, ein Fundamt zu suchen und auf dem Fundamt ein Tuch zu suchen. das ist doch sinnlos; oder? aber er wollte es unbedingt tun. weiß Gott warum. vielleicht hat er geglaubt, ich erwartete es von ihm. aber ich habe es nicht erwartet. und er ist auch nicht einer von denen, die einem alles von den Augen ablesen. um es mir zu Gefallen zu tun. das hat er vor der Ehe nicht gemacht und wenn man erst mal ein Jahr oder mehr verheiratet ist, kann man es noch weniger erwarten. zuerst war ich einen Augenblick lang gerührt über seine Aufmerksamkeit. aber nun ist schon längst die Frage wieder da: warum wollte er unbedingt etwas sinnloses tun? warum wollte er unbedingt und gegen meinen Willen ein Kopftuch suchen gehen von dem ich noch nicht einmal weiß, wann und wie und wo ich es verloren habe? muß man nicht vermuten, es könne einen anderen, einen tieferen Grund geben? ist es nicht möglich, daß er hier ein Mädchen kennengelernt hat? ist es nicht sogar möglich, daß er zu Hause eine sitzen hat, die uns nachgereist ist? das muß man sich doch fragen, wenn er sich so auffallend um etwas bemüht, das er als sinnlos erkennen muß. kennt den

Ort nicht; weiß nicht, wo das Fundamt ist; und beherrscht auch die Sprache so mangelhaft, daß er nicht einmal weiß, was heißt: gestern. Tuch. verloren. Autobus. Piazzale Roma. Schiavoni.

so etwas muß sogar mir auffallen. und dann sagt er noch: *es wird nicht lange dauern.* woher will er wissen, wie lange es dauern wird? aber wenn es eine Verabredung mit einer Frau gewesen sein sollte, dann konnte er das wissen. und wegen des Fundamtes hätte er gesagt: *das Tuch war nicht da.* oder: *ich habe es nicht bekommen.* oder: sonst was.

ich weiß ja nichts genaues. aber so könnte es sein. und wenn es so ist. dann hätte er wenigstens so viel Rücksichten nehmen können zu sagen: *es kann einige Zeit dauern; wenn es Dir zu lang wird, geh in die Pension zurück.* aber das hat er natürlich nicht getan; und deshalb sitze ich hier wie bestellt und nicht abgeholt.

2 sie sitzt in einer dunklen Ecke des Lokals, in einem dunklen Winkel, den eine Bank bildet, die um einen langen rechteckigen Tisch herumläuft. man kennt das: ein Tisch steht in die Ecke gedrängt und dahinter steht eine mit rotem Leder bezogene Bank.

hier sitzt sie also und übersieht das österreich-ungarisch-donaumonarchisch wirkende Lokal. auch das ist bekannt. man denke nur an das Café Union in Laibach. poetisch-langweilig. ein Wartesaal. und langweilig, wie ein Wartesaal eben ist, wenn das der Fall sein sollte.

damit soll nichts über das Warten als solches gesagt werden. es ist unergiebig, obwohl die meisten dazu neigen, es wichtig zu nehmen. es ist nicht mehr wert, als das morgendliche Geschäft mit dem Stuhlgang, das kontokorrent zwischen Hauseigentümern, die ihre Stadtreinigungsgebühr pünktlich zahlen und dem Amt für Stadtreinigung, das sie pünktlich kassiert, geschlossen wird. und Wartesaal wurde nur gesagt, um den weiträumigen Charakter des Lokals anzudeuten, in dem sie sitzt. wozu ergänzt werden kann, daß sich hier das geschichtliche Faktum äußert, daß dieser Teil des Landes einmal österreichisch gewesen ist. aber vielleicht ist das Interieur auch nur eine Marotte des möglicherweise österreichischen Besitzers des Lokals.

man sieht, wie unbedeutend die Frage ist. wichtig ist nur die Frau, weil durch sie die Möglichkeit aufgehoben wird, über einen beliebigen anderen Menschen zu schreiben; wichtig, sie, wie sie sitzt, wie sie sich hält, was sie tut. daß sie zum Beispiel aus einer der großen Tassen trinkt, wie sie hier am Nachmittag nicht üblich sind. aus großen Tassen trinkt man nur am Morgen. dann hält man ein Hörnchen in der Hand und tunkt es ein von Zeit zu Zeit. wichtig der Blick zur Uhr, den sie manchmal innerhalb weniger Minuten wiederholt, als habe sie das erste Mal auf die Uhr geschaut, ohne es zu wollen; ohne wahrzunehmen, wie spät es ist; oder wenigstens so in Gedanken, daß die Erinnerung an die Uhrzeit sofort abhanden kam. dazwischen steckt sie Zigaretten an, zieht ein paar Male, drückt sie wieder aus, zündet gleich darauf eine neue an und drückt sie wieder aus.

1 wenn ich nur an gestern abend denke, als ich mich schon früh hingelegt hatte, weil ich so müde war vom vielen hin und her; da ging er fort und sagte: *ich gehe noch in das Lokal am anderen Ufer einen trinken;* hätte er da nicht gut Zeit gehabt für ein kleines Techtelmechtel? ich habe nicht einmal bemerkt, wann er wiedergekommen ist. aber selbst wenn ich es bemerkt haben sollte, sicher habe ich mich nur verschlafen zu ihm gedreht und gesagt: *Du riechst aber schön nach Kneipe.* ohne Argwohn, ohne einen Gedanken an die Möglichkeit zu hängen, er könne bei einer anderen Frau gewesen sein.

aber müssen mir nicht heute diese Gedanken kommen, wenn er mit einem fadenscheinigen Argument fortgeht und nun schon wer weiß wie lange fort ist?

natürlich muß ich mir etwas denken. nun weiß ich doch endlich Bescheid über ihn, während er meint, ich sei noch genau so dumm und gedankenlos wie gestern. heute muß er sich eine Dummere suchen als mich. das kann er mit mir nicht mehr machen. ich bin im Bilde. ich werde es ihm zeigen. ich bin lange genug so dumm gewesen, ihm zu vertrauen. das hat jetzt ein Ende. heute sind mir die Augen aufgegangen. wie Schuppen ist es mir von den Augen gefallen. ohrfeigen könnte ich mich. sitze hier stundenlang, treu, geduldig und warte. und für wen? was ist das für einer? mein Gott; nun ist aber Schluß.

mehr als zwei dieser großen Kaffeetöpfe trinke ich nicht leer. ich werde gehen und er mag sehen, wie er mich findet. denn was ich wirklich an ihm habe, das sieht man heute wieder ganz deutlich. erst sagt er: *laß mich für Dich gehen. dieses schöne Tuch mußt Du zurück haben. ich hole es Dir. und sollte ich es nicht bekommen, so kaufen wir Dir ein anderes, das noch schöner ist, als das alte.*

dann geht er und ich warte. er kommt nicht und ich warte. nun sitzt man hier schon wer weiß wie lange. und wer nicht kommt ist er.

2 sie drückt jede Zigarette nach einigen Zügen wieder aus; fragt Vorbeigehende mit unzusammenhängenden, kaum verständlichen Worten nach der Zeit; vergleicht ihre eigene Uhr; dreht daran, greift zur Tasse, nimmt eine Zigarette, fingert in ihrer Handtasche, schaut in einen kleinen Spiegel, wischt sich mit einem Finger etwas aus dem Gesicht, nimmt aus der Tasche einen Lippenstift, mit dem sie sich die Lippen nachzieht; verstaut alles wieder in ihrer Tasche; greift zu einer

Art bebildertem Katalog; Reiseführer oder ähnlichem. beginnt darin zu lesen. blickt gleich wieder auf und sieht nun hinüber zu den großen Fenstern, die sich an der ganzen Straßenfront des Lokals entlang ziehen, allerdings ohne durch ihre dichten Tüllvorhänge den Blick auf das Leben der Straße freizugeben. und wartet.

wieder öffnet sich die Tür. im Lokal ist ein ständiges Kommen und Gehen. die meisten stehen an der Theke, die sich quadratisch inmitten des weitverzweigten Raumes befindet. an Tischen sitzen nur wenige. noch bewegt sich das Kommen und Gehen vornehmlich zwischen Theke und Tür und fällt im Lokal nicht weiter auf. die Tische werden erst gegen Abend besetzt sein.

jedesmal, wenn von der Tür her ein Geräusch zu hören ist, blickt die Frau hoch. so wie diesmal. deshalb sieht sie den Eintretenden sofort. es scheint, als gehe ein Zug des Erkennens durch sie hindurch. was sie nun tut, scheint nur zu geschehen, um dem Ankömmling nicht zu verraten, daß seine Ankunft bemerkt worden ist. oder um ihm zu zeigen, daß seine Ankunft für sie nicht Veranlassung ist, das aufzugeben, was sie bisher getan hat. so bosselt sie weiter auf dem Tisch herum. das heißt auf der Ecke des Tisches, die sie für sich in Anspruch genommen hat. während der Angekommene schon durch das Lokal kommt. schon an der Theke vorbeigegangen ist. sich also mit ziemlicher Sicherheit nicht dem üblichen Stehen an der Theke anschließen wird, sondern einen Tisch ansteuert. einen Tisch in dem Teil des Lokals, in dem sie sitzt. ihren Tisch. jetzt steht er an ihrem Tisch. zieht einen leichten hellen Hut. verbeugt sich. und sagt in einer Sprache, die nicht Landessprache ist, die aber oft gehört werden kann und die von den meisten Einheimischen wenigstens in ihren Grundzügen verstanden und gesprochen wird:

verzeihen Sie. mein Name ist Schmidt. haben wir vorhin miteinander telephoniert?

an sich kein außergewöhnlicher oder unerwarteter Vorfall. die Sprache ist hier, wie gesagt, oft zu hören. genügend Menschen, die sie sprechen leben hier oder sind während ihres Urlaubs im Lande. haben auch genügend miteinander zu tun, um dieser Szene einen Anstrich von Gewöhnlichkeit zu geben.

die Frau blickt hoch und sagt: *nein.* der Herr sagt: *dann verzeihen Sie bitte.*, die Frau antwortet: *bitte.*, der Herr verbeugt sich wieder, setzt seinen Hut auf und verläßt das Lokal, während die Frau sich den Tätigkeiten zuwendet, die sie bisher ausgeführt hat. er trägt einen hellen Staubmantel.

1 nun mache ich mir aber Sorgen um ihn. ich denke mir weiß Gott was, wo er sein mag, was er treiben mag, weshalb er fort sein mag – und dabei ist ihm etwas passiert; das ist doch möglich. dann säße ich hier allein in dieser wildfremden Stadt und hätte noch nicht einmal genug Geld einstecken, um wieder heraus zu kommen. wie schnell ist etwas geschehen. ich denke mir selbst oft, was alles vorfallen kann, wenn man durch die Straßen geht. da sitzt man ruhig und ohne Erwartung in einem Autobus oder in der Straßenbahn. auf einmal ein kleiner Schmerz in der Brust. erst an einer Stelle, die festzustehen scheint; dann stärkerer Schmerz, der die ganze Brust einnimmt; schließlich Schmerz, der keinen anderen Gedanken mehr ermöglicht als den an ihn; der die ganze Person gleichsetzt mit dem Schmerz und letztlich nicht einmal mehr den Gedanken an Schmerz ermöglicht. bis eine Stimme. eine entfernte Stimme: *ist Ihnen nicht gut? kann ich Ihnen helfen?*. dann beginnt eine Vielzahl von Ereignissen, die sich alle um den drehen, dessen Herz einen solchen Schmerz erzeugt, und das in einer Stadt, die er nicht kennt, deren Sprache er nicht spricht. das muß man sich nur einmal vorstellen. daß ich nicht gleich darauf gekommen bin: es wird ihm etwas

zugestoßen sein [7]. es gibt schließlich so viele gefährliche Möglichkeiten. wie oft habe ich nicht schon gedacht: was wäre, wenn mir jetzt etwas passierte? Herzschlag oder Unfall; Totschlag oder Selbstmord? was geschähe dann? was würde mit mir gemacht werden? wie fände man heraus, wer ich bin? wo ich wohne? was geschähe mit meinen Sachen? würde man Frantek benachrichtigen? woher wüßte man überhaupt, daß Frantek mein Mann ist, mein nächster Angehöriger, und Frantek: wie würde er sich verhalten? was würde er machen?

2 sie fährt sich von Zeit zu Zeit durch das schwarze, kurzgeschnittene Haar, dessen bläulicher Schimmer ihr eine gewisse Ähnlichkeit mit einheimischen jungen Frauen verleiht. wie sie überhaupt in anderer Kleidung sehr gut in einem der vielen Geschäfte der Stadt als Verkäuferin stehen könnte, ohne daß man sagen würde: *ah, eine Fremde, die hier arbeitet; wahrscheinlich um die Sprache zu erlernen, oder weil sie im letzten Urlaub einen kennengelernt hat, der sie gleich bezaubert hat, zu dem sie zurückgekehrt ist. für immer oder für eine gewisse Zeit.* so würde niemand reden, der sie sieht.

und abends könnte sie mit zwei oder drei Mädchen an einer Gruppe junger Männer, die sie nur mit einem kurzen Blick betrachten würde, vorbeigehen; oder sie könnte in einem der kleinen aber teuren Lokale mit einem der eleganten Männer sitzen, die man hier so oft sieht.

(7) Eine sogenannte klare Geschichte oder eine Geschichte, wie man so sagt, klar zu erzählen, ist genauso, wie auf einer Mundharmonika zu spielen, deren Luftlöcher auf der Rückseite nicht mit Wachs verstopft sind; auf einer Ziehharmonika zu spielen, in deren Balg man nicht einige Löcher geschnitten hat; auf einer Geige zu spielen, die alle Saiten hat und vor Gebrauch nicht einige Stunden in kalt Wasser gelegt worden ist – man

es wäre auch möglich, daß selbst Einheimische sie nicht von einer Hiesigen unterscheiden könnten. wenn sie abends nicht länger ausbliebe als üblich und sich in ihrer Kleidung der unglaublichen Sorgfalt anpassen würde, die Mädchen und Frauen ihres Alters hierzulande auf ihre Kleidung verwenden. sie hätte noch eine Menge anderer Dinge zu berücksichtigen. den Gang; die sorgfältige Art, das Haar zu machen. das make-up.

sieht schon, worauf es ankommt, denn man kennt all die guten Ratschläge, mit denen auf Jahrhunderte zurückblickende Kenner den jungen Mann bedenken, weil sie meinen, er halte eine Geige noch für eine Geige, und stelle an ein Klavier hinsichtlich seiner Beschaffenheit, seiner Bedienung und etlicher Dinge mehr die gleichen Anforderungen wie sein Großvater. Wir müssen es einmal sagen: es gelüstet uns nicht nach Tradition. Wir scheuen uns deshalb auch nicht, Zeitpunkt, Ort und Umstände des Todes Franteks erneut zu schildern, obwohl der Bericht weitere Widersprüche zutage fördern wird.

Es war im Jahre 1945.
Sollten wir heute sagen, wann zuerst die langen, tagelangen Züge durch die uckermärkische Klein- und Kreisstadt gekommen waren, so wüßten wir es nicht zu sagen. Es waren meist Leiterwagen, die ein hohes gewölbtes Dach aus Zeltplanen trugen und deren Sprossen gut verkleidet und oft mit Teppichen abgedichtet waren. Im Inneren der Wagen befanden sich im allgemeinen eine Menge Hausrat und Gepäck sowie Frauen und Kinder, während die Männer nebenhergingen. Die Wagen wurden von Pferden gezogen, und oft war ein Tier hinten angebunden. Es hieß, die Flüchtlinge kämen weit von Osten her, aber eines Tages waren die Trecks durch und es lohnte sich wieder, die Straßen zu kehren.

Waren es Wochen oder Monate später? – wie gesagt, wir wüßten es nicht zu sagen, die Erinnerung ist zu schwach, da setzte

die Bewegungen und die Art, ihre Handtasche zu tragen. der Blick auf einen gut aussehenden jungen Mann. und noch einiges mehr. doch wenn sie alles das beherrschte, könnte man sie wohl nicht unterscheiden. wenigstens nicht vom Äußeren her.

der Zug wieder ein, hielt sich wohl den ganzen Winter hindurch und brach nicht mehr ab. Fragen wir noch einmal, was es hieß, so heißt es, es habe geheißen – sinngemäß – je länger der Winter wurde, desto weniger weit von Osten her seien die Flüchtlinge gekommen – solange (und so immer kürzer) bis wir uns eines Tages jeder einen Rucksack aufladen ließen, auf der Treppe zum Hof saßen, die Feuer am Horizont ansahen, uns entschieden, noch zu bleiben, uns entschieden, zu gehen, gewisse Ratschläge und Nachrichten vorübergehend nicht anwesender Ratgeber abwarteten, uns zum Gehen entschieden, zum Bleiben entschlossen, müde wurden – der kleine Bruder war knapp sieben Jahre alt – dann doch aufstanden, gingen, durch die Brände am Horizont, wo es Feuer in Häusern links und rechts der Straße waren, uns entfernten, die Brände schließlich von der anderen Seite her am Horizont sahen – da hinten liegt die Stadt, die wir seither nicht mehr gesehen haben – und schließlich vor Müdigkeit im Straßengraben zu liegen kamen, weshalb wir uns nicht hinzulegen brauchten, wenn nach Tagesanbruch Tiefflieger kamen, während wir müde aufwachten.

Doch das war später, obgleich auch 1945, und zwar bald nachdem es begonnen hatte zu tauen, vielleicht Anfang März. Der Winter war wohl ziemlich streng gewesen, nachts konnte man das brechende Eis vom See her stöhnen und krachen hören, wer mutig war, lief trotz des knöcheltiefen Wassers noch auf den See oder sprang Schollen, die sich ringsherum schon losgemacht hatten. Auf den Wiesen stand das Wasser

eine Frau sitzt und wartet.

1 wer weiß, ob ich mir nicht unnötige Sorgen mache. gewiß wird man versuchen, herauszufinden, wer der Gestorbene ist sicher gibt es Bestimmungen, Gesetze und so weiter, die es vorschreiben. schon der Angehörigen wegen.

wenn man sich vorstellt, daß einer aus dem Wasser gefischt

verschieden hoch, je nachdem, ob sie überflutet waren, oder ob es sich um geschmolzenen Schnee handelte, der nicht ablaufen konnte. In die Stadt war noch einmal ein Zirkus gekommen, der, wenn wir uns nicht täuschen, außer Pferden und Affen einen einzigen Elefanten hatte. Nebenan war das Russenlager, der Geruch ihrer Kloake, deren Ränder von Ruhr und Dünnschiß zeugten, ist uns unvergeßlich. Überhaupt der Geruch: Über der ganzen Stadt lag ein Geruch, der uns einmalig und unvergeßlich vorkommt. Wie lange, wüßten wir nicht zu sagen. Vielleicht nur drei Tage lang, während derer die Wolkendecke nicht aufging und der Gestank aus den Schornsteinen, aus dem Zirkus und dem Russenlager nicht abzog. Mitte März war es jedenfalls alles wieder klar, sieht man von den Flüchtlingen ab, die die ganze Stadt bewohnten. Denn seit Weihnachten waren viele nicht weitergezogen. Die Russen, so hatte es geheißen, wenn wir recht erinnern, seien vor der Oder stehengeblieben und warteten ab, bis der Fluß zugefroren sei; später hieß es, sie trauten sich nicht übers Eis, auf dessen glatter Fläche man sie jagen würde wie Hasen und weiter als bis zur Oder könnten sie überhaupt nicht kommen, wurde wohl auch noch gesagt. Endlich waren sie aber doch drüber und kamen nicht direkt von Osten, sondern von Südosten – oder irren wir uns?

Jene Tage, die in Rede stehen sollen, lagen Ende Januar. Seit den Weihnachtsferien fand die Schule nur noch einmal die Woche im Wohnzimmer des Lehrers statt und bestand praktisch nur aus dem Abholen von Schulaufgaben. Alle öffentlichen Ge-

wird, der betrunken hineingefallen war und nicht schwimmen konnte; der keine Papiere einstecken hatte oder sein Jackett in der letzten Destille liegen ließ. den können sie doch nicht begraben, ohne den Angehörigen mitzuteilen, was geschehen ist. seine Frau sitzt womöglich in einem Lokal und wartet auf ihn. bis es ihr zu lang wird. sie weiß ja nicht einmal, was geschehen ist.

bäude, wie auch die Schulen, waren mit Flüchtlingen belegt, die hofften, nicht weiter fliehen zu müssen, warten zu dürfen, bald zurückkehren zu können, jammerten und außerstande waren, ihr Ungemach als konsequente Folge des Leides und der Schmerzen zu sehen, die ihre Leute anderen Völkern zugefügt hatten. In der Stadt begannen Sammelaktionen.

Hat jede Zeit ihre Kennzeichen, so bestand eines jener Zeit in einer ausgesprochenen Sammelwut offizieller und offiziöser Stellen. Ehe man den Bürger rechtlos stellt, versucht man, meist mit Erfolg, ihn dazu zu bewegen, es freiwillig zu tun und macht so, nach streng positivistischem Denken, aus Rechtlosigkeit Recht. Ist irgendwo laut von Legalität die Rede, wirft man mit Sentenzen wie *einer für alle, alle für einen* um sich oder appelliert man an den Gemeinsinn, so sollte deshalb Vorsicht geboten sein. Freiwillig, doch aus Mangel an Erkenntnis und mithin unfreiwillig, verschenken wir mehr, als uns genommen wird.

In jahrelanger Übung gaben die Bürger an Dingen, deren Aufgabe nun allerdings kaum zu bedauern sein dürfte, ihre alte Winterkleidung, Skiausrüstungen, Privatfahrzeuge, Kartoffelschalen, Stanniolpapier, ausgekochte Suppenknochen, Eicheln, Bucheckern und so fort. Der gestaute Flüchtlingsstrom, an dessen Not alle teilzunehmen hatten, da alle ihn verschuldet hatten, benötigte vor allem Gegenstände des täglichen und häuslichen Gebrauches und hier wiederum Betten, Bettzeug und Federbetten. Die Federbetten und Kopfkissen, meist in ro-

jeden Tag sitzt sie ein paar Stunden in demselben oder in einem anderen Lokal und wartet; ob er nicht wiederkommt. wenn ich daran denke, wird mir übel. das kann doch nicht sein. wo es so harmlos angefangen hat. da sagt er zu mir: *ich gehe zuerst ins Touristenbureau und sehe zu, daß ich dort eine Liste der Hotels und Pensionen bekomme, oder daß sie mir gleich ein Zimmer vermitteln. und wenn sie keins haben,*

te, manchmal auch in blaue Inletts gekleidet, waren ein wesentlicher Posten.

Wenden wir uns Federbetten und Kopfkissen zu. Sie wurden in der Turnhalle einer öffentlichen Grundschule für Knaben gesammelt. Hier treffen wir auch Frantek und kommen somit endlich zum Kern der Geschichte. Auf Männern wie ihm ruhten damals häuslicher Friede und zivile Ordnung im Kleinsten, da jeder Mann, der es wert zu sein schien, erschossen zu werden, im Felde stand. Da schlugen Männer wie Frantek in wohl fünfzig Familien den Tannenbaum in den Christbaumständer, wenn es soweit war, schippten Schnee, reparierten Sicherungen, schlachteten Hasen, heizten Schulen, trugen Hausfrauen Lasten und befriedigten sie obendrein, wo Nachfrage bestand und waren schlechtweg für alles da. Außer ihnen gab es nur *uk* gestellte Nazis, die bis zuletzt schworen, man werde den Krieg gewinnen und auf die gottseidank kein Verlaß war.

In bereits erwähnter Turnhalle nahm Frantek Federbetten und Kopfkissen entgegen, denn es gehörte zu seinen Aufgaben, den Bereich der Schule von Schnee, Eis und Unrat freizuhalten, die Schule zu heizen, das Gebäude in allen seinen Einzelteilen, wie Wasserhähnen, Closettspülungen, Lichtleitungen in Ordnung zu halten und nicht zuletzt Luftschutzwart zu sein. Heute würde man ihn als Hausmeister bezeichnen. Er hätte gedienter Feldwebel zu sein, würde die National- oder Soldatenzeitung lesen, wäre für Deutschland in den Grenzen von 900 plus 1900,

gehe ich durch die Stadt und versuche etwas zu finden. vielleicht sehe ich unterwegs schon ein Schild: Pension, gehe hinein, frage und bekomme ein gutes, preiswertes Zimmer für uns beide mit einem breiten Brett und einem Portier, der nicht gleich fragt, ob wir verheiratet seien und eine Heiratsurkunde hätten. das hat er doch wohl gesagt, ehe er fortging. so in etwa. und nun sitze ich schon so lange hier, daß ich die Möglichkeit,

beide nach Christi, und würde nach dreizehn Schnäpsen und ebensovielen Bieren an Sylvester, bei Kindstaufen und Geburtstagsfeiern die Ansicht vertreten, was man Deutschland vorwerfe, in jener Zeit getan zu haben, sei nicht mehr als geschickt fundierte Erfindung fortdauernder Feindpropaganda mit dem Ziel, die eigenen Verbrechen zu vertuschen.

Frantek hingegen wäre in die Kategorie der Trinker, fahrenden Händler und Gelegenheitsarbeiter einzureihen gewesen und verdankte angesichts seiner Lebensauffassung, Geisteshaltung, Unzuverlässigkeit und nicht zuletzt seines Vorlebens und seiner Veranlagungen sein Leben eigentlich nur noch der Tatsache, daß an seiner germanischen Abstammung nicht zu deuteln war.

Die Leute aus der Stadt brachten ihr Bettzeug meist auf Handwagen, je nachdem, welche Straßenzüge dran waren. Schon morgens früh hatte ein kleiner brauner SA Mann an ihre Türen geklopft, höflich gebeten, eintreten zu dürfen und vorgetragen, er komme, um überall im Hause nachzuschauen, ob man auch ausreichend Bettzeug gespendet habe, daß heißt, eben das, was nicht im Augenblick gebraucht werde. Man war das gewöhnt. Schon seit Jahren hatte das Volk in seiner Gesamtheit zum Beispiel den Entschluß gefaßt, an einem bestimmten Sonntag des Monats ein sogenanntes Eintopfgericht zu essen, auch der Braunober hielt sich daran, man vermittelte ihn beim Eintopf über alle Rundfunksender und wenn am fraglichen Sonntag

es könnte ihm etwas zugestoßen sein für selbstverständlich halte und mich nur noch frage, ob sie Schwierigkeiten haben werden, ihn zu identifizieren. auf was man nicht alles kommt.

2 ist denn der Mann, auf den diese Frau wartet, schon jemals gesehen worden? wer weiß denn, was für ein Mann es ist, auf den diese Frau wartet? weiß man wenigstens, was

eine Nase in die Treppenhäuser genügte, um festzustellen, daß alle Parteien kochten, klopfte bald der braune SA-Mann an, trat ein und prüfte höflich den Inhalt der Töpfe.

Die Leute aus den Dörfern kamen meist nicht selbst. Hier hatte der verantwortliche Mann an Ort und Stelle die Spendefreudigkeit überwacht und einen noch einsatzbereiten Lastkraftwagen oder einen pferdebespannten Leiterwagen geschickt, dem, aufgeschnürt, bald große Berge entquollen. Dann stand Frantek zumeist auf einer Balustrade, einem hohen Umlauf, der in etwa zwei Drittel Höhe der Turnhalle den ganzen Raum umlief und ordnete die Lagerung der Federbetten. *Höher, höher!,* rief er zum Beispiel, oder *mehr links!,* um sich bald erschöpft auf ein Stühlchen in einer Ecke der Balustrade zurückzuziehen, wo er seine tägliche Branntweinflasche stehen hatte. Hier oben war es warm, nach einer halben Flasche Branntwein oder mehr erschien der Abstieg gefährlich, zumindest aber lästig, Frantek schlief oft auf dem Stühlchen ein und mancher Spender von Bettzeug mußte lange und laut in die Halle rufen, er sei da, wo das Zeug hinsolle, ob da jemand sei und so fort, bis Frantek hochkam, hinunterschaute, den Krach bemängelte, Anweisung gab, die Sache da und da zu ponieren und letztlich auf ein gewisses Büro verwies, wo man die Quittung abholen konnte, denn diese Spenden waren, wie es lautete, ersatzfähig nach dem Kriegssachschädengesetz, nachdem man, mit Ausnahme der aus rassischen und politischen Gründen ermordeten Freunde und Verwandten, für alles hundertprozentig Ersatz versprochen befür eine Frau es ist. die hier so offensichtlich wartet? wenn man es wüßte, wäre viel gewonnen. aber die Geschichte begann, als kein Mann mehr da war und als die Frau bereits saß und wartete. oder besser gesagt: als sie bereits etwas tat, das wie warten erschien. also kann nicht gesagt werden, was sie vorher tat und ob sie nicht schon immer das getan hat, was nun wie warten aussieht.

kam, was einem der Krieg genommen hatte – Ordnung muß sein und wenn es auf dem Friedhof ist.

Und nun: was hat das alles mit Franteks Tod zu tun? Frantek hatte seine tägliche Flasche fast leer, die Turnhalle war fast voll. Am Eingang hatte man einen Bretterschacht gebaut, eine Art Windfang, der die halbe Höhe der Halle erreichte und bezweckte, daß man den Raum betreten und vor allem die Tür öffnen konnte, ohne daß einem die Betten entgegenkamen. Kam einer an, so trat er in diesen Schacht und rief: *He! Du!* Dann zeigte es sich, daß Frantek noch immer auf der Balustrade war, obwohl er nach Dienstanweisung herunterzukommen hatte, wenn alle Betten verstaut waren. Er trat ans Geländer, ließ ein Seil herab, zog das Bettzeug hoch, steuerte es in die Halle und sorgte dafür, daß sich das Niveau des Raumes ständig und gleichmäßig hob.

Also, Frantek hatte seine Flasche fast leer, die Turnhalle war bis fast zur Balustrade hoch voll, da rief es wieder nach ihm, er ließ das Seil fallen, zog das Bettzeug hoch, trug es nach hinten, wollte es in eine Mulde fallen lassen, blieb mit einem Jackenknopf in einer porösen Stelle des Inlets hängen, spürte plötzlich einen leichten, unter normalen Umständen gut aufzufangenden Zug nach vorn, verlor eingedenk des dreiviertel Liters Branntwein das Gleichgewicht, gewann statt dessen das Übergewicht, balancierte einen Moment lang, griff einige Male ins Leere und fiel schließlich weich und ohne sich etwas zu tun in

also kann auch nicht gesagt werden, ob sie wartet, wenn man davon ausgeht, daß nur der wartet, der auf nichts bestimmtes wartet.

und da sie offensichtlich wartet heißt das: es habe den Mann auf den sie wartet nicht gegeben; oder zumindest: er ist nie fortgegangen. was beides geprüft werden müßte. doch da die

ein riesiges, weiches Bett, in dem er alsbald versank. Die Federbetten schlugen über ihm zusammen. Er mochte rufen, soviel wie er wollte und später, soviel wie er konnte. Die Betten dämpften jeglichen Laut. Der Spender unten wartete noch einen Moment auf Frantek, dann hatte er den Dienstweg für Spender gelesen und brauchte Frantek nicht mehr, um zu erfahren, wohin sein Weg ihn führen sollte.

Der Versinkende versuchte noch einige Zeit lang wieder empor zu kommen, doch fand er keinen Halt. Seine Kräfte erlahmten bald und mit jeder Bewegung schaffte er sich nur tiefer hinein, wo die Luft immer schlechter wurde und sich auch nicht erneuern konnte, je mehr sich der Fallweg nach oben wieder schloß, so daß er bald mit seiner Kraftlosigkeit allein war und statt Luft und Nahrung nur den zum Leben nicht nur unzureichenden, sondern auch untauglichen Geruch der vielen hundert Federbetten hatte.

Seine letzten Stunden, wir kennen sie nicht. Ob sie angefüllt waren mit Phantasien, die sich entzündet hatten an den Ausdünstungen der Federbetten unter denen Schweiß und Urin noch die eindeutigsten waren, wir wissen es nicht. Und seinen Tod? Wir können ihn ebensowenig beschreiben. Hat er sich erbrochen und ist er daran erstickt? Ist er in ein aufgerissenes Inlet gefallen und haben die Bettfedern seine Atemwege versperrt? Ist ihm schlichtweg die Luft ausgegangen? Ist er verhungert? Ist er den Tod der Verzweiflung gestorben? Hat sein

Frage, ob es den Mann je gegeben hat, hier nicht gestellt werden kann und bereits positiv beantwortet worden ist, kann es nur heißen: wo ist der Mann. wenn er noch da ist. wenn er noch im Lokal ist.

an den Tischen im Lokal sitzt niemand. an den Tischen vor dem Lokal auf dem Trottoir des breiten baumlosen Boulevards sitzt auch niemand. an der Theke auf Barhockern sitzen außer der wartenden Frau nur zwei dicke Geschäftsleute mit dunklen Augengläsern. dort, wo das Lokal an den Platz grenzt, stehen zwar auch noch einige Tische. man kann von hier aus nicht sehen, ob dort wer sitzt. nach jener Seite hin ist das Lokal nur durch eine verhältnismäßig kleine Milchglastür zu öffnen, die keinen Blick nach außen gestattet und im übrigen auch der einzige Eingang ist, durch den Gäste das Lokal betreten können. doch wird dort wohl auch niemand sitzen.

bleiben nur die Toiletten, die man über eine Treppe nach unten gleich neben der Eingangstür erreichen kann. bleibt nur der Platz hinter der Theke, wo eine ältere, üppige Dame ihres Amtes waltet, was nicht richtig gesagt ist: das Amt gebührt einem Kellner in kurzer, weißer, westenähnlicher Jacke. er hätte die Arbeit am Buffet zu verrichten. aber zur Zeit macht die üppige Dame alles, was kommt. sie ist offensichtlich die Chefin, die sonst nur die Kasse macht, wie das hier üblich ist.

Körper den plötzlichen Entzug von Alkohol nicht überstanden? Wer könnte das sagen?

Doch starb auch er noch fürs Vaterland, denn die Spendenaktion hatte der Kreisleiter befohlen. Und das in einer Zeit, in der natürliches Ableben selten war. Wer hätte so was von Frantek gedacht!

das Lokal ist also kaum besetzt und so ist es einfach zu sagen, daß der erwartete Mann mit an Sicherheit grenzender Wahrscheinlichkeit nicht in diesem Lokal ist; das leicht zu übersehen ist; das auch ziemlich klein ist, so daß niemand einwenden dürfte, er könne sich in einer Nische oder auf einer Art Zwischendeck, in einem Souterrainraum oder ähnlichem aufhalten. das könnte mit ruhigem Gewissen verneint werden. es ist eines jener kleinen, modernen, übersichtlichen, hellen Espressos, wie man sie nun schon über halb Europa verteilt finden wird.

1 natürlich kann niemand wissen, was ihm in den nächsten Stunden, Minuten, Sekunden begegnen wird. wie oft bin ich schon unachtsam über die Straße gegangen und hatte plötzlich einen nadeldünnen Schmerz im Hinterkopf, wenn dicht neben mir eine Straßenbahn mit Geklingel und Bremsgeräusch ruckhaft anhielt. warum sollte ihm so etwas nicht passieren.

oder beim Überschreiten einer großen Brücke das Gefühl das Gleichgewicht zu verlieren; gegen ein Geländer zu fallen, das nachgibt. dann das Gleiche auf einem hochgelegenen Balkon; oder beim Gang über eine Straße zu ebener Erde und den Liegenden überfährt das nächste Fahrzeug.

oder ein Flugzeug, das einer Kirchturmspitze nicht mehr rechtzeitig ausweichen kann, senkt sich auf einen haltenden Vorortzug. ein Auto fuhr in eine Gruppe wartender Fußgänger. ein Mann machte von seinem Fenster aus Schießübungen, um ein neues Gewehr zu erproben. einen im Eriesee Badenden überfuhr ein eiliges Motorboot.

sagte ich: *Eriesee?!* da ist Frantek gewesen, ehe er zurückkam. er hat bei Ford am Fließband gearbeitet. so ein Zufall. aber wer wird immer gleich das Schlimmste denken. hier ist auch eine Menge Wasser und doch glaube ich nicht, daß er mich verlassen hat, nur um Baden zu gehen. außerdem kann niemand baden in diesen Kanälen: zuviel Schmutz und zuviel Verkehr.

ich glaube lieber überhaupt nicht, daß ihm etwas zugestoßen ist. er ist zwar weder besonders geschickt noch vorsichtig, aber er hat immer Glück gehabt. viel wahrscheinlicher ist, daß er mich auf nimmerwiedersehen hat sitzen lassen. daß er die Möglichkeit ein Zimmer zu suchen ausgenutzt hat, um sich davon zu machen. das erspart ihm vieles. Gespräche mit mir; Argumente dafür und dagegen; Auseinandersetzungen über alle möglichen Dinge; Erklärungen an Eltern, Geschwister, Tanten.

er wird einfach in eine andere Stadt gezogen sein und wenn er nicht das große Pech hat, mich oder einen gemeinsamen Bekannten zu treffen, ist er mich für den Rest seines Lebens los. sicher hat er das schon öfter versucht und es ist ihm nur aus irgendwelchen Gründen bisher nicht geglückt. wenn ich an voriges Jahr denke. da war er einen ganzen Tag und eine ganze Nacht fort. am nächsten Tag kam er plötzlich ins Zimmer, ging zum Schrank, öffnete ihn, suchte darin herum und sagte: *ach, da ist sie ja,* drehte sich, hielt seine Brieftasche in der Hand, steckte sie in die Tasche, ging wieder zur Tür, nahm die Klinke, drückte sie nieder und erst als ich rief:

Frantek!,

hob er den Kopf, ließ die Arme fallen, sah zu mir hin, machte eine Bewegung wie, kam zum Bett, zog die Jacke aus, legte sich neben mich, sagte:

alles Scheiße!,

und schlief ein. was hat er sich da wohl gedacht? was mag er da wohl vorgehabt haben? da wollte er doch sicher abhauen und hatte seine Papiere vergessen. vielleicht versucht er schon seit langem von mit fortzukommen und schafft es nicht. manchmal soll ein Mann so sehr an eine Frau gebunden sein, daß er nicht fortgehen kann, selbst wenn er wollte. er hat nur noch die Möglichkeit, mit ihr völlig identisch zu werden oder sie umzubringen.

2 die Frau ist ein großer, kräftiger Typ, wie er nicht nur hier, sondern überall auffallen würde. wenngleich das Auffälligste an ihr die tiefe scheppernde sehr rauhe und männliche Stimme ist, wie man sie hört, wenn sie sich noch einen Espresso bestellt, ein Glas Wasser, eine Schachtel Streichhölzer oder einen Vorbeigehenden nach der Uhrzeit fragt.

wenn das geschieht, blickt die Frau hinter der Theke hoch und sowie sie gesehen hat, von wem diese eigenartige Stimme gekommen ist, geht für einen Moment ein Zug des Verwunderns über ihr Gesicht und auch die beiden dicken Geschäftsleute unterbrechen für kurz ihr Gespräch und blicken zu der Frau mit der männlichen Stimme.

es fällt auf, daß die Frau auch recht grobe, männliche Züge hat, die nur verdeckt und gemildert werden durch ihr langes aschblondes Haar, das wellig, aber nicht lockig ihren Nakken bedeckt; schmutzig und fahl, so daß kein Licht, sei es die Lampe über der Theke, sei es die schräg einfallende Sonne, ihm Glanz oder besondere Farbe zu geben vermöchte.

aber wer weiß denn, ob dieses Haar nicht Perücke ist, unter der das schon schüttere Haar eines jungen Mannes von zwanzig hervorkommen würde; wer weiß das. und Anzeichen für einen männlichen Typ außer den Gesichtszügen und der Stimme sind eigentlich auch ihre harten Bewegungen, der grobe Bau ihres Körpers und die weite weiße Bluse, die keinen Blick auf einen eventuell vorhandenen Busen erlaubt.

doch reicht das alles nicht aus, um zu vermuten, daß diese Frau sich aus einem Mann in eine Frau verwandelt haben könnte, um der Sehnsucht nach körperlicher Gleichheit mit einer Frau Erfolg zu bescheiden. und noch weiter gehend:

es reicht nicht aus, um sagen zu können, wo jener Mann, auf den sie hier wartet, geblieben ist. um sagen zu können, daß er sich weder entfernt hat, noch hier im Lokal an anderer Stelle in einer anderen Person zu finden ist, außerhalb dieser Frau.

das läßt sich alles nicht sagen. es bleibt nur eine Vielzahl von Gründen, die einen Mann dazu bewegen können, von einem gewissen Augenblick seines Lebens an eine Frau zu sein. doch das zu erörtern, ist hier nicht der Ort. auch zu fragen, ob eine solche Verwandlung innerhalb der Möglichkeiten dieser Geschichte liegt, ist nicht erlaubt. wenngleich wir der Frage so nahe sind, wie nur einer. denn bisher ist immer nur davon die Rede gewesen, daß sich ein Mädchen namens Franziska im Alter von zwanzig Jahren in einen Mann verwandelt haben soll, der Franz hieß und sich Frantek nannte und nennen ließ. nicht der umgekehrte Weg. wobei die Frage, welcher Weg der medizinisch wahrscheinlichere ist, ebenfalls nicht beantwortet werden kann.

1 aber das traue ich ihm unter keinen Umständen zu. selbst in der schwierigsten äußeren oder seelischen Situation nicht. ich meine, daß er auch nur den Gedanken haben könnte, mir etwas anzutun. nein, das ist ausgeschlossen. außerdem hat es mit seinem Fernbleiben natürlich überhaupt nichts zu tun und ich sollte mich lieber darum sorgen, aus welchem Grunde er fortgegangen sein mag. weggelaufen? soll ich es wirklich für möglich halten, daß er fortgelaufen ist? wo er doch eher einer zu sein scheint, der nicht fortgehen kann? eine andere Frau? wo das die Möglichkeit mit einschließt, daß immer dann, wenn er bei mir ist, irgendwo eine andere Frau sitzt

und wartet, so wie ich jetzt warte? aber ist es nicht das Gleiche wenn ihm wirklich etwas zugestoßen sein sollte? säße dann nicht eine andere genauso wie ich und wartete und fragte sich, wo er nur bleiben mag?

zu ihr hat er gesagt, ich bin dann und dann bei Dir; ist gegangen und hat zu mir gesagt, ich gehe uns ein Zimmer suchen, obwohl er in Wirklichkeit zu ihr wollte? und nun kommt er dort nicht an und hier nicht wieder? und hat er das überhaupt gesagt? hat er nicht gesagt: Schatz, laß mich gehen und sehen, ob ich Dein Kopftuch irgendwie wieder bekomme? oder ist er nur gegangen, schnell Zigaretten zu holen? was weiß ich denn, warum er nicht hier ist? weshalb ich auf ihn warten muß? wo er steckt? wann er weggegangen ist? weshalb er weggegangen ist? ob er überhaupt je hier gewesen ist? wann ich ihn das letzte Mal gesehen habe?

vielleicht ist alles nur entstanden, weil ich mich sträube, einzusehen, daß er eines Tages ein Schiff bestiegen hat (Columbusdampfer zweiter Klasse) und ich stand unten am Kai und er sagte, in einem Jahr bin ich wieder bei Dir und Du sollst auf mich warten, ich bleibe Dir treu, ich habe Sehnsucht nach der Ferne, und er gab mir einen Ring als Pfand und ich nahm die Rose und brach sie ihm, und er sagte, Du sollst auf mich warten, mein Schiff geht in See heute nacht, ich weiß, daß wir uns wiedersehen, in einem Jahr wird es mich in die Heimat zurücktreiben, so lange sollst Du auf mich warten, und dann stand er an der Reling, spuckte in die See und winkte herüber, und ich sah den weißen Wolken nach und hatte seinen Ring am Finger; er zog die Mütze: *wenn Du die weißen Wolken siehst!* und in der Hand hielt er die Rose, die ich ihm gegeben hatte, dann ging ich und wartete auf ihn, und er war fort und schrieb lange Zeit nicht, doch wenn er schrieb stand auf seinen Postkarten: New York, Chicago, Detroit, Philadelphia, Milwaukee; I work in the meatfactory; I have plenty of money; warte auf mich mein

Mädchen, Dein Frantek ist Dir treu; auch wenn Du in der Ferne bist, ist meine Liebe bei Dir.

dann badete er im Eriesee auf dem die schnellen Schiffe fahren nach Detroit. er schwamm weit hinaus und dachte an sein Mädchen in der Heimat. bis ein schnelles Boot über den Eriesee geflogen kam und ihn mitten durchschnitt.

seine Leiche wurde niemals gefunden, sie wurde niemals gefunden.

aber wer glaubt eine solche Geschichte? sie hat als Meldung in der Zeitung gestanden: am gestrigen Tage wurde ein Mann beim Baden im Eriesee von einem schnell vorbeifahrenden, brennenden Schiff überfahren!

aber wer war denn das? ich weiß noch nicht einmal, ob Frantek sich zu dieser Zeit überhaupt in Detroit befunden hat. vielleicht war er gerade in Milwaukee seinen kranken Onkel zu besuchen. ich glaube, er hatte einen Onkel in Milwaukee. der krank war. oder gestorben. oder sich bester Gesundheit erfreute. an solche Einzelheiten kann ich mich wirklich nicht erinnern. da sieht man schon, wie wenig glaubwürdig das alles ist. deshalb sträube ich mich sicher auch zu Recht, irgendsoeine Geschichte zu glauben. deshalb halte ich mich am besten an das, was ich weiß:

vor einiger Zeit ist Frantek fortgegangen, um uns ein Zimmer zu suchen und bis jetzt ist er nicht zurückgekehrt. da muß man sich schließlich Gedanken machen: wo er geblieben sein mag, warum er gegangen sein mag, warum er wegbleiben mag, ob er überhaupt gegangen ist, wo er ist, was er dort treibt, ob ich Aussichten habe, daß er wiederkommt. oder daß er überhaupt einmal kommt. aber letztlich hat alles keinen Zweck. alles, was ich tun kann ist:

mir noch einen Kaffee bestellen; mir eine neue Zigarette anzünden; aus dem Fenster sehen; das Lokal betrachten; mir sagen:

jetzt wartest Du noch so und so lange und dann gehst Du. soll er doch sehen, wo er bleibt; wo er Dich findet. vielleicht hinterläßt Du ihm einen Zettel, damit er weiß, wo Du hingegangen bist. aber wahrscheinlicher ist doch, daß Du einfach weggehen wirst; so wie er weggegangen ist, um Dich hier sitzen zu lassen. wenn es Dir nicht mehr paßt, sagst Du:

nun muß ich gehen. die Geschäfte schließen, ich habe noch etwas einzukaufen. ich muß zum Friseur. morgen geht es nicht da ist es zu voll. gestern habe ich mein Kopftuch verloren, ich will sehen, ob es gefunden worden ist. meine Zigaretten sind alle, ich brauche neue, hier im Lokal gibt's keine. es ist Zeit zum Abendessen, ich muß gehen.

soll er doch sehen, wie er mich trifft. wenn er sich nicht bemüht, das Notwendigste für eine gemeinsame Lebensführung zu vereinbaren. warum soll ich es tun. er hätte wenigstens anrufen können. dann wüßte ich Bescheid. außerdem kann ich ja wiederkommen. natürlich werde ich wiederkommen. und wenn er klug ist, wartet er hier so lange auf mich, sonst verpaßt er mich noch. an fünf Fingern kann er sich ausrechnen, daß ich wiederkommen werde, wenn ich meine Besorgungen erledigt habe. ich werde gar nicht erst in die Pension gehen, sondern gleich wiederkommen. ich muß den Kellner fragen, ob ich schon einen Zettel geschrieben habe. nicht, daß wir uns verpassen. ich werde sicherheitshalber fragen, ob ich gesagt habe, ich ginge in die Pension zurück. oder irgend so etwas. natürlich könnte er sich auch selber ausrechnen, daß ich sofort zurück sein werde. wenn er so dumm ist, sich nicht selber darüber Gedanken zu machen, ist es seine Schuld. dafür kann er mich nicht verantwortlich machen. ich kann schließlich nicht mehr tun, als hier zu sitzen und zu warten.

er weiß, wo er mich treffen kann, oder könnte es wenigstens wissen, wenn er sein bißchen Geist anstrengen würde. ich dagegen habe keine Ahnung, wo er sein könnte, wie ich ihn treffen oder sonst wie erreichen könnte. gewiß nicht. also bitte. da muß er sich selber bemühen. da kann ich gewiß nicht sagen, was geschehen soll. und.

2 eine Frau sitzt und wartet.

Sechstes Kapitel

Sebastian Rottenkopf, der Chronist, bereist eine Straße, ißt einen Bratfisch mit Kartoffelsalat, kehrt in Gebrüder Macks Weinlokal «Zur Grünen Ente» ein und wird dort Zeuge der Begegnung zwischen Franz Bausch, genannt Frantek, und seiner Freundin, der verwitweten Metzgersgattin Maria Geringer.

mein Leben ein ein Netz das ich auswerfe
ist *ein* Loch ein Netz?
sind *zwei* Löcher ein Netz?
wann ist die für ein Netz ausreichende Zahl Löcher
beieinander?
so muß gefragt werden
wenn auf ein Loch hingewiesen wird
durch das eine Welt zu sehen ist:
eine Straße
ein Lokal
Leute Erzählungen Ereignisse
die zusammen die Löcher bilden in dem Netz
das mein Leben ist
das sein Leben ist
das Leben ist

Rottenkopf ging über die Hauptgeschäftsstraße dieses Bezirks. hätten übelwollende Bekannte, die ihn kannten und vorgaben, seine Freunde zu sein, ihn gesehen, wie er so ging, sie hätten wieder einmal und einmal mehr das Gerücht verbreitet, er sei auf Schnaps aus. doch mitnichten und Neffen, wie Frantek gesagt haben würde: Rottenkopf liebte diese Straße.

Städtebauer hatten in der Stadt, die bestimmt worden war, ein imperiales Reich zu verkörpern, breite Chausseen anlegen lassen; Chausseen so breit, daß ein Blick in einen dieser Dämme, mochte der auch kilometerlang sein, den Eindruck gab, er sei kurz; die Autos, die ihn befuhren, kämen nicht von der Stelle und Menschen gingen nicht über die Chaussee. das war nicht Rottenkopfs Straße. seine Straße war schmal, mochte Teil einer früheren Dorfstraße sein – wo für sprach, daß eines der am Wege liegenden Lokale «Zur grünen Ente» hieß – und wenn eine Verkehrszählung vielleicht auch ergeben hätte, daß in ihr nicht halbsoviel Verkehr war, wie auf einem der nahegelegenen großen Dämme, so gab es doch keine Straße im Bezirk, in der mehr Verkehr gewesen wäre – dazu die vollgestopften Bürgersteige: Hausfrauen, die von Geschäft zu Geschäft zogen, Rentner und Gammler, die von Kneipe zu Kneipe zogen, Rentnerinnen, die von Bank zu Bank zogen, Kinder, die von Eisdiele zu Eisdiele zogen, Arbeiter, die gewisse Bratwurststände bevorzugten, Angestellte, die gewisse Fischbratküchen bevorzugten, Stenotypistinnen in engen Röcken auf hohen Absätzen in prallen Pullovern mit großen Handtaschen und Friseusen in lila oder rosa Kitteln unter denen sie nur einen Unterrock trugen, mit hochtoupiertem Haar, roten Lippen und dünnen Beinen, die sich einer ganz bestimmten Kaffeestube zuwandten, wo sie an hohen runden Tischen stehend ihren Kaffee tranken; und immer mitten drin, alle begaffend, anstoßend, anfassend, vielleicht auch mal einer Verkäuferin an die Brust, wenn das Gedränge so eng wurde, daß es gerechtfertigt erschien: Rottenkopf! Rottenkopf, der immer an der Wand lang, wie Frantek gesagt haben würde, immer an den Häuserwänden entlang, die vier bis sechs Stockwerke hoch zum großen Teil noch gips- und zinkverziert, aus der Straße eine enge Schlucht machten.

ein Tal
einen Urstrom
an dessen Ufern ich entlang gehe wie jeden Tag
um in dem Leben der Straße

mein eigenes Leben zu begreifen
um in den Ereignissen der Straße
die ganze Welt zu begreifen:

die Glücklichen der Straße
sind alle Glücklichen der Welt
die Trauernden der Straße
sind alle Trauernden der Welt
die Betrunkenen der Straße
sind alle Betrunkenen der Welt
die Liebenden der Straße
sind alle Liebenden der Welt

also brauchte er die Straße nicht zu verlassen weil in ihr immer schon alles ist, was er an anderer Stelle finden würde:

Papen Ännes Fischbratküche
die ich schon von weitem kommend rieche
und an deren Tischen
Hausfrauen Rentner und Gammler stehen
den Ellenbogen in Mayonnaiseresten
das bittere Bier auf der Zunge
den wässrigen Blick
auf einem Balkon mit Blumenkästen
einer Katze
und einem Herren
wie einer
der vor vierzig Jahren
noch als Vatermörder.

wenn Rottenkopf nun seinen Brathering mit Kartoffelsalat gegessen hatte, um dem Tag noch ein Stündchen für seine Weltreise abzuknapsen, kam schon bald die erste Großdestille von denen es einige in der Straße und viele in der Stadt gibt. hier standen die Herren bei blutrotem Sauern mit Persiko, einer Lage Getreidekorn und Wermut, einer Boulette aus dem Eisschrank, einer warmen Wurst aus dem Siedekasten oder auch nur einem kühlen Pils; die Ober in braunen Jacken riefen *heiße Brühe,* wenn sie ein Tablett voll Bier und Schnaps auf hoch erhobenem Arm vorbeitrugen und wer die Toilette aufsuchte, konnte nicht im vorhinein sagen, ob er die Pinkelbecken bekotzt antreffen würde oder mit hellrotem Blut so vollgespritzt, daß man meinen mußte, in einem Lungensanatorium zu sein. aber so früh am Morgen, noch nicht ganz Mittag, trieb es Rottenkopf nicht in jedes Lokal. viel schwerer hatte er es da mit Gebrüder Macks Weinstuben zur grünen Ente

das hat Gründe der Tradition:
weil mein Vater der Maler war
für seine Schwägerin die Hausfrau war
meinen Onkel der Polsterer war
jeden Freitag abend
ehe der Onkel die Lohntüte auch nur
halb versoffen hatte
hier abholte
und sagte:
komm Paul
woll'n heim gehen!
und im Falle von Widerstand noch:
Paul! wenn Muttern noch lebte!

heute denkt Rottenkopf allabendlich seiner Ahnen
Dank denkt er aller Abende abend seinen Ahnen
für die Tradition
das Erbgut
und die trockene Kehle
dankt aller Abende abend
trinkt
bricht's
und geht weiter

Rottenkopf ging weiter. er dachte: früher, als mein Onkel Paul (8) noch lebte; ich meine so wie: Paul teilte diesen edlen Brief Adelheid und Martha mit – das war auch einer von Franteks Sprüchen – also früher. er ging weiter. die Straße hinab, wie er sie weiter hinab gehen würde im Laufe des Tages und der Nacht und wie er sie wieder hinauf gehen würde, je nachdem, wann die zeitlichen Umstände es erlaubten. würde hinab gehen bis zum dicken Naziwirt unten an der Ecke, der sich von der künstlerischen Hautevolee hofieren ließ und den er nicht mehr besuchte, seit er dort Lokalverbot hatte (weil er ihm in einem Streit, eines Freundes mit semitischen Anschauungen wegen, ein Glas Bier ins Gesicht geworfen hatte), würde dann umkehren und hinauf gehen und den Rückweg am gleichen Tag, in der gleichen Nacht machen, oder auch nicht. je nachdem. je nachdem, ob er einen träfe, mit dem er sitzen könnte und reden, trinken, einen kleinen tanzen, einen kleinen Jux sich machen; und vor allem: bei ihm schlafen, wenn der letzte Wirt die Hähne geputzt hat und die ersten Zeitungen aus den Briefkästen gefischt, die vollsten Papierkörbe in Brand gesteckt und die frühesten Putzfrauen gefragt worden sind, ob zwei Herren, schon fast ohne Unternehmungen, auf einem Wege wohin, zwischen der letzten Zigarette und dem ersten Husten, ihr ein Kind machen dürften. je nachdem.

in jedem Falle aber käme er heute oder morgen wieder an der traditionsreichen Kneipe, Weinstube und Großdestille,

(8) Wenn hier die Rede ist von Onkel Paul, so ist das – zugegebenerweise – geeignet, Mißverständnisse hervorzurufen. Es gab ihrer Stücker zwei – der Onkels Paul. Und zwar den Onkel von Onkel Paul namens Paul und den Onkel Paul. Über beide gäbe es viel zu sagen und einiges zu schreiben. Wenn es heißt, mein Vater habe ihn jeden Freitag aus Macks Weinstuben holen müssen, so ist das nur eine Erwähnung des großen Teils den

dem stimmungsvollen Rentnerpuff der Gebrüder Macks, genannt «Zur grünen Ente», vorbei. da würde er sich höflich fragen, ob ein kleiner Eintritt genehm sei und wenn er die ohne Möglichkeit einer ablehnenden Variation bejahende Antwort in seinen Ohren spürte – eintreten! bis er drin ist! dann hinsetzen! bis er sitzt! ein Bier bestellen! bis er eins hat! gukken! bis er was sieht! riechen! bis er was riecht! hören! bis er

dieses Lokal an Onkel Pauls Leben hatte, in dem die Beschäftigung mit dem Gastwirtsgewerbe doch nur eine kleine Rolle spielt. Vor allem aber, und das ist hier wichtig, bleibt damit offen, um welchen Onkel es sich gehandelt haben mag. Rottenkopf wußte es selber nicht. Das heißt lange Zeit war ihm einfach unbekannt, daß seine Familie einst, ehe beide starben, über zwei Onkels Paul verfügt hatte. *Ich hätte es mir denken können,* hätte er sich denken können, wenn man ihn darauf aufmerksam gemacht hätte. So erfuhr ich es später, eines Abends bei Brüder Macks sitzend und im Gespräch: *Weißt Du übrigens, daß in diesem Lokal unser Onkel Paul jeden Freitag; und unser Vater, der bei ihm wohnte; und Tante Frieda hat es ihm sicher gedankt* – worauf die Antwort lautete: *Welcher Onkel Paul? Der mit dem Papagei?* Dies soll nun ein für alle Mal klar gestellt werden.

Wenn Rottenkopfs Vater von der Zeit in Berlin sprach, war manchmal vom Onkel Paul die Rede – gewiß nicht der einzige, wie sich nun herausgestellt hat und somit wohl kaum die beiden einzigen bei dem der Vater gewohnt hatte. Bei welchem!? Bei seinem Bruder namens Paul. Manchmal sagte er *euer Onkel Paul,* was richtig war, manchmal *Onkel Paul,* was nicht falsch war, und niemals *mein Onkel Paul,* was falsch gewesen wäre. Wenn er nun vom anderen Onkel Paul sprach, so sagte er *Onkel Paul* und da er ein korrekter Mann war, mit Sicherheit nie *euer Onkel Paul,* der er tatsächlich nicht gewesen ist, und wenn ich ehrlich bin, so kann ich nicht abstreiten, daß er wowas hört! und dann sagen, was ist. zum Beispiel?: wie das Lokal eigentlich aussieht.

Rottenkopf saß mit dem Rücken zur Wand und hatte das Ganze vor sich. nach links zog sich eine Schrankwand aus dunkelbraunem Holz hin, die aussah, als klebe sie. Vorsprünge, Winkel und Kamine der Wand, die einige hundert leere

möglich hin und wieder doch *mein Onkel Paul* gesagt hat. Aber erstens, wer achtet schon darauf und zweitens zumal nicht zu vermuten war, daß es zwei Onkels Paul geben könne. Rottenkopfs Onkel Paul und Rottenkopfs Vaters und Onkel Pauls Onkel Paul. Der hatte also einen Papagei und wie nun vollständigkeitshalber hinzugefügt werden muß, auch eine schöne goldene Taschenuhr, die mit Steinen besetzt war. So hat es jedenfalls geheißen und wer will das jetzt noch beweisen.

Was pflegte der nun meinem Vater zu sagen? *Junge, wenn ich mal nicht mehr bin, sollst Du meine goldene Taschenuhr haben!* Dann starb der Onkel Paul und man hörte lange Zeit nichts von ihm. Aber eines Tages klingelte es an der Tür und als man öffnete, stand seine Witwe davor. Sie trat ein, denn schließlich gehörte sie zur Verwandtschaft, sie aß und trank, und als sie sich einen Moment lang nicht belauscht fühlte, sagte sie zu Rottenkopfs Vater: *Junge, Dein Onkel Paul wollte Dir immer noch etwas zukommen lassen. Ich habe es für Dich aufgehoben.*

Mein Onkel Paul sei ein Trinker gewesen? Er hat zwar jeden Freitag versucht in Gebrüder Macks Weinstuben die Lohntüte zu versaufen – wie schon gesagt – und unter der Woche hatte er halt zum Frühstück ein paar Bier, ab Mittag zwei drei Kännchen Korn, sogenannte Pinneken, so daß beiläufig ein halber Liter zusammenkam und nach dem Abendessen noch eine Kanne Bier. Aber ein Trinker ist er seinerzeit kaum gewesen. Das kam erst später, obwohl er auch da noch nicht die Angewohn-

Flaschen beherbergte, versperrten ihm den Blick auf allerlei: die Musikbox, die Spielautomaten, den großen runden Tisch, an dem die Stammrentner sitzen und damit auf alles das, was sich üblicherweise an solchen Orten abspielt, in einer Weise die unser Interesse beanspruchen darf.

Rottenkopf hatte sein Bier und seinen Korn, hörte das Lied:

heiten eines solchen hatte. Er trank eben nur so einen knappen Liter Korn am Tag und ein paar Bier dazu. Und alles wäre gut gegangen, wenn Tante Frieda ihn nicht eines Tages hätte unter Kuratel stellen lassen. Da holten sie ihn dann von einem auf den anderen Tag ab und sperrten den Hahn zu, so daß nicht ein Tropfen mehr herauskam. Worauf Onkel Paul in Fieber verfiel und sich immer weiter entfernte, nicht viel und er wäre gestorben. Wovor ihn nur seine kräftige Natur bewahrte. Doch war er nur noch für leichte Gartenarbeiten und einfache Besorgungen zu gebrauchen, nachdem die Entziehungskur tatsächlich für geglückt erklärt werden konnte.

Was nun Rottenkopfs Vaters und Onkel Pauls Onkel Paul betrifft, so soll er bis zu seinem Tode einer Tätigkeit als Nachtwächter nachgegangen sein, ohne daß sein Leben Einschnitte aufzuweisen gehabt hätte, wie das seines Neffen Paul. Zwar wäre seine Geschichte und die seiner Mutter, sowie ihrer Tochter, seiner Schwester und Onkel Pauls und Rottenkopfs Vaters Mutter von größerem Interesse und wie einzusehen ist, nicht ohne Relevanz für Rottenkopf selbst und damit für Teile dieses Buches in dem Rottenkopf und sein Onkel Paul eine gewisse Bedeutung haben, doch soll das hier nicht von Wichtigkeit sein. Nur soviel ist zu sagen, daß die älteste der hier zitierten Ahnen im Besitz eines Mondsteins gewesen sein soll und nach Zeugenberichten die Fähigkeit gehabt hat, kommendes Unheil zu sehen und zwar mit Hilfe des Mondsteines.

wenn Du willst, verkauf den Arsch von mir, und achtete auf den Gestank, der die Kneipe wesentlich machte.

rechts von ihm ging sein Blick zur Theke hin an der Innenseite der zweischaufenstrigen Straßenfront des Lokals entlang; eine Holzwand bis in Augenhöhe, darüber ein nikotinvergilbter Vorhang aus einem netzartigen Gewebe und da-

Zurück zu Onkel Pauls Witwe, aß diese noch Kuchen und trank Kaffee, wie er in den Häusern der Frauen der Handwerksgesellen auf goldenem Boden getrunken wird, wenn Besuch da ist. Er kommt in großen Kannen auf den Tisch, wird aus großen Tassen mit viel Milch und Zucker getrunken und kann mehrfach aufgebrüht werden.

Otto, sagte sie zu meinem Vater und bat ihn gelegentlich der Abholung des fraglichen Nachlaßgegenstandes in ihrer Wohnung einige Malerarbeiten auszuführen, was dieser versprach, um die Nachlaßverwalterin nicht zu verstimmen. Er rückte also eines Tages mit Leiter und Eimer, Kreidesack und Gipsbüchse, Deckenbürste und Leim, Mischfarben und Sandpapier, außerdem mit Firnis, Terpentin, Gips, Kitt, Ringpinseln, Plattpinseln, Heizkörperpinseln und allem, was Maler gemeinhin mit sich führen, an. Wusch Decken und Oberwände ab, entfernte Tapeten, kratzte Haarrisse auf, zog Nagel und Haken aus der Wand, besserte alles aus, unterzog die Böden einer Zwischenreinigung, rührte Leimfarben an, strich Decken und Oberwände, wusch Türen und Fenster mit verdünntem Salmiakgeist, kittete Löcher und Fugen, strich alles Holzwerk einmal vor, versuchte von der Tante wenigstens einen angemessenen Beitrag zu den Materialkosten zu bekommen, was ihm aber mißlang, machte sich nichtsdestoweniger wieder an die Arbeit, indem er Materialkosten und Anschaffungswert einer goldenen Uhr miteinander verglich, – Da hast du was für's ganze Leben, hatte der Onkel verheißen – schnitt Tapeten zurecht, setzte Kleister an, strich

hinter ein großes Schaufenster; zwischen Fensterscheibe und Holzwand eine Ausstellung verschiedenartiger Schnapsflaschen, die ihren Preis auf einem Kragen um den Hals trugen. sobald sich Rottenkopf leicht anhob, sah er auf die Straße; seine Straße; reg-und-schweig-sam; wenn Du willst verkauf den . . .; wieder Kellner in braunen Jacken: heiße Brühe; das Gewirr der Stimmen weiter entfernt sitzender Gäste, die ganz

Fußböden vor und tat alles, was Leute seines Handwerks im allgemeinen tun.

Doch hatte all sein Werkeln einen Erfolg, der es bewirkte, daß dieses Ereignis oft erwähnt wird, wenn gewisse Leute über Gebrüder Macks Weinlokal *zur grünen Ente* sprechen und sich erzählen, was ihnen bekannt geworden ist im Zusammenhang mit diesem Lokal. Als alles getan war und auch aller Babel fortgeräumt stand, erhielt Rottenkopfs Vater eine Einladung zum Sonntagsnachmittagskaffee. Er ging hin, nicht ohne alles das getan zu haben, was man hierzulande darunter versteht, sich fein gemacht und sich auf den Besuch bei einer guten alte Tante vorbereitet zu haben (jedes Land hat seine Sitten). Trank vom Hausfrauenkaffee, aß vom schokoladeüberzogenen Sandkuchen, sprach von Onkel Paul, in aller Pietät, versteht sich!

Und wo wir grad von Paul sprechen, sagte die Tante, ging ans Vertiko und brachte einen etwa kaffeekannengroßen packpapierverpackten Gegenstand, *er ist ja nun tot. Ja,* sagte mein Vater und *Gott sei seiner armen Seele gnädig. – Nein,* sagte die Tante und *Wie?,* dachte mein Vater. *Ich spreche nicht von Paul,* antwortete die Tante. *Aber er wollte Dir immer etwas zukommen lassen. Wenn ich einmal nicht mehr bin, hat er zu mir gesagt, wir saßen so wie jetzt. Dann soll der Otto den Papagei haben.* Und dann erzählte die Tante, wie sie ihm versprochen habe, seinen Willen zu erfüllen. *Und nun habe ich seinen Willen erfüllt,* sagte sie.

oder teilweise hörbaren Gespräche näher sitzender Gäste und dazu die unhörbaren Geräusche der Ereignisse draußen: Autos, Straßenbahnen, Autobusse, Bierkutschen, Fußgänger, ein Streit oder eine Schlägerei.

anders am Abend oder bei Nacht. dann war die Straße ohne Bewegung und Macks Weinstuben wie eine Insel in einem toten Raum. Rottenkopf blickte hinüber zur kupfernen Theke, die senkrecht zu der von einem Windfang mit samtroter Decke durchbrochenen Fensterwand entlang lief, wo sie fast die ganze Länge des Lokals einnahm, fast bis in die Rottenkopfs Sitzort diagonal gegenüber liegende Ecke ging, wo sich die Tür zur Toilette befand.

aber so einfach kommt mein Blick nicht über die Theke
denn hier ist ein Gebirge
aus Registrierkassen und Zapfsäulen
Trinkgeldbüchsen und Behältern
zum Wärmen der Würstchen

UND VON EINER GOLDENEN UHR SEI NIE DIE REDE GEWESEN

Und da der Papagei gleich nach Onkel Pauls Tod gestorben sei, habe sie ihn ausstopfen lassen.

Und mußt nicht traurig sein, Ottel!, sagte sie noch, *auf diese Weise sparst Du viel Pflege und Futter und hast doch Deine Freude an dem Tier!*

SO EINER IST ONKEL PAUL GEWESEN, BEZIEHUNGSWEISE SEINE WITWE!

Allerdings nicht der, den man einige Jahre lang immer bei Gebrüder Macks treffen konnte.

und hinter der Theke
verwirrt sich verirrt sich der Blick
in den Greisengestalten
zweier monumentaler Gastwirte
die zapfeln und messeln
und hanteln und werkeln
die kritzeln und kasseln
die phraseln und bosseln

aber noch nicht die Herren und Damen
nicht faltige Hälse
und rotgefleckte Handrücken
erst den Raum
was sehe ich?

mein Blick im linken Winkelpunkt
fährt um die Ecke
eine Wand entlang die aus Fässern
mit hölzernen Zapfhähnen besteht
und links unmittelbar grenzend
an die Linie senkrecht
durch den Punkt der meinem Auge gegenüber liegt
ist eine Tür aus Spiegelglas in der ich mir
mich spiegelnd gegenüber sitze um
vor dort her das Lokal zu überblicken das
sich von hier aus in der Glastür spiegelt

und zwischen mir wie hier und dort
am Fenster durch das ohne Laut die Straße dringt
und in der Tür aus der es stöhnt
so wie zuweilen auf dem Clo die Rentner stöhnen
und urinierend mit sich selber reden

stehen kleine runde Tische
mit gußeisernen verschnörkelten Füßen
und Stühle, die fast schwarz sind

mit hohen runden Lehnen aus Rohr
und an den Tischen sitzen: Rentner
ein paar Penner
mal eine Fohse   Nutte   Tille
(wie man's nennen will)
zuweilen eine Tunte
hin ein junger Mann vor einem schnellen Bier
und wieder mal ein Mädchen
das im Siphon Malzbier holen soll
und ich und du auf dieser Seite
Du und Ich da drüben:

Das Lokal war immer voll.

die alten Leute im Lokal, die gegenüber jüngeren Gästen in der Überzahl waren und ständig hier zu verkehren schienen, kannten einander offenbar alle. Rottenkopf sah sie sich an, wie sie beieinander saßen, ohne sich viel um die anderen Gäste zu kümmern: zu zweit, zu dritt, zu viert an einem Tisch; zwei Männer eine Frau, zwei Frauen ein Mann, zwei Frauen zwei Männer, drei Frauen ein Mann und so weiter. die Herren in Anzügen nicht ganz nach dem neuesten Schnitt, mit dunklen, einfarbigen oder karierten Hemden, zu denen sie dunkle Schlipse trugen; die Damen in gewissermaßen recht formlosen kleidähnlichen Bekleidungen: Kleidern und Strickjacken, Röcken und Blusen oder Pullovern, die ihre schweren, tief durchhängenden Brüste nachzeichneten. einige tanzten. zwei Damen für sich, ein Herr und eine Dame, eine Dame allein, ein Herr allein. einige gingen umher, legten Sitzenden eine Hand auf die Schulter und setzten sich neben sie, legten eine Hand aufs Knie und versuchten langsam höher zu kommen, bis sie fortgejagt oder herbeigerufen wurden.

Rottenkopf dachte: was die miteinander haben, sind eigentlich richtige Techtelmechtel. er erinnerte sich all der aufregenden Querverbindungen zwischen Jungen und Mädchen, die es in der Schule gegeben hatte. es ist im Grunde genommen das Gleiche, sagte er sich. ihm fiel ein Lied ein, das den eigenartigen Refrain hatte: man steigt nach, man steigt nach. wenn ich daran denke, was wir in der Schule für Spiele hatten, dachte er. zum Beispiel: Bauern bringen ihre Stuten zum Decken; das spielten wir hinter einem großen Schuppen am Rande des Schulhofes; oder wenn ich an die Onkel Doktors denke: hatte nicht jedes zweite Mädchen seinen Onkel Doktor der dafür verantworlich war, daß bei ihm auch alles in Ordnung ging? bei dem es hinter Ladentisch oder Theke, in Wohnzimmer, Schuppen oder Stall behandelt wurde? verdiente sich nicht beinahe jeder Junge immer wieder einmal zwei oder drei Zigaretten bei einem der älteren Männer, von denen man im Bahnhofspissoir angesprochen werden konnte? er dachte: ob auf dem Strohschober oder im Schafstall, nach dem Baden im Kornfeld oder auch nur im Holzschuppen – wir hatten eigentlich schon ein richtiges Liebesleben; nicht erst seit wir achtzehn oder einundzwanzig waren, und davor kam noch das Onanieren. warum sollen alte Leute davon ausgenommen sein, nur weil sie stark auf die siebenzig gehen? weiß Gott, daß ich nie daran gedacht habe: warum sollen alte Leute kein Liebesleben haben? ich meine:

Finger auf der Haut
Lippen am Hals
Hand auf der Brust
sei sie nun faltig oder straff

Schenkel an Schenkel
rechter Hüftknochen an linkem
linker Hüftknochen an rechtem
zum Beispiel beim Tanzen oder sonstwie

zum Beispiel nahe heran treten und so tun
als müsse dieses und jenes vertraulich ins Öhrchen
gesagt sein:

komm mein Schatz
ich mach Dir was ins Öhrchen
wie Frantek gesagt haben könnte

ferner: Knie am Po
Kopf an der Wange oder im Schoß
und den Blick ängstlich im Auge des anderen

- warum soll das der Zeit zwischen vierzehn und
sechzig vorbehalten sein?

er begann die Rentner im Lokal in seine Vorstellung mit einzubeziehen. man sollte sie sich alle einmal nackend vorstellen, dachte er. er versuchte es, nahm sich einen heraus und stellte ihn sich nackend vor. als er den dritten und die vierte ausgezogen hatte, waren die beiden ersten wieder bekleidet. er dachte: so geht es nicht; ich muß es mit einer bestimmten Frau und mit einem bestimmten Mann versuchen; aber mit wem? er sagte: wie wär's mit Frau Geringer?, widerlegte sich gleich selbst: aber nicht doch!, beantwortete auch diese Frage: wer den Namen Geringer hört, stellt sich auch Frantek vor; und machte sich schließlich das Zugeständnis: warum nicht?! warum nicht Frantek?! warum nicht Frantek und Frau Geringer, die im Rentnerpuff eine kleine Schau machen, während die anderen zusehen, sich die Lippen ablecken und die Hände reiben, mit ihren Hintern aufgeregt über die Sitzfläche ihrer Stühle wetzen und sich in Gedanken vorstellen, sie wären an Franteks Stelle mit der großbusigen, breitärschigen Frau Geringer, die noch ganz schön beieinander ist und die Sachen auch lieber davor als daneben bekommt? warum nicht Frantek, während die anderen dabeisitzen, in die Hände klatschen und dem jungen Paar aufmunternd zurufen:

heissa Kathreinerle!
hussa Du alte Sau?!

oder zu singen beginnen:

oh Susemiel oh Susemiel
was Du da zeigst das ist nicht viel
wir wollen alles sehen!

und Verse reimen:

greif hier mal hin
greif da mal hin
greif auch mal
in die Mitte rin

und:

ihr Arsch hat einen Nachbar
bei dem ist mir so wohl
bei dem ich gestern nacht war
mit Wurst und Sauerkohl

Frantek in der Mitte des Lokals stehend, legte Jackett und Weste ab. man sah nun, daß er ein schwarzgestreiftes, blaues Hemd trug, das nur an Halsausschnitt, Kragen und Manschetten weiß war. sein Schlips war dunkelrot, nach alter Art gebunden, mit Schmutz und Schwarzem drin. der Hosenbund stand, nach außen gewölbt wie der Trichter einer Trompete, vom Bauch ab und ließ so für eine dunkelgrau behaarte Hand ausreichend Platz, tief hinein zu greifen. ein Paar Hosenträger aus breitem gelbem Gummizug, den ein dunkler Streifen senkrecht musterte, das durch eine metallene Schnalle verstellbar war und vorn und hinten in lederne Nippel auslief, durch die es an die Hose geknüpft wurde, hielt seine Beinkleidung nach oben gezogen, hinten höher als vorn. er streifte nun die Träger über die Arme, öffnete die Hose vorn und ließ sie fallen. doch fiel sie nicht eigentlich, sondern glitt mehr in Ringelringeln ziehharmonikaartig in sich zusammen, bis sie, Hosentaschenfutter und braunen Flecken an der Hosenbodennaht nach außen kehrend, zwischen Wade und Knie, in Knöchelhöhe etwa liegen blieb. dann machte er einen Schritt zur Seite, strampelte mit dem Fuß, wurde so das eine Hosenbein los, machte einen Schritt nach der anderen Seite hin, strampelte wieder und stand nun in den langen, graugeteerten, ausgebeulten Herrenunterhosen da, die jeder kennt; unten in dicken wollenen Socken, die von einem Gummiband gehalten werden, das oberhalb der Wade befestigt ist und noch weiter unten in sogenannten hohen Schuhen mit vielen Schnürbandlöchern und einer Schlaufe an der Ferse; über den Graugeteerten aber hing noch das außerordentlich lange Oberhemd und schaute unter der grauen Weste hervor, wie ein zu kurz geratenes Kleidchen.

was kommt nun aus dem Schuh?
die Poesie des Schweißes aller Füße dieser Stadt!
Erinnerung an überfüllte Obdachlosenheime
Erinnerung an das Bewußtsein
wenn wir zu viert auf einem Bette liegend
Schnaps und Bier
bis einer sich die Schuhe auszog
und der Schrecken zeigte was er ist:

die Poesie zerlumpter Strümpfe
oder graumelierter Füße
in der dunklen Einsamkeit der Schuhe!

nun fing auch Frau Geringer an. (Frau Geringer trug immer ein ganz dunkelblau im Hintergrund ganz dunkelblau getöntes Kleid mit Blumen drauf, so daß nicht eigentlich ersichtlich war, ob Blumen auf dem Kleide sind, ob nicht.) Frau Geringer trug ein dunkelblau, geblümtgetöntes Kleid, so blau wie schwarz am Abend, das allerdings kein Kleid war. es kleidete sie zwar, jedoch nicht als Kleid. es hing an ihr, wie es die Kleider älterer Damen häufig tun.

zuerst ließ sie sich von Frantek die Knöpfe auf dem Rücken aufknöpfen. dann schlüpfte sie aus den Ärmeln, so daß ihr das Oberteil des Kleides um die Hüften hing. oben herum wurde ein Unterrock in schönstem Wäscheblau sichtbar, der vor der Brust etwas Spitze trug. zuletzt öffnete sie einen Reißverschluß, den das Kleid an der Seite hatte, klatschte in die Hände, hüpfte zur Seite und hatte nun neben sich ein Häufchen dunkelblaugetöntgeblümten Stoff liegen.

und so geht's weiter: sie klatscht in die Hände, macht einige tanzende Bewegungen, faßt sich hier mal hin und da mal hin, wie sie meint, daß man es macht und singt dazu ein Lied, das Frantek sie gelehrt hat:

greif hier mal hin, greif da mal hin, greif auch mal
in die Mitte rin!,

der immer noch inmitten des Raumes steht, sich drehend wie ein blinder Lahmer durch den tabakblauen Abstand tappt der sie beide trennt, auf sie zukommt, die Arme nach vorn streckt und nun der Geringer begegnet, die ihre Hände über dem Kopf zusammenfaßt, sie wieder sinken läßt, nun Frantek begegnet und ihn faßt:

SIE TANZEN BEIDE!

241

Sebastian Rottenkopf wird Zeuge der Pißverhaltung eines Herren aus Nimptsch in Niederschlesien, verschließt die Augen vor der Begegnung zweier Damen, sucht die Toilette auf, um dort Wasser zu lassen, hat ein Gespräch mit einer älteren Dame, erlebt die Fortsetzung der Begegnung zwischen Frau Geringer und Frantek und verläßt die «Grüne Ente» der Gebrüder Macks.

ich sitze still bei Gebrüder Macks mir gegenüber
in der Spiegelglasclotür
sitze still und trinke mein Bier
kein Gedanke trübt die wassergleiche Stille
still
die Nase in den Wurstgeruch erhoben
dieser zinkblechfarbene Würstchenwärmekasten
auf der Theke stinkt gewaltig aus dem Maul
nach Würstchen
ich sitze unverwandelt unverwandelbar
die Augen auf
die Nase auf
die Finger weit gespreizt
und in mein Ohr fällt ein Spruch
wie Frantek ihn gesprochen haben könnte:

er geht in's Lokal rein
und spielt mit dem Hund
er trinkt seinen Branntwein
und fühlt sich gesund

was gehört wird
muß ergänzt werden
wie alles was wir wahrnehmen
deshalb sage ich:

wer so spricht hält den Finger an die Nase

die Nase zwischen die Lippen einer Vierzehnjährigen
die Hand einer Vierzehnjährigen zwischen
seinen Schenkeln

woraus man
in umgekehrter Folge
erkennen kann:

Gebrüder Macks
sind Teil eines fortgesetzten Ereignisses
das durch alle Wahrnehmungsmöglichkeiten
erfahren werden muß
zum Beispiel:

sehen
hören
riechen
fühlen
schmecken
denken
träumen
phantasieren
sich erinnern
Assoziationen schaffen
und sich etwas vor sich stellen
neben sich und hinter sich und
über sich und unter sich
wo
Platz
ist!

Rottenkopf saß in seiner Ecke und dachte:
dieses Clo riecht aus dem Hosenschlitz
wie sieben Araber im Sommer.

der Geruch pumpte sich auf und reicherte sich an mit dem

Duft der bonbonfarbenen Pillen in den Pissoirs, bei deren Anblick er stets die Versuchung bekämpfen mußte, sie zu lutschen, und drückte dann von Innen her die Spiegelglasclotür einen Spalt breit auf, um ins Lokal zu kommen; zwar nicht bis zu ihm, doch bis zu seinem folgsamen Gegenüber, das durch die Öffnung der Tür ein wenig verzerrt erschien. Rottenkopf dachte: wenn nur einer Clo sagt, dann weiß ich schon Bescheid; dann habe ich den geöffneten Hosenlatz und die Bonbons im Porzellan; da brauche ich nicht hinzugehen, das wüßte ich, selbst wenn ich nie dort gewesen wäre. er kam auf die Rentner im Lokal zu sprechen. *was freilich ihr vorgestelltes Liebesleben für Unsereinen so unerfreulich macht,* dachte er, *ist, daß sie in Gedanken und Gesprächen Sujets wie die Verdauung, den Stuhlgang, die verschiedenen Arten von Krankheiten, sowie deren unsachgemäße Behandlung vor allem durch Ärzte so lieben, wodurch der Kreis peinlicher Lebensäußerungen, der sich in unserem Alter, einige Jungfrauen ausgenommen, die sich vorm Scheißen fürchten, auf Sexualität und verschiedene Kategorien von Würmern beschränkt, bei jenen erheblich ausgeweitet worden ist.*

es fiel ihm zum Beispiel ein Alter bei, den er anläßlich seines letzten Krankenhausaufenthaltes links von sich im Bett angetroffen hatte, und der nicht nur alle paar Minuten in ein Deckeltöpfchen zu rotzen pflegte und ihm anschließend den Rotz zeigte, sondern sich auch des längeren über irgendeine Pißverhaltung verbreitet hatte, von der er wer weiß wann einmal betroffen worden war, er berichtete zunächst von der unerwarteten Verstopfung seiner Herrenröhre als solcher und fügte hinzu, daß sie ihn davon abgehalten hatte, zur abendlichen Schichtarbeit zu gehen. dann erzählte er von einem gewissen Bärentraubenblättertee, der sich möglicherweise mit Doppel-ee geschrieben hatte, und vergaß nicht sein Verhältnis zu jener Dame zu erläutern, die ihm den Tee zubereitet hatte; sie war zunächst mit seinem Bruder verheiratet gewesen und hatte sich erst nach dessen Tod ihm zugewandt, allerdings, ohne ihn zu heiraten, um nicht ihrer Rente verlustig zu gehen, und führte ihm nun den Haushalt, wie er es nannte. dieser Bä- oder Beerentraubenblättertee also hatte den Druck auf seiner Blase noch verstärkt, so daß bald immer unerträglicher werdende Schmerzen eintraten, die den Ruf nach der Feuerwehr auslösten; diese kam auch bald und transportierte den Herrn aus Nimptsch, der viel von Frantek hatte und auch Vandsburg am Rudener Fluß kannte, während Frantek oft von Nimptsch, das heute in Polen liegt, erzählt hatte, ins Krankenhaus, wo man ein Stäbchen vorn ins Glied einführte, mit dem ein Blasenstein beiseite gedrückt wurde, der sich Innen vor die Herrenröhre gesetzt hatte, bis das Wasser abgelaufen war. schließlich war noch von einem stabähnlichen Apparat die Rede, der ebenfalls durch das Glied eingeführt wurde und mithilfe einer winzigen Zange, die sich an seiner Spitze befand, den Blasenstein Stück für Stück zerkleinerte, bis er ihm ohne weiteres abging.

Rottenkopf, der nun das ganze Problem tiefer gehend bedachte, kam darauf, daß man wohl auch berücksichtigen müsse, ob und in welchem Umfange sich das Liebeserlebnis älterer Leute mehr als das seiner Altersgenossen auf das Optische reduziert haben mochte. so erinnerte er, daß Frantek täglich mehrere Nachtstunden damit verbracht hatte, aus dunklen Räumen heraus die ehelichen Begebenheiten eines etwa fünfzigjährigen Paares im Nachbarhäuschen zu beobachten, die sich, seiner Erzählung zufolge, im beleuchteten Wohnzimmer der Nachbarn abgespielt haben sollen, wo sie, wie er behauptete, durch ein zwar kleines, dafür aber nicht verhängtes Fenster zu einem gewissen Teil gut zu sehen gewesen seien. Rottenkopf erinnerte auch, daß Frantek diesem Bericht häufig eine Erzählung anfügte, der zufolge er vor Jahren in einem Kölner Hinterhaus ein etwa siebzehnjähriges Mädchen dabei beobachtet hatte, wie es sich mit einem Rasierapparat am ganzen Körper, auch an Armen und Beinen, seinen erheblichen schwarzen Haarwuchs abrasierte. Rottenkopf begann sein Gedächtnis nach weiteren Ereignissen ähnlicher Art abzusuchen, kam jedoch mit seiner Erinnerung nicht recht zu Rande, weil plötzlich zwei Damen, die zwei Tische weiter saßen, meinten, sein Interesse beanspruchen zu dürfen.

zwei Tische weiter saßen zwei Damen und beanspruchten Rottenkopfs Interesse. eine große stattliche Dame mit Pelzjacke von etwa sechzig und eine kleine zierliche in einem roten Dirndlkleid von etwa fünfzig. sie tranken blauen Likör, den die große, ältere mit rauher, tiefer Stimme bestellte. Rottenkopf sagte sich: wenn ich genauer hinsehen würde, könnte ich wissen, daß sie außer der männlichen Kutscherstimme auch männliche Gesichtszüge hat, die durch ihr langes, gewelltes Haar weiblich wirken, daß ihre Bewegungen an einem Mann weibisch wären, jedoch an einer Frau männlich sind, und daß ihr Oberkörper, den eine weiße, weite Bluse mit Rüschen vor dem Hals umgibt, hart und grob zu sein scheint.

die beiden Damen begannen nun ihr Wesen zu verändern, indem sie ein Lied sangen, das Frantek sie gelehrt haben könnte, nachdem sie eine gewisse Menge blauen Likörs getrunken hatten. sie sangen:

komm mein Schatz
wir trinken ein Likörchen
komm mein Schatz
ich mach Dir was ins Öhrchen

danach begannen sie zu tanzen, veränderten sich also zum zweiten Male und mit sich das ganze Lokal; getreu dem Lehrsatz des Breton. Rottenkopf, der zwar höflich blieb und nicht hinschaute, wußte dennoch, wie die Dinge sich verhielten. die große stattliche Frau hatte vor Jahren die Veranlagung gehabt, nicht Frau zu werden, sondern Mann zu bleiben. nun aber trug sie Frauenkleider schon so lange sie denken konnte, hatte nur Freundinnen, ging zum Pinkeln aufs Damenclo und was Rottenkopf nicht wußte, hätte ich ihm sagen können:

selbst wenn niemand abstreiten wollte, daß sie ein Mann ist, der Frauenkleider trägt so lange sie denken kann und sich immer als Frau gefühlt hat, dann besteht doch die Möglichkeit, daß sie sich eines Tages bei der Begegnung mit einer Frau als Frau fühlen wird, die sich als Mann fühlt; denn wenn die Möglichkeit besteht, daß sich eine Frau durch die Begegnung mit einer Frau als Mann fühlt – was niemand abstreiten wird – dann muß diese Verwandlung auch einer Frau gestattet sein, die anfangs wie ein Mann gewesen ist. Rottenkopf dachte: die Frau als Mann als Frau als Mann würde sich auch nach dieser Begegnung, möglicherweise aus Gewohnheit, ihrer Freundinnen wegen oder auch nur, weil die unerwartete Begegnung mit einer Frau im roten Dirndl ihre Vorliebe für Frauenkleider nicht beseitigt hatte, wie eine Frau kleiden, die Damentoilette benutzen und Likör trinken, den sie sich und ihrer Begleiterin mit männlich rauher Stimme bestellen würde. das alles brauchte die Möglichkeit nicht auszuschließen, daß die dreiköpfige Frau (als Mann als Frau als Mann) und ihre zierliche Begleiterin ein fast ganz gewöhnliches Ehepaar sind, wie es allenthalben anzutreffen ist.

ich meine: sie sitzt mit ihr am Tisch, trinkt mit ihr Likör, singt mit ihr ein Lied, das Frantek sie gelehrt haben könnte und tanzt mit ihr; und sie bringt ihr das Frühstück ans Bett, räumt die Wohnung auf, geht einholen, kocht das Mittagessen und schläft abends mit ihr im großen ehelichen Doppelbett zu dessen beiden Seiten je ein Nachttisch steht.

da liegen sie dann, halten die Hände auf der Bettdecke gefaltet und wenn sie zum Plafond mit den Stuckrosen sehen, so sagen sie:

nun sind wir schon seit sieben Jahren verheiratet.
und sie antworten:

ja, und noch immer glücklich.
und nach einer Pause fügen sie hinzu:

wie die Zeit vergeht!?

die beiden Damen hatten Rottenkopf aus seinem Interesse für sie entlassen. ehe er sich dem Liebesleben älterer Leute wieder zuwenden konnte, verspürte er aber ein Bedürfnis. er hatte sagen wollen: zwar muß man die Abwege, Nebenwege, Querverbindungen, Anomalien und wie immer man derlei auch nennen will, in jedem Fall berücksichtigen. doch wollte man nach der weiblichsten Frau suchen, so müßte man wohl zu den Männern gehen und suchte man den männlichsten Mann, so fände man sicher eine Frau. *wir Männer sind die besten Frauen der Welt*, hatte er denken wollen und damit zeigen, wie wenig es hilft festzustellen, daß die meisten Frauen Frauen sind und die meisten Männer Männer. dann hatte er sich die unglaublichen Anstrengungen ins Gedächtnis rufen wollen, die viele ältere Leute unternehmen mußten, um wenigstens insoweit noch jung zu sein; die Fälle von Selbststrangulation und Erstickungstod zum Beispiel, die alle auf die besonderen Manipulationen zurückgingen, die manch einer vornehmen mußte, wenn er sich noch einmal wie zwanzig fühlen wollte. *man müßte noch mal zwanzig sein*, pflegte Frantek zu sagen, wenn er das welke Blatt in seiner Hand beim Urinieren betrachtete.

das alles und viel mehr hatte Rottenkopf sagen wollen. statt dessen sagte er: hier sitze ich.

hier sitze ich
wo die blassen Wände dicht herantreten
und habe meine Hosen um die Waden

und spüre ein Gefühl
das auf mich zutritt
und sagt:

erinnern Sie sich!

da beginne ich mich zu erinnern
was ich vor wenigen Augenblicken
im Lokal gesehen gehört und gerochen habe
und vergesse gleich
wie es nun eigentlich und genau gewesen ist
beginne aber statt dessen
dieses und jenes hinzuzuspinnen
vergesse vieles und schaffe mir so
ein merkwürdiges unzusammenhängendes Bild
aus Elementen die nicht zusammenzugehören scheinen
aus denen
meine nun immer lückenhafter werdende Erinnerung
immer größere Zwischenstücke fallen läßt
so daß das Bild immer unverständlicher wird

zugleich höre ich
im Kühlen sitzend
(kühl am Po und warm im Kopf)
Musik

von Ferne kommt Musik in meine Ohren
sie kommt leise
und ohne die Möglichkeit zu sagen
das kommt von da und da
oder hier und dort

Musik wie:
speedy gonzales
oder
ya ya

oder
ich schau den weißen Wolken nach

aber leise
mit Abstand
wie eine Schallplatte auf dem Plattenspieler
wenn der Lautsprecher abgestellt ist
wie eine Katze die offensichtlich spricht
ohne daß jemand sie hört
wie die Ratten und Mäuse im Ohr
wenn ich nachts nicht einschlafen kann

bis ich meinen Hintern etwas anlupfe
an der Kette ziehe
und während des Ankleidens nichts höre
als zuerst einmal das Wasser
wie es in das Becken fällt
und dann das Rauschen
wenn sich das Reservoir füllt.

Rottenkopf hatte Bekanntschaft mit einer älteren Dame geschlossen. sie sagte: *ich habe ja auch einen kleinen Neffen gehabt,* obwohl Rottenkopf nicht von einem Neffen, sondern von seinem fünfeinviertel Jahre alten Sohn gesprochen hatte, er wunderte sich über ihren sehr großen Busen, der so fest geschnürt war, daß er weit und fest von ihrem Oberkörper abstand und obenauf eine ausgedehnte Fläche von geringer Neigung bildete. sie pflegte die Ebene von Zeit zu Zeit mit der flachen Hand abzukehren, wenn Krümel des Brötchens, das sie zu einer sogenannten Bockwurst aß, auf ihr liegen geblieben waren. *ach meine arme Schwester,* sagte sie, *die die Mutter des Kindchens gewesen ist; siebenundfünfzig Jahre alt wäre sie dieser Tage geworden. die Schwester?,* dachte Rottenkopf. *nein, das Kindchen,* dachte die Dame und entfernte etwas Senf von der Landefläche. *es soll mißgestaltet gewesen sein,* sagte sie, *aber man weiß nichts genaues. ach,* sagte Rottenkopf. *ja,* sagte die Dame, *außer meiner Schwester und dem Arzt hat es nie jemand zu sehen bekommen; es soll eine Art Kalbskopf gehabt haben und Klauen an Händen und Füßen.*

Rottenkopf erinnerte sich eines Kinderspielzeuges, eines meist sechskantigen, sich verjüngenden Rohres, in dessen Innerem sich bunte Glasstücke in Spiegeln spiegelten und zu einem Ornament fanden, jedesmal wenn man das Spielzeug schüttelte. *da haben wir es also wieder,* dachte er, *dieses Zauberwerkzeug von Parmigianino über Proust zu Borges. wir halten es ans Ohr und hören, was eine alte Frau vom frühverstorbenen Kind ihrer Schwester erzählt.*

die Dame hatte Berlin inzwischen verlassen, wie es schien über den schlesischen Bahnhof, hatte offenbar auch schon die Oder überquert, sprach noch von Frankfurt, nannte aber auch schon Schneidemühl, erzählte von regenverhangenen Feldern auf denen das noch grüne aber schon hoch stehende Getreide flach gewalzt am Boden lag, kam auf die Abreise und die ihr vorausgehenden Ereignisse zu sprechen, auf die Nachricht vom Tode des Kindes im fernen Ostpreußen, die Reaktion der Mutter im nahen Rixdorf, das heute unter dem Namen Neukölln bekannt ist, sprach vom Segen des Todes für so ein bedauernswertes Wesen, von Schwierigkeiten, die der örtliche strenggläubig-lutherische Pfarrer hinsichtlich der Beerdigung gemacht hatte, weil er von der eigenartigen Mißgestalt des Kindes auf religiöse Verfehlungen der Mutter – Succubus oder Incubus – oder sonstige innige Beziehungen des Kindes zu den Teuflischen meinte schließen zu können und fügte noch hinzu: *heute hört man ja andauernd von Mißgeburten, aber damals war das eben noch anders.*

Rottenkopf dachte:

wer wollte das bewahrheiten?
wer wünschte so etwas zu glauben?
wer möchte dafür zu Felde ziehen?
wer könnte es wagen
über irgend etwas Aufklärung zu erbitten?
wer bin ich denn?
was kann ich denn geben?
ein Netz das ich auswerfe
was mir begegnet stelle ich mir vor
was in der Welt ist sehe ich mir an
alles was tönt habe ich im Ohr
einen Teil dessen was stinkt kann ich riechen
etwas kitzelt mein Ohr etwas kratzt mich am Rücken
etwas fährt mir ins Hosenbein bis nach oben
eins habe ich im Haar eines finde ich in meiner
rechten Westentasche
und selbst wenn ich schreie:

habe ich doch nur den Erfolg, daß mir der älteste Schankdiener, ein gewisser Herr Heil (9), noch ein Halbes bringt und einen doppelten Klaren.

was will ich da machen; da muß ich noch bleiben;
aber helfen kann ich niemandem.

so wie er sitzt, sitzt er und noch lange. von allem, was sich ereignet, bleibt etwas unvergessen. für ihn, für mich, für die

(9) ich kannte einst einen Trompeter namens Heil! er war Geiger in einem Kaffeehaus. ihm zur Seite spielten ein Cello und ein Klavier. man sah es den Herren noch an, daß sie einstmals als vermutete Wunderkinder ihres Instruments und nachmalige eventuelle Virtuosen Wunsch und Traum ihrer gut bürgerlichen, womöglich sogar beamteten Eltern gewesen waren. ihre Hände zeichneten sich durch jene feingliedrige Blässe aus, die den

Zeit, für den Ort. der Geruch der Destille – eine jahrzehntealte Mischung aus warmem Bier, kaltem Rauch und dem Mief alter Leute (wie eine jahrzehntealte Mischung aus Mottenkugeln, Zigarrenrauch, Kohlsuppe, Pisse, ungewaschenen Hintern, braunen Zähnen, ranzigem Speck, verstaubten Gardinen, Dreckecken in den Ohren, Nachtgeschirr im Haar).

Nagel in der Wand scheut, und ihren Gesichtern und den Überbleibseln ihrer Frisuren sah man noch an, daß sie vor langem in Konservatoriumszeiten geeignet gewesen waren, heraufziehenden Künstlerruhm vorweg zu nehmen. doch konnte man sicher sein, daß heute musikalische Fragen keinen Raum mehr beanspruchten, wenn sie in den Pausen, die sie während ihres Spieles häufig einlegten, in einem Nebengelaß bei einem Glas Bier saßen. auch begegneten sie Serviererinnen und Kellnern, Garderobieren, Buffetfräuleins und selbst dem letzten Mann, oben im weiträumigen, gekachelten und mehrfach unterteilten Toilettenraum, mit kollegialer Hochachtung.

das Kaffeehaus in dem sie spielten war das einzige am Boulevard, das sich in einem vom Kriege nicht ganz zerstörten, sondern nur beschädigten Hause befand und sich so sein bis auf die Anfänge unseres Jahrhunderts zurückreichendes Interieur bewahrt hatte. doch hätte seine glanzvolle Innenausstattung kaum die antiquarische Sammelwut bis dahin wie man so sagt niedrig gestellter Bevölkerungskreise überlebt, die sich in April- und Maitagen des Jahres 1945 so recht deutlich zeigte, wäre nicht bis in die letzten Kriegstage hinein das Kaffee Nachrichtenzentrale der den Endkampf mit Interesse beobachtenden internationalen Kriegsberichterstatter gewesen. anderes kam hinzu: die militärische Führung hatte sich in einigen Persönlichkeiten bis zum Schluß Teile der an Dutzenden europäischer Kriege erwachsenen soldatischen Traditionen bewahrt und teilte somit nicht die Auffassung der politischen Führung, dem Ver-

diese Mischung gemischt mit anderen Mischungen – bis er zum Schluß, wenn ich das Lokal verlasse, den Geruch in allen Knopflöchern, Arschlöchern, Nasenlöchern, Löcherlöchern hat; den Geruch der sich sanft und wohlbegehrt auf Gaumen, Zunge, Lippen, Mandeln, Bronchien, Schilddrüse, Iris, Augenlid und Wimpern gelegt hat – da lecke ich noch, da schmeckt er noch dran, und das, wenn ich schon lange weitergehe.

lust des Krieges habe das Ableben aller Deutschen zu folgen und erst recht natürlich aller ihrer militärischen und politischen Führer. die den Endkampf dennoch mit unverminderten Bemühungen bestreitenden militärischen Führer konnten mithin gewiß sein, von ihren Gegnern mit einem Rest an soldatischer Hochachtung empfangen zu werden, wozu außer gewissen Zeremonien bei der Gefangennahme und selbstverständlich besserer Kost und angemessenerem Logis, auch die Unterschrift unter rein formelle Kapitulationserklärungen, die Bestätigung der Übergabe von Mannschaften und Material und nicht zuletzt die Übergabe von Kommando- und Staatsgewalt im betroffenen Gebiet gehörten – alles Akte, deren Mittelpunkt, alter Tradition gemäß, ein feierliches Bankett der einstigen Gegner bildete. hier konnten sich die Kombattanten über kaum verflossene Begegnungen unterhalten und sich so auf die Gegnerschaft von morgen vorbereiten, denn verlorene Kriege schaffen bekanntlich Kriege. man konnte nun billig erfahren, wie stark oder schwach der Gegner bei diesem oder jenem Scharmützel gewesen war und verglich die Auskunft mit eigenen nachrichtendienstlichen Erhebungen. man konnte sich darin einig sein, daß dieser Krieg, dessen Helden natürlich allseits für immer unsterblich sein würden, die Verluste einmal dahingestellt, einem jeden Gelegenheit gegeben hatte, strategische Vorsätze und Gegebenheiten einmal nicht in der Unzulänglichkeit des generalstablichen Sandkastens durchzuexerzieren, sondern am lebenden Objekt zu erproben, wofür man ihn nach Jahren noch und wieder würde loben müssen. kaum vorbei bestand der Krieg doch darauf, daß er viele

ja, es ist Zeit; wir wollen weitergehen. der im Spiegel da drüben und ich in meiner Ecke. wir suchen uns noch jeder einen Rentner aus, nehmen uns noch jeder einen Rentner mit nach Hause und gehen. Du nimmst den mit dem dicken, roten Finger, nach dem die Frauen so wild sind. ich nehme den mit dem Grützebeutel am Hinterkopf. ich nehme den, der hinter seinem Rücken mit Faust und Zeigefinger immer onanieren spielt.

nützliche Erfahrungen zugelassen habe, was sich heute darin ausdrückt, daß in gewissen Kreisen jeder zweite Satz mit den Worten beginnt: *die Erfahrungen des letzten Krieges lehren uns, daß.*

diesem feierlichen Bankett, zu dem nach zwölf auch Damen zugelassen zu werden pflegen, hatte die deutsche militärische Führung noch vor Kriegsende das Kaffeehaus reserviert, in dem Herr Heil nun Geige spielte und sie hatte nicht nur durch Aufstellen von Wachen dafür Sorge getragen, daß sich die einheimische Bevölkerung nicht an der Inneneinrichtung vergriff, sondern auch die sowjetische Armeeführung auf das wirklich schöne Kaffee hingewiesen und seinen vorausgesehenen Zweck am Kapitulationstag erwähnt. die russische Armeeführung wiederum hatte sich schon seit einigen Tagen in Sorge darüber befunden, wo sie, möglichst in repräsentativer Lage, ein ihrem Generalstab entsprechendes Etablissement als Casino finden würde, nachdem die Stadt bereits weitgehend devastiert war. der Hinweis auf das fragliche Kaffeehaus kam ihr deshalb sehr gelegen, sie schonte das entsprechende Objekt in den letzten Tagen, was sie vertreten konnte, da außer ihm ohnehin nichts mehr in diesem Gebiet zu zerstören gewesen wäre und hielt nach den Kapitulationsfeierlichkeiten die Räume noch bis weit über den Einzug der Amerikaner in diesem Stadtteil inne.

nun ist es nicht erforderlich, das Haus zu beschreiben, man sieht schon den großen Lüster unter der Decke des vorderen,

ich nehme den mit der fortschreitenden Räude
ich nehme den mit den Eitertränen
ich den ohne Nase
ich den
Du den   ich den
ich diese
du jene

kleineren Raumes und die beiden noch gewaltigeren im Saal zu dem geschwungene marmorne Stufen mit ebensolchen Geländern hinabführen, sieht die Spiegel an den Wänden, die Portieren vor den Durchgängen, die Lampen an den Säulen, ahnt das Hochherrschaftliche der Toilettenräume, Pinkel-, Closett- und Handwaschbecken mit Girlanden und Blumen verziert, Kacheln gemustert, und glaubt auch, daß bis weit in die zwanziger Jahre hinein in den oberen Räumlichkeiten, in denen heute Handlungsgehilfen mit Friseusen tanzen, sich Séparées befunden haben, die die Russen, ohne diese frühere Bestimmung des Raumes zu riechen, sofort wieder einrichten ließen. aber es ist wohl auch nicht ratsam, das Haus detaillierter zu beschreiben, da sich sonst womöglich wieder Kritiker von Ungenauigkeiten der Geschichtserzählung zu Worte melden würden, wo es auf dies doch gar nicht ankommt.

nehmen wir lieber Herrn Heil. auf ihn trat ein Offizier zu, als er am Tage der Kapitulation aus einem Kanalisationsrohr kroch und sich fragte, ob sich die rote Armee nach allem, was ihr zugefügt worden war, wohl noch an die Genfer Konvention halten würde. der Offizier sah sauber aus und freundlich und fragte Herrn Heil, ob er Geige spielen könne. nun war es Herr Heil gewohnt, daß einer bejahenden Antwort auf eine solche Frage der Befehl zu folgen pflegte irgendeine höchst unangenehme Aufgabe auszuführen. deshalb antwortete er, die deutsche Wehrmacht habe ihn vor Jahren als Trompeter für eine Militärkapelle engagiert, doch habe er seit fast zwei Jahren nur noch

alle diese
solche jene
alle nehmen einen keinen meinen deinen kleinen

nun hat der Gastrat schon die Tür verschlossen. es ist Mitternacht Herr Rottenkopf. nur die ältesten Stammrentner sind noch da. die Musikbox spielt *oh du fröhliche* oder *teure Hei-*

an sogenannten Kampfhandlungen teilgenommen, die, wie er sich selbst sagen mußte, eigentlich mehr ein Massenschlachten gewesen waren, und er habe die Geige nur im Nebenfach gehabt. nun, gut, ob er sich wenigstens zutraue, jetzt Geige zu spielen, wurde er gefragt. Herr Heil, der erkannte, daß es dem freundlichen Herrn Offizier ernst war mit seinen Fragen, hätte in diesem Augenblick selbst Okarina oder Dudelsack gespielt, obwohl er beide Instrumente nur vom Hörensagen kannte. so kam er als Geiger in unser Kaffeehaus. und die Russen übergaben ihn den Amerikanern, die ihn behielten, und die Amerikaner gaben ihn samt Inneneinrichtung und übrigem Personal der deutschen Verwaltung, die das Haus seinem deutschen Eigentümer zurückgaben, der neben einigen anderen Hilfskräften auch das Kaffeehaustrio behielt, in dem Herr Heil Geige spielte, obwohl er eigentlich Trompeter war.

ich kannte einst einen Trompeter der hieß Heil. der spielte schon an die zwanzig Jahre in einem Kaffeehaus. das Repertoire kannte er auswendig und wie er von Zeit zu Zeit plötzlich und das gerade gespielte Stück abrupt abbrechend, einen hohen Ton, schrill und Aufmerksamkeit erheischend ansetzte, um von ihm zu einer anderen Melodie herabzufallen, konnte er des Einverständnisses seiner beiden Mitspieler gewiß sein, die, indes sie unverzüglich einstimmten, ohne auch nur hochzuschauen, sicher waren, daß ein Stammgast das Lokal betreten hatte, von dem man schon viele Gläser Weinbrand, oder was der Gast auch immer zu spendieren lieb-

mat du stinkst mir zum Himmel. die Spiegelglasclotür öffnet sich für einen Moment und raubt mir so mein anderes ich. durch einen breiten Spalt der Tür schlüpft Frau Ge. in den Raum. von der Seite hinter dem Stammtisch, die ich nicht sehen kann, kommt Fr. durch eine Schwingtür, wie in Cowboyfilmen.

(kommt Fr.? Fr. stand doch nicht auf Frauen? also?)

kommt einer, den ich für Fr. halten will; mit steifem Schritt, den Leib vom Kopf getragen.

die Ge. und er begegnen sich inmitten des Lokals; der mit dem Grützebeutel ruft: tanzt Twist! Fr., der nur noch sein Leibchen anhat, die Ge., die nur noch die Schuhe mit dem etwas überhöhten Absatz Marke Fußarzt trägt: sie fassen sich

te, erhalten hatte und noch erhalten würde, und der es deshalb verdiente, daß ihm zu Ehren das immer gleiche Stück gespielt wurde sobald man seiner ansichtig geworden war, ohne daß irgend jemand in der Lage gewesen wäre, zu sagen, worauf diese Tradition beruhte, das heißt, nicht der Gast und auch nicht Herr Heil und seine beiden Solisten. kaum denkbar, daß Herr Heil seine Tätigkeit entwürdigend gefunden hätte, auch in musikalischer Hinsicht nicht. wir unterstellen ihm nichts, was ihn gekränkt hätte, wenn wir ihm unterstellen, daß er Frau und Kinder hat, die er gerne unterhält, und daß er alle jene materiellen Verpflichtungen des täglichen Lebens, die wir alle mehr oder weniger tragen, kaum unwillig, eher gleichgültig erfüllt, und das Gleichmaß seines Ein- und Auskommens um dieser Dinge willen ohne Wehmut trägt. Um es kurz zu machen: Herr Heil war es zufrieden; und doch dachte er oft daran zurück, wie er vor fast mehr als zwanzig Jahren als Trompeter eines Musikzuges gedient hatte. das waren Zeiten gewesen.

voll Zärtlichkeit beim Händchen, sie tanzen einen kleinen, machen diesen, jenen und sind froh.

als die Rentner gegangen waren, hatte Ro. gesagt, Herr He., ich möchte zahlen; und dann, als alles bezahlt worden war: schließen Sie doch mal die Tür da auf. worauf Herr He., der den Ausschank seit fünfzig Jahren machte und meinen Onkel Pa. noch gekannt hat, um die Theke herum gekommen war und wie sie nun an der Theke bei Türnähe zusammenstanden, zum dreihundertfünfundsiebenzigsten Mal auf die Einschußlöcher in Zapfsäulen und Thekenbeschlägen hingewiesen hatte, die seinen Erzählungen zufolge im allgemeinen von der Maschinenpistole eines russischen Soldaten stammten, der während eines Spazierganges von der Straße aus ins Lokal geschossen haben soll und ebenfalls im allgemeinen, bei der Gelegenheit einen an der Theke stehenden, stocknüchternen Gast in den Oberarm getroffen hatte. dann hatte Herr He., wie immer, noch hinzugefügt: das hätte aber ins Auge gehen können.

Rottenkopf ging die Straße wieder hinauf oder hinunter. je nachdem, aus welcher Richtung er gekommen war, ehe er blieb, bevor er ging. er hielt sich hart an der Wand, wie Frantek gesagt haben würde und sang ein Lied, das dieser ihn gelehrt haben konnte:

Lott is tot, Lott is tot, Liese sitz im Keller
oder
und im Teutoburger Wald,
hei, da hat er sie geknallt

aber immer an der Wand lang; genau so wie:

raucht Yorck
trinkt Plumbrandy
wählt mich

kauft Möbel
nehmt Kochtöpfe
aus Kornsaat
eßt Plumpudding
füttert Vögel
Montags geschlossen

GUTEN ABEND HERR WACHTMEISTER!

Angorawolle für ihr Kind!
Linie drei verlegt in Pfeilrichtung!
Festtagsbraten rechtzeitig!
Polnische Gänse schmackhaft!
it's a wonderful life!
raucht lieber mich!
kauft lieber sie!
nehmt lieber es!
wählt lieber mich!

GOTTESDIENST VON NEUN BIS SIEBENZEHN UHR!

lade einen Einsamen ein.
falls hier geschlossen nächste Tür im Blumenladen.
Rekorde Monte Carlo Zagreb Wien.
vergib Dir selbst dann vergibt Dir der.
für Dich wird unsere Tür immer offen stehen.
auch Du bist unser lieber warmer Bruder.
täglich morgens zehn bis drei Uhr nachts.
zweihundert Platten alles neue Titel.
Rentnerlage Molle Klarer fünfzig Pfennig.

wer bliebe da nicht?
wer weigerte sich da hinein zu gehen?
wer wirft da nicht über alle einfach mal sein Netz?
und sagte nicht:

Kuckuck Ihr?!
Ihr werdet noch mal an mich denken?!
wer?!
wer würde das nicht machen?!

also bitte!
DAS WAR ALLES WAS SICH ROTTENKOPF ZU SAGEN HATTE!!

Siebentes Kapitel

Nagel dachte: in diesem engen Kabuff kann man sich ja kaum bewegen – als er seine Jacke anzog. dabei setzte er den Fuß auf einen grauen abgenutzten metallenen Hebel dicht über dem Fußboden. der Deckel fiel mit hartem Schlag, zugleich begann Wasser zu rauschen. der Gedanke: Mann ist das eng hier drin – den ein gutes Dutzend anderer Einfälle schon verdrängt gehabt hatten, kam ihm erneut, als er sich zum Handwaschbecken wandte, mit der rechten Hand den herabklappbaren oberen Teil des Fensters öffnete, mit dem Fuß einen anderen Fußhebel herabdrückte, Rock- und Hemdärmel hochschob (während das Wasser schon in dünnem Strahl aus der Leitung kam) und dann begann, sich die Hände nach den Regeln des eigenartigen Rituals zu waschen, wie es Eisenbahnreisenden, Gästen in Lokalen, Behördenbesuchern und einer Reihe anderer Leute aufgezwungen wird. schon beim Waschen wandten sich die Funktionen seines Gehirnes jedoch wieder anderen Dingen zu. ohne daß wir es wollen beschäftigt sich unser Kopf mit den verschiedensten Gegenständen die zu denken wir in vielen Fällen nicht verantworten können. doch ist eine Kontrolle der Gedanken und der Versuch sie in folgerichtiger Reihe zu denken wegen der damit verbundenen Anstrengung kaum irgend jemand so recht zuzumuten und wir können von Glück sagen, daß niemand in der Lage ist, alle Gedanken eines Menschen an einem Tage aufzuzeichnen und die Vorstellung, alle Gedanken aller Menschen in einem Café, in einer Straße oder wie hier in einem Zuge, könnten gleichzeitig hörbar sein, ist geeignet einen neuen babylonischen Komplex zu verursachen. andererseits bereitet dieses Wissen erhebliche Schwierigkeiten beim Schreiben. wie kann ich Nagel und die Fahrgäste im Interzonenzug nach Berlin beschreiben, wenn ich ihre geistige phantastische Realität nur zu einem Bruchteil darstellen kann? ich gestehe offen, die untergehende Sonne und den lebhaften Verkehr der Ost-

West-Achse der Stadt vor Augen, daß ich zu denen gehöre, die seit Jahrhunderten Bücher schreiben ohne sich darum zu kümmern, daß sie die Wirklichkeit übertreiben müssen, um sich den Anschein geben zu können, die Wirklichkeit abzubilden. deshalb ist auch die unaufhörliche Verfolgung unserer selbst durch die Tätigkeit unseres Kopfes bis in den Schlaf hinein, wie sie oben angedeutet wurde, ebensowenig mein Thema wie eine literarische Welt aus der die reflektierende Tätigkeit des Geistes deshalb ausgeschlossen ist, weil ihr allergrößter Teil nicht faßbar ist.

Nagel dachte: das schreiben-können stellt eine unerklärliche Macht dar. er entriegelte die Tür und öffnete sie nach außen. seine Denkweise wurde oft dadurch bestimmt, daß er für sich selbst eine Rede vor einem Auditorium formte. sie litt dann darunter, daß er, sobald ein Gedanke Aussicht darauf bot gradlinig, folgerichtig zu verlaufen, die Linie abbrach und statt dessen zunächst einen umständlich historisierenden Prolog fabrizierte. wie – so ging es deshalb weiter – man nur daran zu denken braucht, daß in jedem Basar, auf jedem Markt, in jeder Geschäftsstraße jener Mann sich besonderen Ansehens erfreute, der fähig war zu schreiben. als Konspirateur in Liebesdingen, Wirtschaftsfragen, politischen Komplotten, Erbschaftsangelegenheiten und so weiter, war er sowohl ein Mann besonderen Vertrauens, als auch jemand, der in vielerlei Dingen, deren geistige Substanz nicht selten über seine nur handwerkliche Fähigkeit (des schreiben-könnens nämlich) hinaus ging, um Rat angegangen wurde und, solchermaßen in die Rolle des allgemeinen Ratgebers gedrängt, sich auch bald als solcher fühlen mußte.

an dieser Stelle zeigte sich der zweite Nachteil der Nagelschen Denkweise. auch sein historischer Rückgriff mußte abbrechen, ehe er noch als gradliniger Gedanke für uns Heutige Aktualität gewinnen konnte. statt dessen kreisten nun seine Wünsche um die personelle Zusammensetzung seines Auditoriums und die Reaktionen desselben. er hatte die Tür von außen schließen wollen, sie jedoch einer wartenden Person wegen gleich einen Spalt geöffnet gelassen. er überquerte die leere Plattform, wandte sich nach links und bog in den Gang ein, der nach etwa einem Meter durch eine Tür unterbrochen wurde und dahinter an den Coupés vorbeiführte. er legte seine Hand auf den Türgriff und zögerte einen Moment lang, unschlüssig in welcher Richtung er diese Tür öffnen sollte. er dachte: nun habe ich mein Auditorium und meine Rede schon im Stich gelassen. ob meine Gedanken so weit und so lange abschweifen würden, wenn ich wirklich eine Rede zu halten hätte? was hat sie abgelenkt? er hatte die Tür nach innen geöffnet, schob sich seitlich an ihr vorbei und bewegte sich der Fahrtrichtung entgegengesetzt. der Zug fuhr durch ein Tal zwischen gleichmäßig hohen, mäßig hohen Hügelreihen, die von Zeit zu Zeit durch Seitentäler unterbrochen wurden. an solchen Stellen weitete sich das Tal zu einer Art Becken aus, der Zug fuhr ohne anzuhalten durch einen kleinstädtischen Bahnhof, das Ortsschild war meist nicht zu erkennen. ich hatte vom Schreiben reden wollen – sagte er. im Schreiben wohnt eine unerklärliche Macht sagte ich. er freute sich an dem Wortspiel: vom Schreiben reden wollen, (dem ich ehrlich gesagt keine Besonderheit abgewinnen kann). ich sage absichtlich: vom Schreiben reden wollen – sagte er. er setzte seine Rede fort: die Formel bereitet nicht nur Genuß, wie ihn jedes Wortspiel an sich schon bereitet, sie sagt auch wesentliches aus. zum Beispiel das Wort *wollen*: es steht dafür, daß Schreiben und Reden ohne etwas auszudrücken bereits Willensakte sind. ich kann nicht schreiben und reden ohne es zu wollen. er zögerte einen Moment lang, indes er an einem Abteil vorbeiging, in dem junge Männer Bier tranken und Karten spielten. ein Schild mit der Aufschrift Baiersdorf an einem Bahnhofsgebäude war kurz sichtbar. ob hier die Heftpflaster herkommen? – fragte eine Dame einen Herren, als Nagel sich an ihnen vorbeidrückte. ich meine Schreiben und Reden in literarischem Sinne – sagte Nagel. er dachte daran, wie oft er schon den Gedanken erwogen hatte, ein Buch zu schreiben, allgemein ein Buch, über seine süddeutsche Zeit im besonderen und hier wiederum über die Zeit von Mitte April bis Ende Juni letzten Jahres, als sie eine Clique gebildet hatten, die bald danach wieder zerfallen war, einen rechten Clan, auf dem Grundstück eines alten Mannes namens Franz Bausch, der nur Frantek genannt wurde, wo sie sich eingerichtet hatten, ein zufriedenes Leben führten und die mehr oder weniger großen Relikte Bürgerlichkeit, die alle hatten, vergessend, den Platz ihre Tortilla Flat nannten, wobei sie sich über die Bedeutung des Wortes Flat offenbar keine Gedanken gemacht hatten, denn sie rühmten sich auch: wir sind dort so eine richtige Tortilla Flat. weißt du.

Nagel erfuhr, daß der Fluß den man immer wieder überquerte der Main war. sein Name wurde im Zusammenhang mit einer Farbe genannt, die er sofort wieder vergaß. schöne Gegend – dachte er und gleich darauf: warum habe ich nur wieder von Frantek und den alten Geschichten angefangen? ich hätte es ihm sagen können: weil er gemeint hatte, Reden und Schreiben in literarischer Absicht setzten ein Wollen voraus. dabei hatte er sich an Frantek erinnert und daran, daß dieser voller Sprüche gesteckt hatte: Sätze, die er aufgeschnappt hatte, Sprichwörter, Lieder, Erinnerungen, die er immer wieder mit den gleichen Worten wiederholte. zum Beispiel: ich kannte einst einen Trompeter, der hieß Heil. und alle diese dummen Sätze wollte Nagel in seinem Buch verwerten, wenn er je eines schreiben würde. er sagte sich: richtig. wenn ich nur daran denke, wie Frantek eines Tages mit einem Schubkarren den Gang am Haus entlang kam und sang: und da scheißt doch so ein Schwein in das Bergwerk hinein – und wie mich das zum hundertsten Male veranlaßte zu den anderen zu sagen: nun hört euch das an. müßte man über den nicht ein Buch schreiben und alle diese Sprüche bringen? Nagel suchte den Anknüpfungspunkt: wenn ich das nun aufschreibe so stimmt mindestens hinsichtlich des Satzes: und da scheißt doch so ein Schwein in das Bergwerk hinein – meine These nicht, daß alles literarische Schreiben und Reden gewollt sein müsse. er verlor den Faden erneut. Stationsschilder waren immer wieder für einen Augenblick sichtbar. Augenblick ist das richtige Wort – dachte er – genau so lange wie ein Blick aus dem Auge. man müßte jedes Wort in seiner eigentlichen Bedeutung erleben, so wie es mir eben geschah, sagte er laut zu sich selbst und hob den Finger.

Nagel war an der nach beiden Seiten schwingenden Tür am anderen Ende des Wagens angekommen, zog sie zu sich und drängte sich vorbei. er dachte: wenn es tatsächlich je dazu kommen würde, daß ich vor diesen Leuten eine Rede zu halten hätte, wäre das, was ich mir jetzt denke, doch lange vergessen. ich müßte mir eine andere Rede schriftlich vorbereiten, es hat gar keinen Zweck vorher darüber nachzudenken. seit einigen Minuten fuhr der Zug an abgestellten Eisenbahnwagen vorbei, der Bahnkörper wurde breiter, man näherte sich offenbar einer größeren Stadt, zu beiden Seiten wurden schon Häuser sichtbar, die Hügelketten waren zurückgetreten. wahrscheinlich bildete das Tal auch hier einen Kessel, dessen Größe ihn jedoch unsichtbar machte. Nagel dachte daran. es ist eigenartig – sagte er sich; man kann sich in einem Raum befinden. wenn dieser jedoch so groß ist, daß wir seine Begrenzung nicht sehen können, haben wir nicht den Eindruck in einem Raum zu sein. er sagte: sehen Sie meine Damen und Herren, Sie fragen sich vergeblich, was dieses eintönig graue Bild darstellen soll. ich werde es Ihnen sagen: es ist die Vergrößerung des Details eines Quadratzentimeters des Anzuges eines Herren den ich Ihnen mit der nächsten Abbildung zeigen werde: der Ausschnitt muß nur klein genug sein, schon verbirgt er uns, daß ein großer Mann dahinter steht. sein zum Mystifizieren banaler Erkenntnisse neigender Sinn entfernte sich von dem Verein, dem er für kurz einen Lichtbildervortrag gehalten hatte und folgerte nun, daß wir den sogenannten lieben Gott nur deshalb nicht sehen können, weil er zu groß ist. sehen Sie die Spitzen des Domes? – fragte ein Herr einen Herren. Bamberg. Nagel blickte nach links. außer der Fassade eines großen Lagerhauses war nichts zu sehen. Bamberg – dachte er. vor einem Portal standen Tiere, offenbar einstmals Löwen darstellend, die wie zwei asymmetrische Bänke aussahen, so abgeschliffen waren sie. er wandte sich wieder der Bewegung des Zuges zu: wir fahren durch das Land, doch sieht es aus, als rase das Land an uns vorbei nach hinten. Nagel versuchte, sich über die Simultaneität zu wundern die sich daraus ergab, daß er in einem nach vorn, also in die Zukunft sich bewegenden Zuge war, während er selbst stehen bleiben konnte, also die Gegenwart eine wenigstens für kurz meßbare Zeitspanne annehmen lassen konnte, ebenso wie er nach hinten gehen mochte, in die dem Zug entgegengesetzte Richtung während gleichzeitig auch die Landschaft die sie durchfuhren zurückfiel und zwar schneller als er sich nach hinten wandte. Nagel trat wieder auf Frantek zu. warum schreibe ich nicht tatsächlich ein Buch über ihn – fragte er sich. es war ihm die unerwartete und große Ehre widerfahren, seine Ansichten zu dieser Frage einem hochgeachteten literarischen Collegium vortragen zu dürfen. die Frage die Sie zu allererst an mich richten werden – sagte er – wenn ich Sie bitte mit mir die Frage zu bedenken, ob ich ein Buch über Frantek schreiben solle – ich weise ihre Frage mit Entschiedenheit zurück. Sie sagen: welche Frage?! ich antworte: oh, ich vergaß es zu sagen. er begann der Vorstellung der Gesten mit denen er die Rechtfertigung seiner Vergeßlichkeit begleiten würde zu verfallen. ich meine die Frage: wer ist Frantek – sagte er. ich weise diese Frage mit Entschiedenheit zurück. verstehen Sie?!

Nagel dachte: ich muß mich bemühen wieder Grund zu finden. ich kann meinen Geist nicht in diesen Untiefen wässern lassen. die Voraussetzungen, dachte er, laß die Eitelkeit, denk an die Voraussetzungen. der Zug setzte sich in Bewegung. Nagel konnte nach links hinüber nun doch vier Türme über der Stadt sehen. er erinnerte sich, daß ein Stadtteil dessen Häuser ohne Abstand an den Fluß gebaut waren *Nizza* genannt wurde. oder es hieß Klein-Venedig!? er begann einigen Freunden den venezianischen Garten südlich von Vittorio Veneto zu erklären, rief sich aber sogleich zurück. ich muß versuchen zielstrebig zu denken – sagte er. vom Frantek schreiben reden wollen. heißt das: vom Schreiben reden oder heißt es, so zu schreiben als redete ich? und selbst wenn ich nur vom Schreiben rede (aber nicht tatsächlich schreibe) heißt es dann: vom *Schreiben als redete ich* reden, oder was. er holte groß aus: aber Wertester, ich bin tatsächlich der Ansicht, daß Reden noch heute gleichwertig literarisch bedeutsam ist, abgesehen davon, daß es die älteste Form von Literatur ist. nein, warten sie noch! ich weiß darüber hinaus, daß ich postulieren muß, die Kunst der literarischen Rede sei auch älter als alle anderen Künste wenn ich nicht zum Widerspruch geradezu auffordern will. er versank erneut in Historie. frühe Formen des Malens haben erzählenden Charakter – sagte er – und das Bild ersetzte die Schrift in der schriftlosen Zeit. doch ehe es Bild und Zeichen gab saß der Erzähler schon in der Mitte, prahlten schon junge Männer. der heutige Erzähler bedient sich also nur des Schreibens doch hat es für ihn keinen eigenen Wert. halten sie mir ruhig unsere Lesegewohnheiten entgegen. ich weiß, wir lesen nicht den einzelnen Buchstaben, nicht das einzelne Wort sondern erfassen zusammenhängende Wortgruppen, ja ganze Sätze, legen das Bild im Kopf aus und geben ihm literarische Bedeutung. aber ich halte doch dafür, daß meine Aufgabe im Reden liegt.

Nagel kehrte erneut zu Frantek zurück, während ich vermute, daß der Zug kurzen Halt in Lichtenfels machte. doch lasse ich mir gerne entgegenhalten, daß die Strecke von Bamberg noch nicht gefahren sein kann und gestatte deshalb einer Dame, du heiliger Veit vom Staffelstein, zu sagen wenn Nagel die hintere Plattform des Wagens betritt, und einer anderen Vierzehnheiligen zu antworten. Nagel erfuhr näheres über barocke Schönheit und kunsthistorische Bedeutung des Klosters. er erinnerte sich einer Fahrradtour, die sie von Bamberg aus mainaufwärts gemacht hatten. er dachte: wie mache ich es deutlich, daß jedes Buch und besonders mein Buch über Frantek (wenn ich es je schreiben sollte) nicht ein Lesebuch zu sein hat, sondern ein Erzählbuch? ihm fielen junge leicht fanatisch wirkende Dogmatiker ein die ihre Arbeit auf die spitzfindige Unterscheidung von Begriffen wie Sehtext und Hörtext reduziert hatten. also wie mache ich es? Nagel ging durch das schunkelnde Verbindungsstück zwischen zwei Wagen, das an den Seiten ziehharmonikaartig verkleidet war. ich weiß noch, sagte er, daß es mich in der Schule immer wieder traf, wenn von einem Philosophen oder Dichter die Rede war, dessen Texte nicht auf uns überkommen sind. von einigen hieß es, Epigonen oder große Nachfolger hätten von ihnen berichtet, sie als außerordentliche Männer gelobt, vielfach sogar Anekdoten aus ihrem Leben mitgeteilt, jedoch nur hin und wieder diesen oder jenen ihrer Gedanken andeutungsweise überliefert, so daß wir nun von ihrer Person wissen, im übrigen aber fürchten müssen, daß sie für immer stumm für uns sein werden. dann fragte ich mich, wie, wenn sie von dem was sie wußten überhaupt nichts aufgeschrieben haben, wenn ihre Sprache und die mit ihrer Hilfe formulierten Gedanken, Empfindungen, Erlebnisse und, soweit sie sich der Mitteilung ganz enthielt, auch ihre Kraft nur immer einigen gegolten hat, die im Kreise um den Erzähler saßen und ihm zuhörten und weiter trugen, was sie gehört hatten – was wäre dann? denke ich heute darüber danach so ist mir der Name eines Mannes erinnerlich in dem sich diese Vorstellung symbolisierte.

ein Mann in weißer Jacke und schwarzer Hose drängte sich entgegen. Nagel bat um eine Flasche Bier aus dem Tragekorb den der Mann in einer Hand hielt und mit dem Knie vor sich herschob. aber es gab kein Bier mehr, der Kellner, der einer in Westdeutschland unbekannten Firma diente: *Mitropa* – (so stand es auf einem kleinen Schildchen das er am Revers befestigt hatte) war auf dem Wege zum Speisewagen um seine Abrechnung zu machen. bis zur Zonengrenze mußte alles abgerechnet sein. der Mann empfahl Nagel sein Abteil aufzusuchen das er während des Aufenthaltes an der Grenze nicht verlassen dürfe. Anakreon – sagte Nagel – Dichter dessen Wort wir nicht lesen können und Symbol dafür, daß die Existenz von Kunst, also auch von Dichtung, nicht mehr erfordert als die personifizierte Möglichkeit sie entstehen zu lassen. alles was hinzu tritt: der Akt des Aufschreibens, die Traditio, das Lesen – dient höchstens als Bildungsmaterial, Volksbelustigung, Freizeitgestaltung; für die Kunst jedoch ist es unwichtig. doch will ich nicht verkennen – sagte er mit konzilianter Geste – daß Bildung erforderlich ist, um die genannte personifizierte Möglichkeit entstehen zu lassen, und daß ein Publikum da sein muß, das bereit ist, sich durch Buchstaben verlustieren zu lassen, um jene leben zu lassen, in deren Kopf die Möglichkeit entsteht, ein Gedicht oder ein Buch zu schreiben. Nagel kam zu keinem Schluß der nicht zum Widerspruch aufgefordert hätte. sei es wie es ist – dachte er – sollte ich je ein Kapitel oder ein Buch über Frantek schreiben so müßte es einen Teil enthalten den ich *Anakreon* überschreiben würde und der meinen Freunden den Dichtern gewidmet wäre, um deutlich zu machen daß ich ein Buch zum Sprechen und nicht zum Lesen geschrieben habe.

der scheinbare Abschluß einer Idee reizte ihn weiter an dem Gedanken zu spinnen, ein Buch über Frantek zu schreiben. doch kaum war ihm bewußt geworden, daß er im Grunde dabei war, über das Schreiben zu reflektieren, zögerte er, weil ihm zugleich klar wurde wie modisch ein solcher Vorwurf war, wie wenig originell, wie oft gerade in jüngster Zeit von berufener Seite ausgewertet und wie wenig klug genug er war, um nach dem, was zu diesem Thema schon gesagt worden war, noch Neues, die Absicht Rechtfertigendes hinzufügen zu können. er überlegte ob er eigentlich in der richtigen Richtung ging wenn er in sein Abteil zurück wollte. einen Moment lang suchte er seine Gedanken nach der Nummer seines Waggons ab. dann wußte er daß sein Weg ihn auf jeden Fall weiter nach hinten führen mußte. sobald die Kontrolle vorbei ist werde ich durch den ganzen Zug bis ans Ende gehen um zu sehen wie die Landschaft hinter uns zurückfällt. dann ging es wieder los mit Frantek: die beste Art mein Buch über ihn zu schreiben wäre wohl tatsächlich die Gedanken über Aufbau und Aufgabe des Buches, aber auch die Geschichte Franteks in einer Folge von Geschichten zu verstecken, also einen Band Erzählungen über ihn zu schreiben, in denen der Name Franteks immer wieder kurz auftaucht. aber was wäre die Aufgabe, was die Geschichte? müßte ich nicht einsteigen in die Schilderung eines tatsächlichen Herganges? und mehr: müßte ich nicht zuerst die Bedeutung des Herganges erkennen, um begründen zu können, daß ich ausgerechnet diese Geschichte erzähle? und noch früher müßte die Frage doch lauten: Bedeutung für wen!? es ist leicht ersichtlich – sagte Nagel mit erhobener Stimme – daß diese Frage nicht für alle Arten des Schreibens in gleicher Weise beantwortet werden kann. je nachdem kann es der Gegenstand meines Schreibens sein, dem die Bedeutung zukommt, kann es die Leserschaft sein, auf die es ankommt, und es kann sein, daß eine Geschichte nur für mich Bedeutung hat und dann müßte ich fragen (weil dies das nächste ist), worin liegt diese Bedeutung für mich.

Nagel hatte die letzte Frage kaum formuliert, da formierte sich mein Leben zu einer fortgesetzten Reihe von Ereignissen, deren jedes auf einer anderen Ebene lag, die mir gegenüber der vorigen Ebene um einiges erhöht zu sein schien. man wird mir daraufhin vielleicht vorwerfen, ich vereinfachte die Dinge, man empfinde üblicher Weise umgekehrt, so daß also ein Ereignis um so viel höher wertig erscheint, wie es weiter zurück liegt. ich muß aber für mich darauf bestehen daß mein Leben um so viel weniger selbstverständlich, um so viel mehr nur Faktor eines späteren Resultates, abhängig von einer wachsenden Zahl außerhalb meiner selbst liegender Elemente zu sein scheint, je weiter ich es zurückverfolge. ich konzediere zwar, daß ich eine Menge Geld für Musikautomaten ausgebe und daß der Tenor vieler meiner Lieblingslieder lautet: *ein paar Freunde eine Liebe wie es früher einmal war* – und daß der Gedanke, über die Zeit mit Frantek von April bis Juni letzten Jahres zu schreiben, stark nach Verklärung der Vergangenheit riecht. Nagel dachte aber: ich werde dieser Gefahr ausweichen. ich werde diesen Vorwurf von mir weisen mit der Bemerkung, daß mich diese Zeit und ihre Ereignisse erst in den Stand gesetzt haben ein Buch über Frantek zu schreiben, ob ich es nun schreiben werde oder nicht, und daß also doch jeder spätere Augenblick eine höhere Ebene erreicht hatte als jene Zeit, die ich deshalb darein begrenzen werde mir als Vorwurf zu dienen.

Nagel hatte mit dieser Argumentation zunächst das Problem umgangen. doch wird man verstehen, daß mir an dieser Stelle bereits Zweifel daran kommen, ob seine nichtsnutzigen Spekulationen wirklich zu einem Buch über Frantek führen werden. es fragt sich nämlich, ob ein Ereignis, das zu berichten keine innere Notwendigkeit mehr besteht, als Vorwurf geeignet ist. dennoch dachte Nagel: wenn es mir darauf ankäme, etwas zu berichten, müßte ich die Bedeutung des Berichteten berücksichtigen. aber ich halte allein für wichtig, daß ich rede und wie ich rede, nicht jedoch was ich rede. er kam zu seinem Gedanken zurück, das Buch als eine Reihe von Erzählungen zu schreiben, die scheinbar nichts miteinander zu tun haben, deren jede jedoch für eine oder mehrere Perspektiven des Stoffes exemplarisch wäre und aus deren jeder Frantek an beliebiger Stelle seinen kurz geschorenen Kopf hervorstrekken würde um zu sagen: hello boy monsieur – wie er es voriges Jahr um diese Zeit tatsächlich getan hatte. das Maintal bekam durch Nagels Reflexionen etwas literarisches. ich werde doch wohl keine Mainlandschaft entwerfen – dachte er bei sich. er ging langsam durch den Gang an gut besetzten Coupés vorbei, blickte hinein wie in Bühnen auf denen irgendein absurdes Stück gespielt wird (ein Eindruck der teilweise durch die Lautlosigkeit der Spiele verstärkt wurde) und hörte nur hier und da wenn eine Abteiltür offen stand, Satzteile, Ausrufe.

er kam in die Mainlandschaft zurück. wenn ich Frantek in einige Erzählungen gliedere – sagte er – erzähle ich diese dann nicht auch um sie zu erzählen? er wußte wie oft bei ihm die Liebe zu Gegenständen, also zu scheinbar leblosen Sachen, aber auch zu Personen und Ereignissen, den Vorrang gehabt hatte vor der Liebe zum Wort, das sie bezeichnete, und wie oft der Klang eines Wortes sowohl seiner eigenen Bedeutung, als auch seinem graphischen Niederschlag den Rang abgelaufen hatte. er wollte sich mit diesem Resultat zufrieden geben, doch erinnerte er, wie oft der optische Reiz eines beschriebenen Blattes das Wesen des darauf Geschriebenen unbedeutend gemacht hatte, und war also an dem Punkt angelangt wo er es für unmöglich halten mußte ein Buch zu schreiben, geschweige denn ein Buch über Frantek.

nun könnte ich Nagel und damit mir leicht helfen mit der Empfehlung, die Arbeit zu teilen: schreibe ein Buch über Frantek dessen Geschichten um ihrer Bedeutung willen da sind – rate ich ihm – beschreibe Blätter, die die Frage nach der Bedeutung ihres Textes nicht aufkommen lassen, und entwerfe Gedichte, deren Worte sowohl ihren graphischen Reiz als auch das, was sie (ungewollt dennoch) ausdrücken, unwesentlich erscheinen lassen. aber Nagel übersah meinen Vorschlag. die Schwierigkeiten beim Schreiben der Wahrheit sind groß – dachte er und verfiel damit ohne es zu wissen erneut einem Modewort. durch den Gang kamen zwei Uniformierte, einer in Grün der andere in zivil wirkendem Dunkelblau und baten um die Ausweise. Nagels Ausweis war in Ordnung, er stand nicht im Verdacht Westdeutschland wegen strafbarer Handlungen zu verlassen oder ein von seinen Gläubigern steckbrieflich Gesuchter zu sein. ein anderer wird wohl kaum in den mitteldeutschen Staat flüchten – dachte Nagel und irrte sich hierin, wenn auch nicht insoweit, als jemand der sein Geld mit den Händen verdiente und sich etwas ordentliches dafür kaufen wollte, besser im Westen lebte, als im sogenannten Osten – wenn er von den Absichten der ihn beherrschenden Obrigkeit absah. denn hinsichtlich dieser begnügte sich der Staat im Westen damit, die materiellen Ansprüche seiner Bewohner zufrieden zu stellen und sann danach die menschlichen Fehler möglichst vollkommen kennen zu lernen, um sie zur Herrschaft verwenden zu können, während der *östliche* Staat nach einer Staatsform trachtete, die ihre Rechtfertigung mehr im Ideellen suchte. es bestand jedoch kein Zweifel daran, daß der östlicher liegende Staat, dessen Territorium der westliche Staat genauso zu erwerben trachtete wie umgekehrt, sich selbst bei seinen eigenen Bewohnern geringerer Popularität erfreute. die Möglichkeit jemand könnte von West nach Ost flüchten hatte deshalb weniger Wahrscheinlichkeit für sich. das mußte man schon sagen.

Nagel dachte: ich kann mich ja entscheiden und für jedes lassen sich gute Gründe angeben. ich verlege mich also erst einmal aufs Erzählen und denke darüber nach, was zu erzählen ist. Frantek war seit langem in der Stadt, hatte seine Steinbaracke auf dem Pachtgrundstück und wenigstens einer von denen, die voriges Jahr mit mir waren, hatte schon Jahr und Tag dort gewohnt und nach seinen Erzählungen andere, die im gleichen Stadtteil lebten, bei sich wohnen oder doch wenigstens stundenlang sitzen gehabt. Frantek war nach dessen Auskünften immer so gewesen, wie er war als Nagel ihn kennen lernte, hatte auf die gleiche Weise geredet und das Gleiche getan, das heißt also, außer Trinken und sein Schuppchen aufräumen kaum etwas. aber auch Nagel hatte schon Jahr und Tag in der gleichen Stadt gelebt, und obschon in einem anderen Stadtteil pflegte er doch mehrmals die Woche in dem

Stadtteil zu sein in dem sich das ganze Lotterleben abspielte – der gleiche in dem Frantek wohnte. es war also zumindest erstaunlich, daß mit dem April letzten Jahres ein solcher Rummel begonnen hatte, sich um Frantek zu drehen. Franteks Sprüche hatten plötzlich Bedeutung erhalten, sechs, acht Leute waren ständig auf dem Grundstück, lagen zwischen den Grabsteinen herum, aßen und tranken zusammen, trugen Franteks Poesie im ganzen Stadtviertel herum und waren eine Gruppe geworden. auch wenn sie auswichen, zum Beispiel in irgendeinen der Wohnkeller um an einem Fest teilzunehmen, so wurde diese Einheit nicht aufgehoben, sie waren eben eine Tortilla Flat mit ihren eigenen Gesetzen. und so wie es Nagel nun tut habe auch ich, der ich häufig dabei war, mich immer wieder gefragt, was zu dieser Ausnahmesituation geführt haben mochte; und ich habe eigentlich nur wenige schlüssige Gründe gefunden, die alle ihrem Wesen oder der Art ihrer Erscheinung nach individualisierend waren und also jene, denen sie zu Gebote standen, notwendig vereinen mußten. so interessierten damals zwei Dinge die Stadtpolizei immer stärker an jenem Stadtteil. das eine war die steigende Zahl kleinerer Diebereien [10] – in den meisten Fällen aus Selbstbedienungsläden aber häufig auch in unübersichtlichen Kramläden, wo die Diebe nach Sauerkraut und ähnlichen Artikeln fragten, die unter dem Ladentisch oder gar in abgetrennten Lagerräumen aufbewahrt wurden. doch entwendete man auch anderes: Autoreifen, Wagenbatterien oder Baumaterialien von Baustellen. wobei sich die Täter nicht selten als

[10] Besondere Objekte, wegen derer jedoch nie ein Mann gesucht wurde, stahl einer, der die Gruppe eigentlich immer nur am Rande berührt hatte: Gregor Thunfisch – aus unerfindlichen Gründen wurde er *Schmul* genannt, was an sich die Kurzform für Samuel ist. Er stahl Damenunterwäsche und hier wiederum sogenannte Dessous. Die Sache hatte verhältnismäßig harmlos angefangen.

verkaufsberechtigt ausgaben und das Gut durch den Käufer oder einen Spediteur gleich von Ort und Stelle abfahren ließen.

das andere war der zunehmende Handel mit Rauschgiften aller Art, wobei Marihuana und in Apotheken nur gegen Rezept erhältliche Drogen die Hauptrolle spielten. Nagel folgerte, daß beides, Stehlen und Betäuben, Zustände des außer

Beim Kehren unterm Kleiderschrank fand Thunfisch eines Tages einen Damenbüstenhalter. Nun ist es so: Er hatte es nicht nötig, lange zu überlegen, da er nicht zu den Männern gehörte, die vom Liebesglück so begünstigt werden, daß sie jede Woche eine neue Kerbe in ihren Schaft schnitzen können. Das Fundstück mußte, konnte nur, einem Mädchen gehören, das mit ihm gekommen war, um sich alle seine Schlipse zeigen zu lassen, sich ausgezogen hatte, um sich von ihm zeichnen zu lassen, und die Flucht ergriffen hatte, als es sah, daß sich auf dem im übrigen unbedeckten Stück Papier nur wenige Spucketropfen befanden. Versteh's einer wie er will. Sie war jedenfalls geflüchtet und hatte in der Eile wohl dies hier vergessen. Uns interessiert nicht, was damals geschah.

Nachdem Thunfisch den Büstenhalter zunächst seiner Wirtin wegen, hinter allerlei Wäsche in seinem Kleiderschrank verwahrt und nur abends vor dem Zubettgehen hervorgeholt hatte, oder ihn eingesteckt hatte, wenn er ausging, um sich mit Freunden zu treffen, vor denen er ihn, wie unbeabsichtigt, aus der Tasche zog, etwa zusammen mit einem Taschentuch, jedoch jedenfalls um darzutun, daß er Verkehr mit Frauen habe, setzte ihn ein Wohnungswechsel, den er, einer Kündigung wegen, bald darauf vornehmen mußte, schon wenig später in den Stand, sein kleines Fundstück an der Wand aufzuhängen, denn zu seiner neuen Wohnung hatte nur er selbst Zugang. Er schlug zwei Nägel in die Wand und ließ den Büstenhalter herabhängen, wobei er die Taschen mit zusammengeknülltem Papier füllt, um sie

sich Seins und somit neue Bewußtseinslagen nach sich gezogen hatten, wobei das Stehlen zwar ein sich nicht mitteilendes Erlebnis gewesen war, so daß es zur Vereinsamung des Stehlenden geführt hatte, jedoch auch eine Gemeinschaft aller derer, die gestohlen haben begründet hatte, insbesondere, wenn das Diebesgut gemeinsam verzehrt worden war, während der Rauschgiftsüchtige ja ohnehin zu missionieren wünscht auch

voller erscheinen zu lassen. Bald war er jedoch mit dieser Art der Ausstellung nicht mehr zufrieden. Er versuchte einige Gegenstände, Bücher, einen Tischlampenschirm, eine Stuhllehne, die Funktion eines Torsos annehmen zu lassen, um den *Beha* besser drapieren zu können, doch erwiesen sich alle diese Versuche als nicht zufriedenstellend und es ist schwer zu sagen, wie sich die Angelegenheit weiter entwickelt hätte, wäre er nicht eines Tages an einem Trödelladen vorbeigekommen, in dessen Schaufenster eine Schneiderpuppe stand, die er sofort kaufte und mit zu sich nach Hause nahm. Der *Beha* stand ihr prächtig, doch ergaben sich bald neue Schwierigkeiten. Er staubte nicht nur schnell ein, so daß er gewaschen werden mußte, was ihn nicht ansehnlicher machte. Es begann seinen Freunden auch aufzufallen, daß es sich immer um den selben Gegenstand handelte, und obwohl sein erster Auftritt ihm einen guten Ruf eingetragen hatte, kam er bald in den Verdacht, zu stagnieren oder seine Freunde über die Umstände, die ihn in den Besitz jenes *Behas* geführt hatten, stillschweigend getäuscht zu haben. Unversehens sah er sich vor die Notwendigkeit gestellt, einen neuen *Beha* zu beschaffen. Nun wäre es wahrscheinlich leicht gewesen, irgendeine der Damen im Haus unter Umständen die Portiersfrau, um einen abgelegten *Beha* zu bitten. Doch mußte der *Beha* kraft seiner Beschaffenheit in der Lage sein, besondere Schlüsse auf seine vormalige Besitzerin zuzulassen. Er mußte diese als annehmbar und koitabel ausweisen, wollte er Thunfisch wirklich dienen.

andere in den Genuß des Giftes bringen möchte und am liebsten mit mehreren zusammen ist. das Dritte, das gemeinsame Trinken, war an sich der schwächste Grund und muß dennoch erwähnt werden, weil alle, die dort zusammen waren, nicht in den üblichen Formen mit den üblichen Begleiterscheinungen tranken. auch das Trinken war dem Grunde nach nichts anderes als der Weg zu einerseits eingeengter, andererseits

Eine Erkältungskrankheit, wegen derer er dem Büro fernbleiben mußte, gab ihm die Möglichkeit, sich nach einem neuen Zimmergott umzutun. Tagelang trieb er sich in den entsprechenden Abteilungen größerer Textilgeschäfte und Kaufhäuser herum, bis er eines Tages die Chance hatte, einen *Beha* zu entwenden. Er hätte nie die Idee gehabt einen zu kaufen. Glücklich nahm er zu Haus die notwendigen Veränderungen an seiner Schneiderpuppe vor und lud noch am selben Abend einige Freunde zu sich ein.
Hier ist ein kleiner Einschub erforderlich und sei deshalb gestattet. Das im deutschen Sprachgebrauch übliche Kürzel für den in Rede stehenden Gegenstand, den wir bisher als *Beha* bezeichnet haben, ist sprachlich unzufriedenstellend. Doch bedient sich das Amerikanische eines Kürzels, das kräftig genug erscheint, um auch im Deutschen zu verdeutlichen, worum es geht und das hiermit eingeführt sei. Das Wort heißt *Bra*!

Thunfischs neuer Bra, um es kurz zu machen, fand Gefallen und gab ihm alsbald sein verlorenes Ansehen zurück, doch wird ein neuer Bra, wie alles, bald zum Alten und bringt damit zugleich die alten Sorgen wieder her. Aber der Ausweg war Thunfisch inzwischen bekannt und es hätte wirklich für alle Zeiten so weiter gehen können, wie bisher, hätte Thunfisch nicht bei einem neuerlichen Diebstahlsversuch die große Furcht gepackt, die uns, wenn wir beabsichtigen, unbemerkt etwas mitgehen zu lassen, suggeriert, wir würden gerade im Moment des Zugreifens beobachtet.

jedoch vertiefter Wahrnehmungsfähigkeit. während des Trinkens schienen sie alles von sich abzuschütteln, was sie alltäglich umgab, schienen sinnlicher zu werden, mehr zu sehen, zu hören, zu fühlen und so war es eigentlich ein dritter Weg um außer sich selbst zu gelangen. das Vierte pflegte Nagel bei sich selbst das *homeln* zu nennen. es befanden sich wohl keine Tunten oder Homos unter ihnen, aber wir hatten einiges von

Geniale Gedanken, wie alles Geniale, erweisen sich bei näherem Zusehen als der erfolgreiche Ausbruch aus einer scheinbar aussichtslosen Position jedweder Art. Thunfisch überwand jenen für jeden Dieb so verhängnisvollen Moment, indem er einen ganzen Stoß in kleinen Kartons mit Klarsichtfenster verpackter Bras auf den Arm nahm und sich so in den Anschein setzte, ein von der Lagerverwaltung beauftragter Abholer des gesamten Vorrates eines bestimmten Bras zu sein. Nun bedarf die gerade gegebene schematische Definition des Genialen insoweit der Ergänzung, als sie einen Menschen voraussetzt, der sich zum einen der scheinbaren Ausweglosigkeit überhaupt bewußt ist und zum anderen nach erfolgreichem Ausbruch begreift, daß und wie er entronnen ist. Thunfisch vollzog beides und konnte deshalb einer andeutungsweise auf ihn eindringenden Verkäuferin zurufen: *Auf Geheiß von Herrn Müller!*, wobei er mehreres zu Recht in Rechnung stellte: daß man damit rechnen kann, in einem großen Kaufhaus einen einigermaßen mit Einfluß ausgestatteten Herrn Müller zu treffen; daß man annehmen kann, daß eine einfache Verkäuferin, selbst einmal unterstellt, daß Herr Müller für das Haushaltswarenlager zuständig ist und nicht für das Bra-Lager, sich auch der vorgespiegelten Autorität des unzuständigen Herrn Müller beugen würde, und daß kaum zu befürchten ist, daß sich die Verkäuferin über Funktion und Existenz von Herrn Müller überhaupt Gedanken machen würde.

den Strichjungen übernommen, abgesehen davon, daß wir ihre Lokale und Parties besuchten und ihnen sehr zugetan waren.

Nagel dachte: wir küßten uns und es schmeckte uns gut. wir tanzten miteinander und schlangen die Arme umeinander. wir schliefen zu viert oder zu fünft in einem Bett, jeder auf

Man hätte meinen mögen, Thunfisch sei nun auf Monate hinaus aller Sorgen ledig gewesen. Aber nein! Hätte er ein Dutzend nagelneuer Bras verbergen sollen, um sie einzeln je nach Bedarf hervorzuholen? Wäre es nicht aufgefallen, wenn die ihm nahestehenden Damen immer nur Bras zurücklassen und noch dazu immer dieselbe Sorte? Thunfisch dachte lange nach und entschied sich kurz. Dann stand fest, daß er sein vorgegebenes Leben beenden und sein eigentliches Leben beginnen würde. Er suchte nun häufiger die Wäschelager großer Kaufhäuser auf und wurde zugleich einer der bedeutendsten Sammler bildhauerischer Arbeiten hohen und populären Ranges. Er bevorzugte Aktplastiken und Skulpturen aus der Zeit des zweiten und dritten Reiches und es zeigte sich, daß Bildhauer und Skulpteure in jenen Zeiten nicht müde gewesen waren, Formen und Vorzüge der deutschen Frau zu gestalten, wenn auch fernab geiler Schamlosigkeit, und in dem Bestreben, sie ethisch zu veredeln.

Thunfisch sammelte alles, sei es Vollplastik oder Relief, Ganzkörperstück, Torso oder Büste, und veredelte die Dinge seinerseits wieder, indem er sie mit feinster Damenunterwäsche bekleidete, wobei Bras, Mieder, Hemden und Unterröcke im allgemeinen keine Schwierigkeiten beim Ankleiden der Statuen machten, wohl aber Höschen, und zwar, weil die Damen meist mit wenigstens einem Fuß am Sockel klebten. Der Einfallsreichtum der Künstler hatte hinsichtlich der verschiedensten Stellungen offenbar kaum Grenzen gekannt, wobei nicht vergessen

der Seite liegend, die Knie leicht angezogen und alle ineinander verschachtelt. wir faßten einander zwischen die Schenkel legten die Arme um die Schultern und wuschen uns gegenseitig. es mag eine Menge Erotik mit dabei gewesen sein, doch war es nicht sexuell. deshalb nannte ich unser Verhalten nur *homeln.*

werden darf, daß die Veränderung der Position des Modells das wesentlichste Unterscheidungsmerkmal der meisten plastischen Bildwerke jener Jahre gewesen ist – doch gab es kaum Plastiken, die beide Beine in die Luft gestreckt hätten. Erwarb Thunfisch ein neues Modell, so trachtete er zwar stets, gewiß zu sein, daß die Bekleidung desselben keine Schwierigkeiten machen würde, dennoch wurde es ihm in vielen Fällen nicht erspart, das Kleidungsstück auf den Leib zu nähen.

Grundsätzlich ist folgendes zu sagen: Wäre Thunfisch zuvor ein Freund moderner Plastiken gewesen, seine neue Leidenschaft hätte ihn fortan zu ihrem entschiedensten Gegner gemacht; er wäre allen Verständnisses für die Feinde moderner Kunst fähig gewesen. Doch entdeckt man in Thunfisch durchaus avantgardistische Züge. Nicht nur hohe Kunst sammelte er, er nahm auch alle Arten von Puppen, wie sie im Hausgebrauch alternder Junggesellen, Witwer, aber auch unzufriedener Ehemänner zu finden sind, und andere, die Handwerk und Gewerbe dienen, Schneiderpuppen, wie seine erste es einst gewesen war, Schaufensterpuppen, anatomische Modelle und anderes.

Betrat man nun Thunfischs Heim, was er allerdings nur Leuten zugestand, deren Loyalität und Verständnis er gewiß sein konnte, so befand man sich alsbald inmitten einer imponierenden *Floor-Show*, einem durch die Vielzahl der Akteusen auffallenden *Strip-tease-Kabinett*, einer durch die Varianten ihrer Modelle Achtung erheischenden *Wäsche-Schau*, die sich durchaus

das Fünfte das uns miteinander verband und von anderen absonderte war eine eigentümliche Sprache in der die Verwendung der Sprüche Franteks den kleinsten Raum einnahm. viel bemerkenswerter war, daß jede Bemerkung, alles was zu sagen war, in Bilder gekleidet wurde – eine Redeweise, die ihrer Weitschweifigkeit wegen zum Monologisieren verleitete. waren dagegen kurze Fragen, Bitten, Antworten, Feststellungen erforderlich, so wurden sie durch vielfach gebrauchte Phrasen ausgedrückt, oder sofern so etwas nicht gegeben war, nur durch das sie am besten kennzeichnende Wort, sei es Substantiv, Verb, Adjektiv oder auch nur Präposition.

Nagel war an seinem Abteil angekommen. was ich zu berichten habe sind Ereignisse und Erlebnisse einer Zeit – dachte er – in der mein Leben wie das der Anderen ekstatisch war.

messen konnte mit analogen Vorführungen modischer Erzeugnisse der Miederwaren- und Wäscheindustrie, wie sie allerorten, jährlich mehrmals, in ersten Häusern am Platze unter Anwesenheit hoher Persönlichkeiten aus Gesellschaft, Landesverteidigung, Klerus und Kommunalverwaltung veranstaltet wurden; die auch Programme einschlägiger Etablissements für das sich entkleidende Gewerbe nicht zu scheuen brauchte – sofern man davon absieht, daß Thunfischs Damen nicht lebten. Versteht sich: ein beachtlicher Nachteil, der jedoch teilweise dadurch aufgehoben wurde, daß es in Thunfischs Haus nicht unziemlich war, seinen geheimen und allgemeinen Wünschen nachzugehen, und die Damen, wie auch ihre Kleidung, zärtlich zu berühren. Man brauchte sich noch nicht einmal einen träumerischen Glanz im Auge zu verzeihen.

Doch müssen wir auch dies sagen: im Kreis um Frantek, wo das Stehlen so gut war, wie eine Eintrittskarte für die ersten Plätze, wurden Thunfischs Diebereien nicht honoriert; ihr Zweck wies ihn als einen Bourgeois übelster Sorte aus!

manch einem wäre die Erinnerung daran so viel wert, daß sie ihm die Möglichkeit, Gegenwärtiges bewußt, unmittelbar und durch Reminiszenzen nicht verfälscht zu erleben, ersetzen würde. was ist es denn anderes mit den sogenannten alten Freunden, die sich nach langer Zeit wiedersehen und den Abend damit zubringen, sich zu erzählen, was sie längst wissen: damals haben wir was gemacht – dachte Nagel. natürlich haben wir was gemacht. aber wer weiß denn, ob nicht alles nur am Wetter gelegen hat. es war das schönste Jahr an das ich mich erinnere. noch Monate nachdem der Grabsteinfritze uns alle rausgeworfen hatte und Frantek gestorben war, habe ich am alten Hafen von Marseille im Meer gebadet. es war sicher schon Ende Oktober und erst als ich im November wieder über den Bodensee kam war es kalt geworden, doch hieß es auch hier: seit ein paar Tagen erst. Nagel hatte es jetzt mit dem Wetter. er hatte zwar von naturwissenschaftlichen Phänomenen keine Ahnung, doch glaubte er zu wissen, daß Wärme Druck erzeuge und Druck Wärme, und daß beide geeignet seien, Elemente zu verändern, wenn sie nur lange genug auf diese einwirkten. unter diesem Gesichtspunkt meinte er der Beweis dafür zu sein, daß enges Beieinander mehrerer Menschen zusammen mit dem intensiven Erlebnis intensiver Erlebnisse zur Veränderung einer Person beitragen könnte; daß sich das Bewußtsein des Betroffenen verändern würde, wenn er nur den Verstand hätte die Veränderung richtig zu sehen. Nagel meinte nun das Gefühl zu haben, berechtigt zu sein, ein Buch über Frantek zu schreiben. er war sich seiner geringen Fähigkeiten bewußt. doch war er sicher, daß die Entwicklung einer Person noch immer legitimer Vorwurf eines Buches sei, und daß seine Entwicklung, wenn sie nur wesentliche Veränderungen seines Bewußtseins mit sich gebracht hatte, so gut wie nur irgendeine sein konnte. der Zug hielt jetzt, obwohl der Bahnhof klein und fast dörflich war. Ludwigstadt stand über der Tür die vom Bahnsteig an der Sperre vorbei ins Bahnhofsgebäude führte. die westdeutschen Grenzbeamten verließen den Zug.

Nagel fragte einen Vorbeigehenden und erhielt zur Antwort, dies sei die letzte Station auf westdeutschem Boden. der Zug habe hier Aufenthalt bis der Gegenzug aus Berlin heransei, den er im ersten mitteldeutschen Ort treffen müsse, um die Lok mit ihm zu tauschen. in Mitteldeutschland sei die Strecke noch nicht elektrifiziert.

Nagel dachte: Mitteldeutschland zu sagen ist in geographischer Hinsicht eigentlich falsch, da sich zu beiden Seiten der Zonengrenze geographisches Mitteldeutschland hinzieht und er hatte Recht damit. doch hatte die Sprache außer einigen unaussprechlichen Politausdrücken für beide Deutschland keinen akzeptablen Begriff entwickelt woraus man erkennen konnte daß die Teilung Deutschlands noch nicht ins allgemeine Bewußtsein gedrungen war. die beiden deutschen Staaten nannten sich: Bundesrepublik Deutschland (der westliche) und Deutsche Demokratische Republik (der östliche). die Bewohner des westlichen Staates nannten ihr Land einfach Deutschland ohne daran zu denken, daß es ein zweites Deutschland gab. fragte man sie zum Beispiel im Ausland: wo kommen sie her? so antworten sie: Deutschland. und erst die weitere Frage ob östlicher oder westlicher Landesteil erinnerte sie daran daß es zwei Deutschland gab. doch machten sie sich diese Tatsache nicht bewußt sondern setzten gleich hinzu: aber die aus dem Osten dürfen so wie so nicht reisen (und in Gedanken: wenn also im Ausland einer Deutschland sagt, dann ist es immer West.) diese Angewohnheit zeigte ihre eigentliche Absurdität wenn einer in Berlin oder gar in Leipzig das im östlichen Landesteil lag sagte: bei uns in Deutschland, womit er den westlichen Teil meinte. die Bewohner des östlichen Staates waren dagegen sehr darauf bedacht, die sie abgrenzende Bezeichnung für ihren Landesteil zu gebrauchen, welche sie abgekürzt DDR aussprachen. so bot sich also vom Sprachlichen her die Tatsache daß beide Staaten nicht in der Lage waren, sich in einer Weise zu benennen die allgemein anerkannt worden wäre während die im westlichen Deutschland Lebenden ihren Teil für das ganze Deutschland hielten und die im kleineren Teil Verbliebenen (denn viele waren von dort geflüchtet) ängstlich darauf bedacht waren zu zeigen, daß sie in einem besonderen Teil des Landes lebten. das alles muß man wissen, wenn man Nagel nun für einen kleinen Aufenthalt auf den Bahnsteig treten sieht, wo er zu einem Kiosk geht und sich eine Tasse Kaffee geben läßt.

ich darf diesen Gedanken nicht vergessen – sagte er sich – es ist der Schlüssel. mit ihm habe ich den Ausgangspunkt gefunden der mir die Möglichkeit gibt, ein Buch über Frantek zu schreiben. er dozierte: nach allem was ich gesagt habe lautet mein Satz: die Veränderung eines Bewußtseins ist ein legitimer literarischer Vorwurf. der Ort an dem er sich befand und der sich damit zwangsläufig verbindende Hinweis auf die Grenze zwischen den beiden Deutschland machten ihn jedoch stutzig. wo hat denn diese Grenze bewußtseinsbildend gewirkt, fragte er sich. von den Bewohnern der DDR will ich schweigen, obwohl ich glaube daß es bei ihnen Mangel und Zwang waren, die die Teilung bewußt werden ließen, nicht jedoch die Teilung als solche. vom Westen aber meine ich zu wissen, daß über Wohlstand und Freizügigkeit, die man allgemein mit Freiheit verwechselt, das Gerede von der deutschen Teilung längst zum unaufrichtigen Accessoir formaler Ehrbarkeit geworden ist. Nagel war überzeugt, daß die Teilung zumindest im Westen nicht bewußtseinsbildend gewirkt hatte, wenn man davon absah, daß sie den törichten Haß auf das östliche Europa und den dort unternommenen Versuch, restaurative Gesellschaftsformen durch zeitgemäße zu ersetzen, gefährlich verstärkt hatte. dennoch zweifelte Nagel nicht daran, daß dieselbe Teilung legitimer literarischer Stoff sei. er dozierte deshalb weiter: der Veränderung des Bewußtseins bei gleichbleibender Umwelt entspricht die Veränderung der Umwelt bei gleichbleibendem Bewußtsein.

eine Stimme aus Lautsprechern forderte die Fahrgäste auf

einzusteigen, die Türen zu schließen, am Zuge vorsichtig zu sein und wünschte angenehme Weiterreise. Nagel faßte den Wunsch so auf, wie er gemeint war. die Fahrt durch Mitteldeutschland war zwar technisch gesehen beschwerlicher als Reisen in Westdeutschland. der Zug ruckelte und zuckelte, blieb oft stehen und die Kohlenlok wehte Mengen Ruß herein. aber sie blieb doch was die Kontakte mit der Obrigkeit anbelangte, welche strengere Gesetze mit härteren Anwendungsmethoden verband, auf die Grenzkontrollen beschränkt. Nagel gab sich hinsichtlich dieses Staates keinen Illusionen hin. eines der wenigen ihm bekannten Zitate aus der neueren Literatur stammte von Benn und besagte sinngemäß, es gebe in unserer Zeit keinen anderen echten Konflikt mehr als den zwischen Bürger und Staat. insoweit schien es auf den ersten Blick, als hätten die Verhältnisse in dem Land, das ihnen nun immer näher kam, etwas wahrhaft tragisches an sich. Nagel konnte dem Staat das Recht nicht verweigern, sich in einer Form zu organisieren, die erkennbare Vorteile gegenüber westlichen Gesellschaftsformen bot. er konnte aber auch den Bürgern dieses Staates bestimmte Bürgerrechte nicht absprechen und empfand es als folgerichtig, daß sie versuchten zu fliehen, wenn ihnen diese Rechte versagt wurden. dem Staat wiederum konnte er es nicht verweigern, zu verhindern, daß ihm die besten Leute davonliefen, so daß er sich ausrechnen konnte, wann außer Polizisten und Rentnern niemand mehr im Lande sein würde. Nagel erinnerte sich deutlich an den Tag, da Westberlin, das stets als Mauseloch gedient hatte, eingemauert worden war. zwei Tage zuvor hatte er in jenem August letzten Jahres ein Mädchen kennen gelernt, das ihn zu sich auf ihr Zimmer genommen hatte. es war ein Freitag gewesen. am Samstag vormittag hatten sie eine Menge Eßwaren, Rotwein und Zigaretten gekauft und waren dann gleich in seine Wohnung gegangen, die sie nur Montag abend kurz verließen um in einem Lokal Bier zu holen. erst am Mittwoch als sie abreisen mußte, hatte er das erste Mal seit fünf Tagen wieder Nachrichten gehört, eine Zeitung gekauft und also auch erst an diesem Tage erfahren daß Westberlin abgesperrt worden war, um weiteren Flüchtlingen aus der DDR den Weg zu verlegen. die süddeutsche Stadt in der er damals lebte war ruhig geblieben, keine besonderen Vorkommnisse in dem Lokal, das sie kurz besucht hatten, niemand hatte versucht zu ihm zu kommen, um Unerhörtes mit ihm zu besprechen. Berlin war bis dahin eine Stadt gewesen, die ziemlich weit östlich lag und von der niemand genau wußte ob die Russen nicht auch in den sogenannten freien Sektoren der Stadt ihre Finger hatten. man sah Westberlin als ein Versehen an, als Resultat einer unüberlegten Handlung aus der Zeit nach dem Ende des Krieges 1945, da die Grenzen in Europa neu gezogen wurden.

der Zug fuhr durch ein enges, dicht bewaldetes Tal. der Frankenwald ging hier unmittelbar in den Thüringer Wald über. Nagel blickte hinaus um die Grenze zu sehen. allerlei Gedanken über Grenzen die er auf Reisen überquert hatte gingen ihm durch den Kopf. er erinnerte sich einiger Einzelheiten der Belagerung der Grenze zwischen der russischen und der amerikanischen Zone im Jahre 1945, als Tausende zu Engländern und Amerikanern wollten und seine Familie von einem russischen Soldaten für eine kaum funktionierende Taschenuhr hinübergeführt worden war. er erinnerte sich plötzlich wieder der Ankunft in einer hessischen Kreisstadt im Herbst 1945 an einem Sonntag Nachmittag an dem die Bürger fein gemacht friedlich auf ihrer Hauptstraße bummelten, als lagerten nicht Tausende einige Kilometer weiter östlich in den Wäldern. die Häuser waren blank, niemand sah hungrig oder ungewaschen aus und nur der Mann, die Frau und die beiden Kinder mit ihren Rucksäcken wirkten häßlich und mußten durch Verweigerung der Lebensmittelkarten möglichst schnell aus der sauberen Stadt entfernt werden, deren Anblick sie in beunruhigender Weise störten.

als Nagel so weit gekommen war sah er eine Schneise im

Wald die sich nach rechts hin den Hügel hochzog, einen etwa hundert Meter breiten Streifen, der sorgfältig gerodet war und in dessen Mitte sich Stacheldrahtverhaue entlang zogen. der Anblick war kurz und erschütterte nicht. das Bild war bekannt, Wochenschauen, Zeitungen hatten es oft genug gebracht, kein Nachrichtenorgan, keine politische Manifestation, die nicht täglich wenigstens einmal davon geredet hätte. Politiker hatten mit Hilfe fortwährender rhetorischer Hinweise auf die, wie es hieß, unnatürliche Spaltung unseres Vaterlandes und mittels der ebenso rhetorischen Forderung die Grenzen zu beseitigen, jahrelang Politik betrieben und sich zugleich anderer, eventuell erfolgreicherer politischer Maßnahmen enthalten. sie hatten im Gegenteil alles dafür getan um die Spaltung zu vertiefen und jeder, der auf sich hielt, schloß sich ihnen darin an. deshalb war seit langen Jahren die politische Debatte unfruchtbar geworden, so daß niemandem mehr einfiel, wie die Lage zu ändern gewesen wäre. man hätte zu allererst auf Schlagworte verzichten müssen, aber das wagte niemand mehr, und auch Nagel kehrte während er dem ersten mitteldeutschen Ort entgegen fuhr, wieder zurück zu Frantek.

wenn ich die Berechtigung ein Buch über Frantek zu schreiben – sagte er – daher nehme, daß er Symbol und Zeuge für die Veränderung meines Bewußtseins gewesen ist, so muß ich auch sagen, worin die Veränderung meines Bewußtseins gelegen hat und ich muß sie mit anderen Veränderungen vergleichen und fragen, ob diese Veränderungen nicht stärker sind oder wenigstens mich stärker betreffen. ich muß sie nach dem gleichen Schema beurteilen: haben sie Bedeutung als Gegenstand, haben sie Bedeutung für andere, haben sie Bedeutung für mich. ich müßte zum Beispiel die Veränderungen an Umwelt, wie sie sich in dieser Grenze hier darstellt hernehmen. Nagel begann statt dessen darüber nachzudenken, was sich in ihm verändert hatte in der Zeit von Mitte April bis Ende Juni letzten Jahres. ich habe zu schreiben begonnen –

sagte er. schon während dieser Zeit und intensiver dann, als jenes Mädchen an einem Mittwoch abgereist war. Sie sehen meine Damen und Herren – sagte er – wenn ich eingangs sagte, das Schreiben ist eine unerklärliche Macht, so liegt die Veränderung meiner Person in einem Zuwachs an Macht. wenn das kein literarischer Vorwurf sein soll. er fuhr fort: das Bewußtsein verändert sich natürlich auch während des Schreibens. ich könnte sogar sagen, die eigentliche Veränderung findet erst währenddessen statt; deshalb darf man sich nicht täuschen lassen: wenn ich mir hier die Grundgedanken eines Buches über Frantek einfallen lasse, so ist das also mehr als nur der Versuch über eine Absicht. ob ich das, was ich mir bisher gedacht habe, aufschreibe oder nicht (vielleicht werde ich es einmal aufschreiben und ihm im Buch die systematische Stellung eines Vorwortes geben), es ist bereits mit der Möglichkeit seines Entstehens Bestandteil des Buches über Frantek geworden, ob ich es nun schreibe oder nicht.

der Zug fuhr langsam in einen Bahnhof ein. Probstzella stand auf länglichen Schildern. Nagel ertappte sich dabei, wie er den schrebergärtnerisch frischen Blumenrabatten Aufmerksamkeit zuwandte, während er nicht hätte sagen können, ob die Bahnhöfe in Erlangen oder Lichtenfels bepflanzt gewesen waren. er bemerkte große Tafeln mit ihm unbekannten Emblemen, die auf gelbem Grund Frieden, Wohlstand und Freiheit durch den Sieg des Sozialismus versprachen oder das Land als den ersten deutschen Arbeiter- und Bauernstaat präsentierten. Nagel dachte, daß so etwas wirklich neu in der Geschichte wäre. es war ihm nicht möglich eine klare Stellung zu beziehen. er wußte nicht inwieweit seine Sympathie für dieses Land nur eine Funktion der Antipathie für das Land war, in dem er gelebt hatte, doch ging er immerhin so weit sich zu fragen, ob es nicht klüger wäre wenn schon dann beiden Ländern Antipathie entgegen zu bringen. er hatte bisher durch Schulden machen und allerlei strafrechtlich irrelevante Betrügereien meist unter Ausnutzung der in Westdeutschland üppig schießenden Snobeffekte gut gelebt und mußte sich fragen, ob er das hier bis zu seinem dreißigsten Lebensjahr so gut hätte tun können.

aus Lautsprechern war kaum verständlich eine Stimme zu hören, die von Aufenthalt sprach, Reisenden in die DDR wurden besondere Abfertigungsstellen vorgeschrieben, Personen, die ihren Wohnsitz in der DDR zu nehmen wünschten gab die Stimme noch speziellere Anweisungen. der Vierte in Nagels Abteil, der sich schon während der Einfahrt in Probstzella erhoben hatte, um seinen Mantel anzuziehen, sammelte einige Kleidungsstücke und Kleinigkeiten, die er auf dem Klapptischchen und im Hutnetz liegen hatte und nahm zwei Koffer aus dem Gepäcknetz. *wollen Sie in die Zone?* – wurde er gefragt. der Mann tat eine bejahende Geste. *sicher zu Verwandten* – ging es weiter. der Mann im Mantel sagte, daß er die Absicht habe in der DDR zu bleiben. die Befragung war ihm sichtlich peinlich. er machte den Eindruck eines Mannes, der sehr gut weiß, was er sich anschickt zu tun, der vor sich selbst auch keiner Rechtfertigung mehr bedarf, der aber plötzlich, vor die Notwendigkeit gestellt, sich rechtfertigen zu müssen gegenüber Leuten die ihn nicht verstehen, unsicher wird. nicht daß es schien, als zweifelte er an seinem Entschluß. sein Verhalten wurde unsicher. *ich habe Frau und Kinder in der DDR* – sagte er – *ich war im Westen als sie in Berlin dicht machten. man kann ja niemanden nachkommen lassen.* er zwängte sich mit seinen beiden Koffern und der Aktentasche hinaus. Nagel bedauerte, daß das Gespräch durch die Entdeckung eines familiären Aspektes der Schärfe beraubt worden war, die es erhalten hätte, wenn der Mann aus anderen Gründen in der DDR hätte wohnen wollen, seiner politischen Ansichten wegen zum Beispiel. es hätte mich gezwungen darüber nachzudenken, was ich davon halte – dachte er – ich ziehe ihn Leuten vor, die mit irgendeines Gottes Hilfe Tunnel bohren und bei dieser Gelegenheit andere Menschen umbringen oder Ahnungslose nach Ostberlin entführen und ihnen dort den Paß entwenden. *wenn man sich vorstellt, daß es Leute geben soll, die freiwillig in die Zone ziehen* – sagte die Dame. *ich meine, er ist freiwillig gegangen* – sagte Nagel. *sie irren* – sagte der zweite Herr – *es waren rein humanitäre Gründe.* die Dame sagte, nun wollen wir nur hoffen, daß wir auf dieser Reise nicht noch einen zweiten Flüchtling aufnehmen müssen.

einige Male hatte man das Geräusch und die kurzen Stöße einundausrangierender Zugmaschinen bemerken können. nun setzte sich der Zug wieder in Bewegung. *keine Kontrolle?* – fragte der zweite Mann, ohne sich direkt an Nagel oder die Dame zu wenden. durch die Glaswand, die das Coupé zum Gang hin begrenzte, wurden zwei Uniformierte sichtbar, einer in Blaugrau, der andere in Graugrün. sie zogen die Schiebetür auf, grüßten, baten um Ausweispapiere, prüften, verglichen, fragten ob die Reisenden weitere Ausweispapiere bei sich führten, nahmen, prüften, verglichen erneut, schrieben und stempelten dann und gaben die Dokumente schließlich zurück, zusammen mit einem unansehnlichen Zettel, einem sogenannten Laufzettel, der nicht verloren gehen durfte und dazu diente, die Summe der die DDR durchreisenden Fahrgäste unveränderlich zu halten. Nagel erinnerte sich, daß es vor einiger Zeit einen Film oder ein Theaterstück gegeben hatte, demzufolge tatsächlich jemand versucht hatte, aus der DDR zu fliehen, indem er auf den fahrenden Interzonenzug sprang und Reisende bat, ihn zu verstecken. er hatte den Vorwurf damals abgelehnt, weil er die besondere Problematik der gesellschaftlichen Veränderungen in der DDR außer acht lassen mußte und zudem die Gefahr beinhaltete, allgemeine Weisen menschlichen Verhaltens als exemplarisch für das besondere Verhalten auszuweisen, das die Existenz jenes neuen deutschen Staates bewirkt hatte. es wäre auf jeden Fall falsch gewesen, den bekannten Schwächen des Einzelnen hier oder dort die Schuld für das zuzuschieben, was durch die neuen deutschen Grenzen nach 1945 alles geschehen und entstanden war. er verschwendete nicht viel Zeit an das Thema. er dachte statt dessen daran, daß es die allenthalben zu findende Durchdringung der Wirklichkeit des Lebens mit irrationalen Momenten war, die die Möglichkeit sein Auskommen zu finden zu einer Funktion von Zufällen machte. er wußte daß gewisse Formen von Irrationalismus vor allem in der Kunst geeignet waren, die durch unzulängliche Anwendung von Vernunft auftretenden Mängel des öffentlichen Lebens für Zeit und für gewisse Personen zu erleichtern. als Beispiel dienten ihm die Musik John Cages, gewisse neue Tendenzen der bildenden Kunst, die Lebensweise einiger bärtiger marihuanarauchender Nichtstuer, wie er sie bei Frantek getroffen hatte und deren Äußeres nicht griffig genug war für die sogenannten großen Bewegungen und eine Gruppe englischsingender Guitarrespieler, die sich Beatles nannten und damals groß in Mode waren, um nur einige Möglichkeiten zu nennen. in jedem Falle aber war Nagel davon überzeugt, daß Moorus geirrt hatte, als er berichten ließ, es gebe in Utopia keine Künste, oder daß Moorus den geheimen Vorbehalt gemacht hatte, auch die Ganzheit des Daseins sei in allen ihren Erscheinungsformen Kunst, die Welt bestehe aus einer unendlichen Vielzahl von Kunstwerken und nur, was bisher dafür gehalten wurde, habe nichts damit zu tun. betrachtete Nagel das Verhältnis zwischen dem legitimen Irrationalismus in der Kunst und dem illegitimen im öffentlichen Leben, so mußte es ihm scheinen, als sehe man allgemein das öffentliche Leben als einen Teil der Kunst an, wo für spräche, daß hier und da die Rede geht von der Staatskunst, wo doch der mit moderner Aesthetik unvertraute Bürger gerade im 20. Jahrhundert die Absurdität dieses Begriffes oft genug am eigenen Leibe verspürt hatte. noch krasser verhielt es sich mit der Kriegskunst und unüberbietbar für alle Zeiten mußte fortan die Kunstfertigkeit gelten, mit der die Nazis etliche Millionen Menschen in einigen Jahren ermordet hatten, ja, die geltende strafrechtliche Theorie, die es in den allermeisten Fällen ausschloß, daß die vielen Tausend Mörder als Täter bestraft wurden und in aller Regel annahm, sie seien alle nur sogenannte Gehilfen gewesen, verlieh den wirklichen Tätern jener Massenmorde gewissermaßen eine Anonymität, wie sie im allgemeinen nur mittelalterlichen Meistern eignet, und umgab damit, zumindest im Bewußtsein der breiten Öffentlichkeit, diese Morde mit einem solchen Schein von Unglaubwürdigkeit, daß niemand sich bei ihnen aufhalten mochte oder ihnen zumindest gegenüber stand, wie dem Kölner Dom zum Beispiel, der ebenfalls außerstand ist, mehr hervorzurufen als ein stupides: *das ist doch wohl nicht möglich.*

Nagel begann den Gedanken mit seinem Buch zu verbinden. er trat auf den Gang hinaus. wir werden nun bald eine der schönsten Gegenden Deutschlands durchfahren – erklärte ein älterer Mann einem jüngeren. Nagel ging weiter nach hinten. an der Saale hellem Doppelstrande – grölte ein dicker Mann der mit anderen in einem offenen Abteil saß; Nagel erkannte Oskar, Hansi, Ali, Josi und Uwe. Hockeroda – stand auf dem nächsten Stationsschild, dem schlossen sich akustisch die Namen Saalfeld, Jena, Kösen und Naumburg an. ihr Klang gehörte offenbar zur Rede eines Herrn, den er gerade passiert hatte. Nagel lachte sich eins. mit Frantek soll das Buch etwas zu tun haben – dachte er. mit mir soll es etwas zu tun haben, denn es soll die äußeren Umstände meiner Entwicklung zum Schreiber darstellen. aber nun soll es auch noch Zeugnis darüber ablegen, wie die Welt zu verändern sei (weil sie verändert werden muß, wenn wir weiter in ihr leben wollen). wie sollen diese drei Dinge wohl in einem Buch Platz haben.

er suchte einen Ausweg. hinsichtlich der letzten Absicht könnte ich mich mit der Behauptung herausreden, ein Buch habe immer die Aufgabe und die Möglichkeit, Welt zu verändern. was natürlich nur heißen kann: ein Stück. es handelt sich hierbei um eine automatisch auftretende Nebenfunktion, die alle Arten Bücher mit einbezieht, selbst Kochbücher.

Nagel wurde gefragt, ob er sich denn nicht fragen müsse, welche Veränderungen sie bewirkten. er fühlte sich durch die ihn so direkt ansprechenden Kritiker bedrängt. sehen Sie meine Herren – sagte er – wenn Sie eine Grenze erreicht haben, dann versuchen Sie doch auch nicht, diese Grenze zu überschreiten und zwar schon aus dem Grunde, weil Sie ihr dann nachsagen müßten, sie sei ja eigentlich gar keine Grenze gewesen; oder?

man konnte mit ihm nicht vernünftig reden, doch fuhr er fort: Sie ziehen sich wieder ein Stück zurück, vielleicht sogar bis zum Ausgangspunkt, der im allgemeinen das Zentrum ist (denn die Welt ist rund) und dringen von dort her zu anderen, neuen Grenzen vor.

Nagel entfernte sich immer weiter davon, ein Buch über Frantek zu schreiben. ist es nicht in vielem höchst trivial, wie ich mir dieses Buch vorstelle? – fragte er sich. aber ich habe immerhin so viel begriffen, daß die Schilderung einer vergammelten Zeit und mag sie noch so poetisch sein, ohne Begründung kein literarischer Stoff ist. Angewichst haben wir doch immer. hart, sittenwidrig, gesundheitsschädigend, polizeifeindlich und manchmal an der Grenze geistiger Verwirrung. gesoffen, gelogen, gehurt, onaniert, geklaut und betrogen. aber literarisch gesehen ist es keine zwei Sechser wert, geschweige denn einen Groschen. was erhebt denn Genets *Tagebuch* über das Niveau von Eigendrucken, wie sie während der Frühstückspause in allen Fabrikhallen, auf allen Baustellen herumgehen?: die haarfeine Registrierung der Veränderungen von Personen und Welt unter dem Druck der Erscheinungen wie auch immer. er bemerkte nun, wie sein Buch über Frantek immer unwahrscheinlicher wurde. ich habe vorhin einen Denkfehler gemacht – dachte er. was ich die ganze Zeit bedenke ist ein Buch über mich, in dem Frantek eine gewisse Rolle spielt. einen Moment lang poussierte er mit diesem Gedanken. dann war ihm klar, daß er sicher noch etliche hundert Seiten brauchen würde, um das zu verwirklichen, daß es zweifelhaft war, ob er es je erreichen würde und daß er eigentlich noch nicht damit begonnen hatte. Der Zug fuhr durch Schwarza. in meiner Erinnerung sind die Hügel seitlich des Saaltales flach. allzuviele Burgen kann man vom Zug aus nicht sehen. in einer noch weiter zurück liegenden Erinnerung sitze ich in einem dunkel getäfelten Raum an einer langen Tafel auf der viele Bierkrüge stehen mit mehreren jungen Männern meines Alters und einigen älteren Herren. wir haben Bänder um die Brust und lustige bunte Mützchen auf dem Kopf. wir singen: dort Saaleck hier die Rudelsburg und drunten tief im Tale. Nagel begann sich nun auch von dem Gedanken zu entfernen, Frantek symbolisiere sein Leben in einer Weise die es verdient aufgeschrieben zu werden. was die Zeit von April bis Ende Juni letzten Jahres bewirkt hat, war die wesentlichste Veränderung meines Lebens. doch muß ich dabei auch berücksichtigen, daß eine Veränderung immer etwas Veränderbares voraussetzt und etwas Verändertes hervorbringt und das habe ich bisher unterlassen. denn was ist das Veränderbare, was das Veränderte? haben nicht dort Saaleck hier die Rudelsburg als winziger Bestandteil des Veränderbaren und ich, wie ich nun an meinem Arbeitstisch sitze und auf Bismarckstraße Berlin mit dichtem Autoverkehr, auf deutsche Oper und hellblauen Himmel darüber, wie es ihn nur in Berlin gibt, blicke, ich als Veränderter (aber auch weiterhin ständiger Veränderung unterliegender Veränderbarer), habe ich, wenn ich über Frantek schreibe, also über meine Veränderung, nicht gleich zwei Dinge übersehen, die wichtig sind, nämlich: die Veränderbarkeit und das Veränderte?

Nagel war, nach längerer Zeit, am Ende des Zuges angekommen und blickte zum rückwärtigen Fenster hinaus. er war nach hinten gegangen und unweigerlich mit nach vorn gezogen worden, so daß er zwar in gleicher Richtung gegangen war, wie die Landschaft, die er nun hinter dem Zug zurückfallen sah, aber doch nie eine Chance gehabt hatte, etwas von ihr so zu überholen, daß er es hätte festhalten können. alles war hinter ihm zur Erde zurück gefallen. den Blick nach hinten gerichtet fiel er nach vorn. ich habe das Problem zu tief angesetzt – sagte er. ich sollte ein Buch über Frantek schreiben, als würdige Erinnerung, das der Erinnerung wert ist, und nicht mehr. natürlich nicht im Stil sentimentaler Reminiszenzen, aber auf jeden Fall so, daß es einen wesentlichen Einschnitt in meinem Leben deutlich macht und der ist schließlich einmal da gewesen. wenn ich nur daran denke, wie damals

Epilog

nach nochmaligem Überlesen meines Buches befragt, bin ich, aus dem Hut antwortend – das ist gewissermaßen: aus dem Steggriff geigend (ich kannte einst einen Trompeter namens Heil; oder Meyn?) – zu nicht mehr imstande als folgende Antwort zu geben:

Wie soll das nun weitergehen?!

ich sehe folgende Möglichkeit:

in viel größerem Maße als je zuvor muß die Vielzahl der formalen und gegenständlichen Parallelitäten der Welt aus der wir schreiben berücksichtigt werden. das (bühnenartige) Nacheinander des Wie unseres Berichtes und ihres Was ist zutiefst illusionistisch. auch ich bin dem nicht entgangen (was nicht heißen soll, daß ich ihm entgehen wollte). um diese Absicht zu verwirklichen, schlage ich vor:

die dreißig oder vierzig Zeilen, die sich im allgemeinen auf einer Buchseite befinden, werden in Zukunft so geschrieben, daß sie nicht nacheinander, sondern gleichzeitig gelesen werden müssen; sie sind verschiedene Stimmen und finden ihre Fortsetzung nicht in der jeweils unter ihnen stehenden, sondern in der auf gleicher Höhe der folgenden Buchseite sich befindenden Zeile. Variation: die Zeilen werden gegeneinander verschoben.

die Absicht wird auf ihre Widerstände stoßen.
doch ist es so: geben wir der Literatur was der Literatur ist und dem Leser was des Lesers ist, so bleibt doch die Frage: was ist der Literatur? und: was ist des Lesers? ferner, wenn wir diese Fragen miteinander verbinden: ist des Lesers die Literatur oder der Literatur der Leser? und wenn wir diese

Fragen umkehren: ist die Literatur des Lesers die Literatur des Lesers?

man sieht schon, daß es für einen gewöhnlichen Schreiber zu hoch ist.

DOCH HOFFE ICH BALD MEHR ZU WISSEN

Einbandentwurf von Wolf Vostell, Köln
Einbandfoto von Leonore Mau, Hamburg
Gesetzt aus der Linotype-Garamond-Antiqua und der Futura
Gesamtherstellung Clausen & Bosse, Leck/Schleswig
Das holzfreie Werkdruckpapier lieferte die
Papiergroßhandlung E. Michaelis & Co., Reinbek bei Hamburg